# ライフサイクルからみたおもな社会保障制度

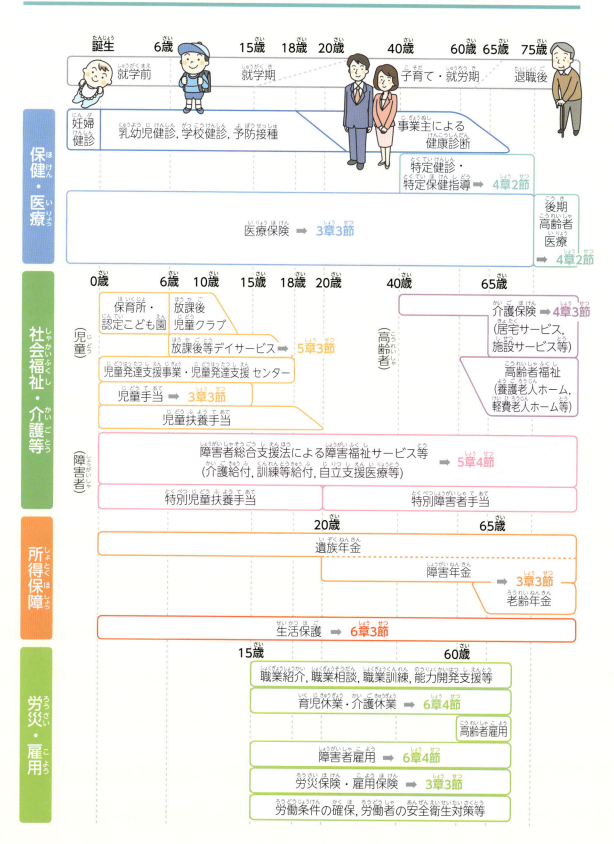

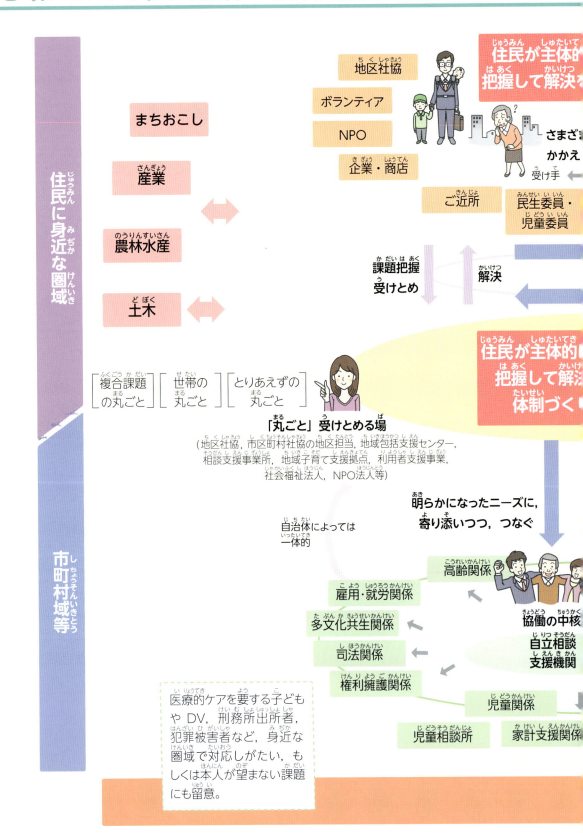

# 相談支援体制のイメージ

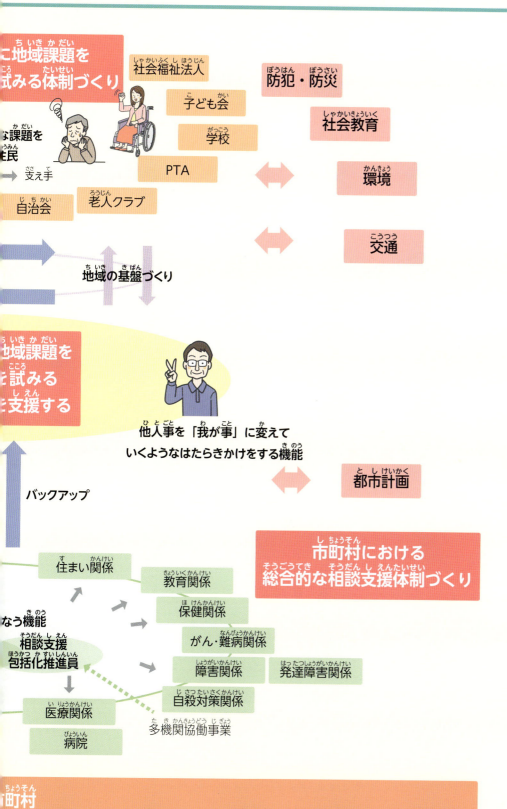

# 地域包括ケアシステムの姿

## 介護が必要になったら…
### 介護

■在宅系サービス
- 訪問介護
- 訪問看護
- 通所介護
- 小規模多機能型居宅介護
- 短期入所生活介護
- 24時間対応の訪問サービス
- 複合型サービス
（小規模多機能型居宅介護＋訪問看護）等
■介護予防サービス

■施設・居住系サービス
- 介護老人福祉施設
- 介護老人保健施設
- 認知症対応型共同生活介護
- 特定施設入居者生活介護 等

## 病気になったら…
### 医療

- 急性期病院
- 亜急性期・回復期リハビリ病院

日常の医療：
- かかりつけ医
- 地域の連携病院

通院・入院　　通所・入所

### 住まい

認知症の人

- 自宅
- サービス付き高齢者向け住宅等

- 地域包括支援センター
- ケアマネジャー

相談業務やサービスのコーディネートを行います。

※地域包括ケアシステムは，おおむね30分以内に必要なサービスが提供される日常生活圏域（具体的には中学校区）を単位として想定

## いつまでも元気に暮らすために…
### 生活支援・介護予防

老人クラブ・自治会・ボランティア・NPO 等

最新
介護福祉士養成講座 2

編集 介護福祉士養成講座編集委員会

# 社会の理解

第2版

中央法規

# 『最新 介護福祉士養成講座』初版刊行にあたって

　1987（昭和62）年に「社会福祉士及び介護福祉士法」が制定され、介護福祉職の国家資格である介護福祉士が誕生してから30年以上が経ちました。2018（平成30）年11月末現在、資格取得者（登録者）は162万3974人に達し、施設・在宅を問わず地域における介護の中核をになう存在として厚い信頼をえています。

　近年では、世界に類を見ないスピードで進む高齢化に対応する日本の介護サービスは国際的にも注目を集めており、アジアをはじめとする海外諸国から知識と技術を学びに来る学生が増えています。

　もともと介護福祉士が生まれた背景には、戦後の高度経済成長にともなう日本社会の構造的な変化がありました。資格誕生から今日にいたるまでのあいだも社会は絶えず変化を続けており、介護福祉士に求められる役割と期待はますます大きくなっています。そのような背景のもと、今後さらに複雑化・多様化・高度化していく介護ニーズに対応できる介護福祉士を育成するために、2018（平成30）年に10年ぶりに養成カリキュラムの見直しが行われました。

　当編集委員会は、資格制度が誕生した当初から、介護福祉士養成のためのテキスト『介護福祉士養成講座』を刊行してきました。福祉関係八法の改正、社会福祉法や介護保険法の施行など、時代の動きに対応して、適宜記述内容の見直しや全面改訂を行ってきました。そして今般、本講座を新たなカリキュラムに対応した内容に刷新するべく『最新 介護福祉士養成講座』として刊行することになりました。

　『最新 介護福祉士養成講座』の特徴としては、次の事項があげられます。
① 介護福祉士養成のための標準的なテキストとして国の示したカリキュラムに対応
② 現場に出たあとでも立ち返ることができ、専門性の向上に役立つ
③ 講座全体として科目同士の関連性も見える
④ 平易な表現や読みがなにより、日本人学生と外国人留学生がともに学べる
⑤ オールカラー（11巻、15巻）、ＡＲ（拡張現実：6巻、7巻、15巻）の採用などビジュアル面への配慮

　本講座が新しい時代にふさわしい介護福祉士の養成に役立ち、さらには本講座を学んだ方々が広く介護福祉の世界をリードする人材へと成長されることを願ってやみません。

2019（平成31）年3月
介護福祉士養成講座編集委員会

# はじめに

　「社会の理解」は、地域社会における生活とその支援についての基礎的な知識、および社会保障の制度・施策についての基礎的な知識を身につけることを目的とした科目です。新しいカリキュラムにおいて「社会の理解」の内容は、①社会と生活のしくみ、②地域共生社会の実現に向けた制度や施策、③社会保障制度、④高齢者福祉と介護保険制度、⑤障害者福祉と障害者保健福祉制度、⑥介護実践に関連する諸制度、から構成されています。本巻もこれに対応した章構成になっています。

　第1章は個人・家族・地域・社会のしくみと、地域における生活の構造について学び、生活と社会のかかわりや自助・互助・共助・公助の関係について理解する内容となっています。第2章は地域共生社会や地域包括ケアシステムの基本的な考え方としくみ、その実現のための制度や施策を理解する内容です。第3章は社会保障制度の基本的な考え方としくみを理解するとともに、社会保障の現状と課題をとらえる内容です。第4章は高齢者保健福祉制度の基本的なしくみ、介護保険制度の内容を理解し高齢者福祉の現状と課題をとらえる内容です。第5章は障害者保健福祉制度の基本的な考え方としくみ、障害者総合支援制度の内容を理解し、障害者福祉の現状と課題をとらえる内容です。そして最後の第6章は人間の尊厳と自立にかかわる権利擁護や個人情報保護など、介護実践に関連する制度・施策の基本的な考え方を理解する内容です。

　従来、このような内容のテキストは専門的なむずかしい内容となってしまい、介護福祉士をめざす学習者から苦手意識をもたれた結果、介護福祉士として身につけてもらいたい「社会的な関係性のなかで対象者を理解する力」を養うことができないという側面がありました。本書では、介護福祉士として必要な知識という枠組みを設定し、実際に介護福祉士養成にたずさわった経験のある若手教員を中心に、学習者が関心をもって学べるような内容、書き方を心がけ、積極的に事例や語句説明を配置したわかりやすい構成となるように努めました。一方で、ベテラン教員による執筆箇所も加えることで、介護福祉士として重要な視点・知識を深く学ぶことができるように工夫しています。

　今回の改訂にあたり、内容をかなり精査していますが、今後の制度改正や社会の変化にともなって不十分となる内容等があるかもしれません。ご活用いただくなかでお気づきの点がありましたら、ぜひともご指摘を賜り、さらなる改訂を通してこのテキストをいっしょに育てていただければ幸いです。

　　　　　　　　　　　　　　　　　　　　　　　　　　　　　　　編集委員一同

最新 介護福祉士養成講座2　社会の理解　第2版

# 目次

『最新 介護福祉士養成講座』初版刊行にあたって

はじめに

## 第1章　社会と生活のしくみ

### 第1節　生活の基本機能 …… 2
1. 生活の基本機能 … 2
2. 「生活」への接近方法 … 3
3. 「社会生活」のメカニズム … 4
4. 家庭生活の機能 … 6

### 第2節　ライフスタイルの変化 …… 9
1. 生活と働き方の変化 … 9
2. 少子高齢化と健康寿命 … 12

### 第3節　家族の機能と役割 …… 16
1. 家族の概念とその変容 … 16
2. 家族の構造や形態 … 19
3. 家族の機能とその変化 … 19
4. 家族観の多様化 … 20

### 第4節　社会・組織の機能と役割 …… 21
1. 社会・組織の概念 … 21
2. 社会・組織の機能と役割 … 22
3. グループ支援、組織化 … 22

### 第5節　地域、地域社会 …… 24
1. 地域、地域社会、コミュニティの概念 … 24
2. 地域社会の集団、組織 … 25
3. 地域社会の変化（産業化、都市化、過疎化）… 26

### 第6節　地域社会における生活支援 …… 28
1. 生活支援と福祉 … 28
2. 自助・互助・共助・公助 … 30

| 演習1-1 | 家族と生活の機能 … 32 |
| 演習1-2 | 地域と生活支援 … 32 |

# 第2章 地域共生社会の実現に向けた制度や施策

## 第1節 地域福祉の発展 … 34
1. 地域福祉の理念 … 34
2. 地域福祉の歴史的展開 … 37
3. 地域福祉の推進 … 38
4. 災害と地域社会 … 41

## 第2節 地域共生社会 … 43
1. 地域共生社会をめざす社会的背景 … 43
2. 地域共生社会の理念 … 44
3. 地域共生社会の実現に向けた取り組み … 45

## 第3節 地域包括ケア … 50
1. 地域包括ケアの理念 … 50
2. 地域包括ケアシステム … 52

| 演習2-1 | 自分の住んでいる市町村の行政計画 … 54 |
| 演習2-2 | ボランティア … 54 |

# 第3章 社会保障制度

## 第1節 社会保障の基本的な考え方 … 56
1. 社会保障のイメージをつかむ … 56
2. 社会保障の意義と役割 … 60
3. 社会保障の目的と機能 … 62
4. ライフサイクルからみた社会保障 … 66

## 第2節 日本の社会保障制度の発達 … 69
1. 社会保障制度の歴史を学ぶ意義 … 69
2. 日本国憲法と社会保障 … 71
3. 戦後社会と社会保障の基盤整備 … 72
4. 国民皆保険・皆年金の確立 … 74
5. 社会保障の拡充（福祉六法の時代）… 75
6. 社会保障の見直し … 75

7　介護保険と福祉の考え方の変化 … 76
　　　8　社会保障構造改革 … 78

## 第3節　日本の社会保障制度のしくみ …………………………………… 81
　　　1　社会保障を支えるもの … 81
　　　2　社会保障の実施体制 … 81
　　　3　社会保障のしくみ … 84
　　　4　社会保障制度の体系 … 87
　　　5　年金保険 … 87
　　　6　医療保険 … 92
　　　7　介護保険 … 96
　　　8　雇用保険と労働者災害補償保険 … 96
　　　9　各種社会扶助 … 97

## 第4節　現代社会と社会保障制度 ……………………………………… 101
　　　1　少子高齢化の進行と社会保障 … 101
　　　2　財政問題と社会保障 … 103
　　　3　社会保障における給付と負担の関係 … 106
　　　4　持続可能な社会保障制度への道 … 107
　　　5　地方分権と社会保障構造改革の課題 … 109
　　演習3-1　社会保障の意義と機能 … 112
　　演習3-2　少子高齢化と持続可能な社会保障のあり方 … 112

# 第4章　高齢者保健福祉と介護保険制度

## 第1節　高齢者保健福祉の動向 ………………………………………… 114
　　　1　高齢者保健福祉に関する歴史 … 114
　　　2　人口の高齢化と高齢者保健福祉 … 119
　　　3　高齢者の健康保持と社会参加 … 122
　　　4　高齢者保健福祉における今日的課題と展望 … 125

## 第2節　高齢者保健福祉に関連する法体系 ……………………………… 128
　　　1　高齢社会対策基本法 … 128
　　　2　老人福祉法 … 131
　　　3　高齢者の医療の確保に関する法律 … 133

## 第3節　介護保険制度 …………………………………………………… 136
　　　1　介護保険制度創設の背景と目的 … 136

- 2 介護保険制度のしくみの基本的理解 … 141
- 3 介護保険制度における組織、団体の役割 … 175
- 4 介護保険制度における介護支援専門員の役割 … 182
- 5 介護保険制度の動向 … 185
- 演習4-1 介護保険制度の動向 … 195
- 演習4-2 自分の住んでいる地域の高齢者ケアの課題と方策 … 195

# 第5章 障害者保健福祉と障害者総合支援制度

## 第1節 障害者保健福祉の動向 …… 198
- 1 障害者福祉の現状 … 198
- 2 障害者福祉の動向 … 201

## 第2節 障害者の定義 …… 204
- 1 障害者の法的定義 … 204

## 第3節 障害者保健福祉に関する制度 …… 207
- 1 障害者福祉の歴史 … 207
- 2 障害者保健福祉の法律 … 216
- 3 障害児に対する支援制度 … 219

## 第4節 障害者総合支援制度 …… 225
- 1 障害者総合支援制度の目的 … 225
- 2 市町村、都道府県、国の役割 … 226
- 3 自立支援給付と地域生活支援事業 … 228
- 4 財源と利用者負担 … 235
- 5 障害福祉サービスの種類と内容、利用手続き … 237
- 6 障害支援区分の認定 … 245
- 7 協議会と基幹相談支援センター … 246
- 8 障害者総合支援制度における相談支援事業と相談支援専門員 … 248
- 9 障害児を支える障害者総合支援制度 … 250
- 演習5-1 介護保険制度と障害者総合支援制度の比較 … 252
- 演習5-2 障害児・者を支援する施設・事業所における介護福祉士の職務（仕事）… 252

# 第 6 章 介護実践に関連する諸制度

## 第 1 節 個人の権利を守る制度 ……………………………………………… 254
1 虐待防止に関する制度 … 254
2 サービス利用に関する制度 … 259
3 消費者保護に関する制度 … 268
4 その他の個人の権利を守る制度 … 270

## 第 2 節 保健医療に関する制度 ……………………………………………… 278
1 保健医療に関する制度 … 278
2 生活習慣病の予防・対策に関する制度 … 284
3 結核・感染症の予防・対策に関する制度 … 286
4 HIV／エイズの予防・対策に関する制度 … 289

## 第 3 節 貧困と生活困窮に関する制度 ……………………………………… 292
1 生活保護法 … 292
2 生活困窮者自立支援法 … 296
3 その他 … 298

## 第 4 節 地域生活を支援する制度 …………………………………………… 301
1 就労支援・雇用促進に関する制度 … 301
2 住生活を支援する制度 … 306
3 自殺を予防する制度 … 310
4 その他 … 311

演習6-1 「介護サービス情報の公表制度」と「福祉サービス第三者評価事業」… 313
演習6-2 厚生労働省のホームページを通した制度の理解 … 313

索引 …………………………………………………………………………………… 314

## 執筆者一覧

本書では学習の便宜をはかることを目的として、以下のような項目を設けました。

- 学習のポイント … 各節で学ぶべきポイントを明示
- 関連項目 ………… 各節の冒頭で、『最新 介護福祉士養成講座』において内容が関連する他巻の章や節を明示
- 重要語句 ………… 学習上、とくに重要と思われる語句について色文字のゴシック体で明示
- 補足説明 ………… 専門用語や難解な用語・語句をゴシック体で明示するとともに、側注でその用語解説や補足的な説明を掲載
- 演　　習 ………… 節末や章末に、学習内容を整理するふり返りや、理解を深めるためのグループワークなどの演習課題を掲載

# 第1章 社会と生活のしくみ

第 1 節　生活の基本機能

第 2 節　ライフスタイルの変化

第 3 節　家族の機能と役割

第 4 節　社会・組織の機能と役割

第 5 節　地域、地域社会

第 6 節　地域社会における生活支援

# 第1節 生活の基本機能

## 学習のポイント
- 生活をとらえる視点について理解する
- 社会生活のメカニズムについて理解する
- 家庭生活の機能について理解する

**関連項目**
- ④『介護の基本Ⅱ』　▶第1章「介護福祉を必要とする人の理解」
- ⑥『生活支援技術Ⅰ』　▶第1章第1節「生活支援の基本的な考え方」
- ⑫『発達と老化の理解』　▶第2章「人間の発達段階と発達課題」

## 1 生活の基本機能

生活とは、その英文表記の「Life」が示すように、生きることそのものをさします。その観点から、生活の基本機能といえるものが、**社会関係**❶の概念です。一般に、生活とは、個人を中心に、家庭や地域、職場を含む社会へと広がる同心円上でくり広げられる、さまざまな社会関係によって営まれています。その営みのなかで、人々は社会生活を営むうえで必要不可欠な**基本的要求**❷の充足をはかるのです。この社会関係の理念型は図1-1に示したような形になります。しかし、現実には、個人の側の役割葛藤や心身機能の変化、外部環境の変化により、円滑な社

❶社会関係
社会関係に着目し、社会福祉学の固有の視点から、社会福祉の原理・対象・機能・方法を論じた理論として、岡村重夫による次の著作がある。岡村重夫『社会福祉原論』全国社会福祉協議会、1983年。

❷基本的要求
たとえば、岡村は、経済的安定、職業的安定、家族的安定、保健・医療の保障、教育の保障、社会参加ないし社会的協同の機会、文化・娯楽の機会を指摘している（岡村重夫『社会福祉原論』全国社会福祉協議会、p.82、1983年）。

図1-1 社会関係の理念型

社会生活（社会関係）
- 生活者としての個人
  - ①基本的要求
  - ③役割実行
- 社会（外部環境）
  - ❷役割期待
  - ❹基本的要求の充足

会関係を構築できない場合があります。そうなると、日常生活のさまざまな場面で生活のしづらさが生じてきます。

その際に、インフォーマルな立場から個人をサポートすることを**互助**（家族・親族や近隣）といい、フォーマルな立場から補足的・代替的にサポートすることを**共助**（社会保険）や**公助**（社会福祉）といいます。具体的な制度との関連を例示すれば、介護保険法や高齢者の医療の確保に関する法律（高齢者医療確保法）および国民年金法等にもとづくサービスは共助に、生活保護法や老人福祉法等にもとづくサービスは公助に分類されます。その大前提は、**自助**（個人の主体性の重視）にあります。広い視野からみれば、「利用者の自立を支援する介護」とは、自助・互助・共助・公助のバランスがもっともよくなる状態を探しているといえます（第1章第6節、第2章第3節参照）。

## 2　「生活」への接近方法

個人の生活や人生を理解するための概念として、「ライフサイクル（life cycle）」や「ライフステージ（life stage）」、「ライフコース（life course）」等があります。

**ライフサイクル**は、アメリカの心理学者エリクソン（Erikson, E. H.）によって一般化された概念です。その一般的な意味は、「人間が生まれて死ぬまで、それぞれの年代における生物学的、心理学的、社会学的に規定された発達課題を達成しながら段階的に成熟していく人生の流れ」[1]ということです。エリクソンは、乳幼児期より老年期に至る過程を8段階に分け、それぞれの年代における発達課題の解決の成否が個人のパーソナリティや健康に影響を及ぼすことを明らかにしました（『発達と老化の理解』（第12巻）第2章第2節参照）。また、社会学的な接近方法では、進学や就職、結婚等の「ライフイベント（life event）」や、人生上の出来事の変遷や年齢にともなう地位や役割の変化に着目した「ライフステージ」等の概念が提示されてきました。この点に着目すれば、平均初婚年齢の上昇や合計特殊出生率の減少、平均寿命の延伸に起因して、出産期間や子育て期間の短縮と老夫婦期間の延長が現代社会の特徴といえるでしょう。それと同時に、いわゆる家族関係のなかでも、とりわけ夫婦関係の変化を象徴するような単語を耳にする

機会が増えました。「事実婚」がその一例です。また、「非正規雇用」や「テレワーク」に表現される働き方の変化も、生活のあり方や社会との関係性のあり方の変化を象徴するものといえます。このように、現在のライフスタイル（life style）の多様化は、今まで考えられていたような人々の生活を平均化・標準化してとらえて見る立場に代わり、新たな立場を必要としたのです。そこで、現在ではライフコースによる接近方法が多用されるようになりました。

ライフコースとは、エルダー（Elder, G. H., Jr.）によれば、「年齢分化された生涯を通じての経路、すなわち出来事の時期、期間、間隔および順序における社会的パターンである」[2]と定義されます。ライフサイクルとライフコースとの違いについて、社会学者の藤村正之は、「比喩的にいえば、各自の走る道が、整地され平坦で同じ長さの400mトラック（ライフサイクル）ではなくなり、むしろ異なるでこぼこ、異なる長さをもつ1本の道筋（ライフコース）というのがふさわしくなってきたのである（カッコ内引用者）」[3]と指摘しています。また、ライフコースによる接近方法では、個人の客観的側面のみならず主観的側面（ナラティブ）をも重視することが特徴の1つです。利用者が生きてきた人生を利用者の立場から理解するためには、このような姿勢が求められるのです。

# 3 「社会生活」のメカニズム

## 1 社会生活

**❸岡村重夫**
戦後の日本の社会福祉理論を打ち立てた代表的な研究者の1人。1974（昭和49）年に出版された『地域福祉論』は、地域福祉を理論的に体系化した本として今でも評価されている。

岡村重夫[❸]は、生活を「生活者たる個人と生活環境としての社会制度との相互関連の体系」[4]と規定しています。いうまでもなく、人間は社会的動物です。私たちが紡ぐ行為は、他者や物理的環境等を含むさまざまな社会環境との相互関係＝社会関係、つまりは社会生活のなかで成り立っています。そこで、「社会生活」の構成要素は、図1-2のように分類することができます。

第1節　生活の基本機能

> **図1-2　社会生活の基本**
>
> 社会生活 ─┬─ 生活者としての個人（社会生活の基本的要求の主体者）
> 　　　　　├─ 社会関係（要求の充足過程）
> 　　　　　└─ 基本的要求に対応する基本的社会制度

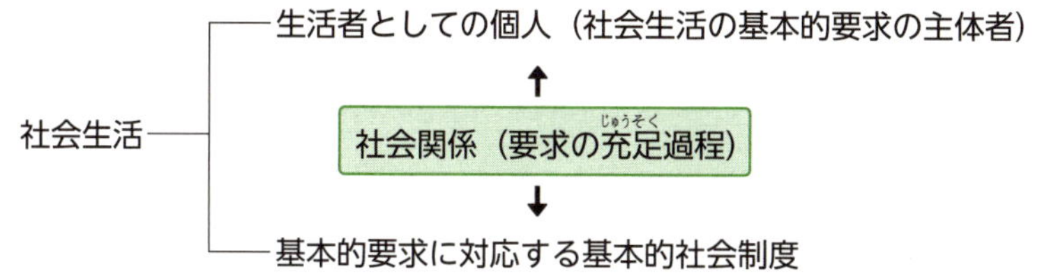

## 2　社会関係

　社会生活上の基本的要求（以下、基本的要求）とは、今日的にはニーズを示すものであり、介護福祉士が利用者をアセスメントする際に用いる視点と同じ広がりをもつものとして理解しなければなりません。

　この基本的要求に対応するものが**基本的社会制度**❹と呼ばれるものです。そして社会関係とは基本的要求と基本的社会制度との関係であり、岡村は「社会関係こそ（社会）生活の本質的条件である（カッコ内引用者）」5)と指摘しています。基本的要求が基本的社会制度との関係を通して充足される過程を社会関係といいます。

　ここでいう社会関係は前述したように、あくまで理念型であり、現実の社会生活では多数の社会関係にもとづく多数の社会的役割を同時に実行しなければなりません。その際に、専門分野ごとに細かく分かれた基本的社会制度から個人に対して期待される行動（役割期待）は、バランスがよいものであるとは限りません。多数の社会関係のバランスがよいこともあれば、矛盾し合うこともありえます。介護福祉士を含む社会福祉専門職の固有の視点は、相互に無関係に成立している多数の社会関係を主体的に統合し、調和させながら社会的役割を実行していく側面（社会関係の主体的側面）に立った視点であるといえます。

## 3　社会福祉専門職の固有の対象

　福祉実践における生活者のニーズ＝生活困難とは、**社会関係の客体的側面**❺に関連し、社会関係の主体的側面で生じます。ここでいう生活困難とは、図1-3のように3類型に整理されます。制度の狭間問題としての社会的孤立や社会的排除の問題は、このようなメカニズムのもとで

❹**基本的社会制度**
ここでいう制度とは、社会における人間の行動や関係を規制する確立された制度＝法令とは異なり、社会的に承認された行動様式の意味。高度に分業化された現代社会では、人々の基本的要求は社会的承認にもとづいた通路を通じて充足される。この通路を基本的社会制度という。

❺**社会関係の客体的側面**
岡村によれば、基本的社会制度によって生活者の主体に関係なく規定される生活条件は「社会関係の客体的側面」とされている（岡村重夫『社会福祉原論』全国社会福祉協議会、pp.88-90、1983年）。

### 図1-3　生活困難の3類型

**社会関係の不調和**
・個人のもつ多数の社会関係＝基本的社会制度の相互矛盾

**社会関係の欠損**
・基本的社会制度との社会関係を失った状態

**社会制度の欠陥**
・基本的要求と基本的社会制度との断絶

起きるのです。介護福祉士を含む社会福祉専門職は、このような視点から利用者の社会生活をとらえることが求められます。

## 4 家庭生活の機能

社会生活の1つとして家庭生活があります。

家庭とは「夫婦・親子などが一緒に生活する小さな集まり。または、家族が生活する場所」[6]と説明することができます。**家族**[6]は生活をともにする近親者の「集団」に着目していますが、家庭は近親者が生活をともにする「場所」に着目しているといえます。

この家庭がもつ生活の機能（家庭生活の機能）は、①働いて生活に必要な収入をえるといった経済活動を行う「生産・労働」の機能、②心身の健康や介護が必要な人への支援といった「保健・福祉」の機能、③子どもを産む「生殖」の機能、④子どもへの教育やしつけを行う「教育・養育」の機能、⑤家族同士の交流や安らぎをえるといった「やすらぎ・交流」の機能、をあげることができます。

近年、この家庭生活の機能について、さまざまな課題が指摘されています。家庭生活における個別化や絆・情緒的関係・つながりの弱まりといった課題については、**ワーク・ライフ・バランス**[7]の推進やICT（Information and Communication Technology：情報通信技術）の活用などで家族のつながりを再構築することにより、家庭生活機能の「安らぎ・交流」の機能の回復が求められています。未婚といった課題

❻家族
p.16参照

❼ワーク・ライフ・バランス
仕事と生活の調和。①就労による経済的自立が可能な社会、②健康で豊かな生活のための時間が確保できる社会、③多様な働き方・生き方が選択できる社会の実現をめざす。

については、出産や子育てを社会全体で支援することにより、家庭生活の機能の「生殖」「教育・養育」の回復が求められています。介護離職といった課題については、健康保持の制度、介護休業制度、介護保険制度などの活用により、家庭生活の機能の「生産・労働」「保健・福祉」の機能の回復が求められています。

◆引用文献

1) 相川直樹『南山堂医学大辞典（豪華版）第20版』南山堂、p.2507、2015年
2) Elder, G.H., Jr., 'Family History and Life Course', Hareven, T.K. (ed.), *Transitions: The Family and the Life Course in Historical Perspective,* New York, Academic Press, p.21, 1978.
3) 藤村正之「家族とライフコース」長谷川公一・浜日出夫・藤村正之・町村敬志『New Liberal Arts Selection 社会学』有斐閣、p.362、2007年
4) 岡村重夫『社会福祉原論』全国社会福祉協議会、p.83、1983年
5) 同上、p.83
6) 新村出編『広辞苑 第4版』岩波書店、p.488、1991年

◆参考文献

- E. H.エリクソン、小此木啓吾訳編『自我同一性──アイデンティティとライフ・サイクル』誠信書房、1973年
- C.トール、小松源助訳『コモン・ヒューマン・ニーズ──社会福祉援助の基礎』中央法規出版、1990年

## コラム 「人間」や「生活」を理解するための複合的な視点

　人間存在や生活のあり方を理解するためには、「バイオ-サイコ-ソーシャル-スピリチュアル（bio-psycho-social-spiritual）」という複合的な視点をもつことが重要です。

　「バイオ-サイコの視点」にかかわる書籍としては、ナイチンゲール（Nightingale, F.）の『看護覚え書』があります。もともとは女性のために書かれたもので、家族の健康を守り、かつ病気から回復するために必要な生活環境の改善について記述が展開されています。ナイチンゲール自身の経験をふまえながら、新鮮な空気や陽光、温かさ、清潔さ、静かさを適正に保ち、食事を適切に選び管理することの重要性が述べられています。そして、看護とは、これらすべてを患者の生命力の消耗が最小になるように適切に行うことであるとしています。同書で述べられているのは、介護や看護に共通するケアとしての生活支援の具体的な視点といえるでしょう。

　「ソーシャルな視点」からQOL（Quality of Life：生活の質）を考えるうえで示唆に富むのは、経済学者のセン（Sen, A.）によるケイパビリティ（潜在能力）の概念です。センは、生活の豊かさは財（衣食住や所得等）からえられる満足感だけでははかりきれないとし、人間の幸不幸に影響を及ぼす要因として、生活のあり方や財活用行動の自由さ、生き方の幅に注目しました。そのためケイパビリティ・アプローチでは、所得の多さといった量的指標だけではなく、「健康な状態にあるか」「幸福であるか」「自尊心をもっているか」「社会生活に参加しているか」などのQOLが重視されます。国際連合（国連）が毎年公表している『人間開発報告書』のランキングは、このケイパビリティ・アプローチにもとづいています。

　「スピリチュアルな視点」から重要なのは、『夜と霧』や『死と愛』などを著したフランクル（Frankl, V.）の思想です。ユダヤ人の精神医学者であるフランクルは、アウシュビッツ強制収容所での体験をもとに人間の価値について思索を深めました。そして人間が実現できる価値を創造価値と体験価値、さらにそれらを超越する態度価値に分けました。創造価値とは自身の活動を通して何かを創造することにより実現される価値（仕事の目的の達成など）で、体験価値とは何かを体験することにより実現される価値（楽しみなど）です。他方、態度価値とは、極限状況のなかにあっても、最期まで人間らしい尊厳のある態度で人生にのぞむことを意味します。創造価値や体験価値を阻害する病気や障害を負ったとしても、最期まで人生を主体的に受け入れる自由が残されていることを発見し、ここに人間の尊厳の本質を見いだしたのです。

　このように、介護福祉士が利用者の人間としての存在や生活を複合的な視点から理解することによって、新たな介護の道を切りひらくことができるのです。

第 2 節

# ライフスタイルの変化

> **学習のポイント**
> - 生活と働き方の変化と、生涯学習・地域活動への参加について理解しましょう
> - 日本の少子高齢化における課題と、健康寿命を伸ばすとともに、いつまでも元気に社会参加できることの重要性について理解しましょう

**関連項目** ⑫『発達と老化の理解』▶ 第4章第3節「老化にともなう社会的な変化と生活への影響」

## 1 生活と働き方の変化

　時代の変化とともに、社会のあり方も変化し、そしてその社会のなかでのわれわれの生活も変化します。生活の変化のなかでもっとも大きな影響を与えるのが、働き方の変化です。歴史的にさかのぼれば、多くの人が農業や漁業などのように自然を相手にして生活をしていた時代がありました。その後、工業化、**産業化**❶が進むことによって雇用労働が進行し、多くの人は雇用労働者として働いて賃金をえて、そして生活に必要なものを消費することで生活を成り立たせるようになりました。

　図1-4は過去30年ほどの雇用形態の変化を示したものです。8割を超えていた**正規雇用労働者比率**は低下し、**非正規雇用労働者比率**が上昇しており、不安定な働き方をしている人が増えているといえます。

　雇用形態の変化には多様な背景があるといわれていますが、その1つとして女性の社会進出の拡大をあげることができます。図1-5は、働く女性の年齢別割合の変化を示したものですが、1956（昭和31）年からおおむね20年ごとに比較すると、2017（平成29）年は全体的に働いている女性が増えています。

　少子高齢化にともなう**生産年齢人口**❷の減少、働きたい人々のニーズの多様化などをふまえ、政府によって働き方改革が提起されています。図1-6は働き方改革の基本的な考え方を整理したものであり、働き方

❶産業化
近代化の一側面として、農業社会から産業社会へと移行し、その産業社会がいっそうの高度化を遂げていくプロセスをさす。この過程で経済活動人口の構成比における重心は、第1次産業から第2次産業へ、さらに第3次産業へと移行していく。

❷生産年齢人口
15歳以上65歳未満の、生産に従事することが可能な年齢階層をいう。なお、0歳から14歳は年少人口、65歳以上人口を老年人口という。

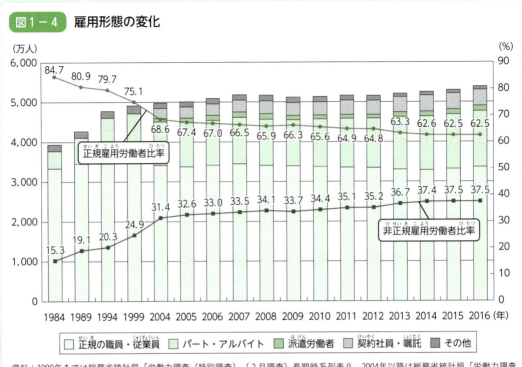

図1-4 雇用形態の変化

資料：1999年までは総務省統計局「労働力調査（特別調査）」（2月調査）長期時系列表9、2004年以降は総務省統計局「労働力調査（詳細集計）」（年平均）長期時系列表10

(注) 1. 2005年から2009年までの数値は、2010年国勢調査の確定人口に基づく推計人口の切替による遡及集計した数値（割合は除く）。
2. 2010年から2016年までの数値は、2015年国勢調査の確定人口に基づく推計人口（新基準）の切替による遡及集計した数値（割合は除く）。
3. 2011年の数値、割合は、被災3県の補完推計値を用いて計算した値（2015年国勢調査基準）。
4. 雇用掲載の区分は、勤め先での「呼称」によるもの。
5. 正規雇用労働者：勤め先での呼称が「正規の職員・従業員」である者。
6. 非正規雇用労働者：勤め先での呼称が「パート」「アルバイト」「労働者派遣事業所の派遣社員」「契約社員」「嘱託」「その他」である者。
7. 割合は、正規雇用労働者と非正規雇用労働者の合計に占める割合。
8. 1999年以前は「嘱託・その他」で集計した数値のため、「嘱託」を「その他」に含めている。

出典：厚生労働省編『厚生労働白書 平成29年版』p.22、2017年

改革を推進することによって、成長と分配の好循環を構築し、働く人1人ひとりがよりよい将来の展望をもつことができる社会の実現をめざしています。

❸ワーク・ライフ・バランス
p.6参照

また、働き方をめぐっては、**ワーク・ライフ・バランス**❸が重視されるようになり、「ブラック企業」「過労死」と表現されるような働き方が問題視されています。仕事優先の生き方や、賃金や昇進よりも休暇の取りやすさが重視されるなど、ライフスタイルにも変化がみられます。**余暇社会**❹や**生涯学習社会**❺がやってきたといわれており、地域活動への

参加など、余暇時間の有効な活用が期待されています。

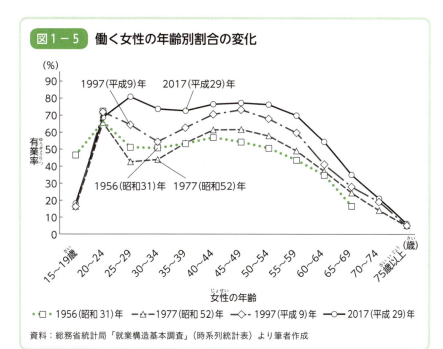

図1-5 働く女性の年齢別割合の変化

資料：総務省統計局「就業構造基本調査」（時系列統計表）より筆者作成

### ❹余暇社会
余暇（レジャー）とは、労働時間や生理的必要時間（睡眠、食事等）以外の、各人が自由に使うことのできる時間とそこで行われる活動のことであり、その余暇が大衆に広がり、積極的な価値として主張されるようになった社会のこと。

### ❺生涯学習社会
これまで学校中心に考えられていた学習活動を、人の一生全体に拡大して考え、地域社会のさまざまな教育資源を活用した総合的な学習活動（生涯学習）としてとらえ、それが全体に広がった社会のこと。

図1-6 働き方改革の基本的な考え方

日本が直面する課題
・少子高齢化にともなう生産年齢人口の減少
・働く人々のニーズの多様化　　など

↓

課題への対応策
・生産性向上（投資、イノベーション）
・就業機会の拡大、意欲・能力を存分に発揮できる環境の構築

↓

成長と分配の好循環の構築
・働く人1人ひとりがよりよい将来の展望をもてるようにする

資料：厚生労働省「働き方改革――一億総活躍社会の実現に向けて」より筆者作成

## 2 少子高齢化と健康寿命

### 1 少子高齢化

図1-7のように日本では高齢化率が2019（令和元）年には28.4％になり、今後の予測では2065（令和47）年には38.4％になるとされていま

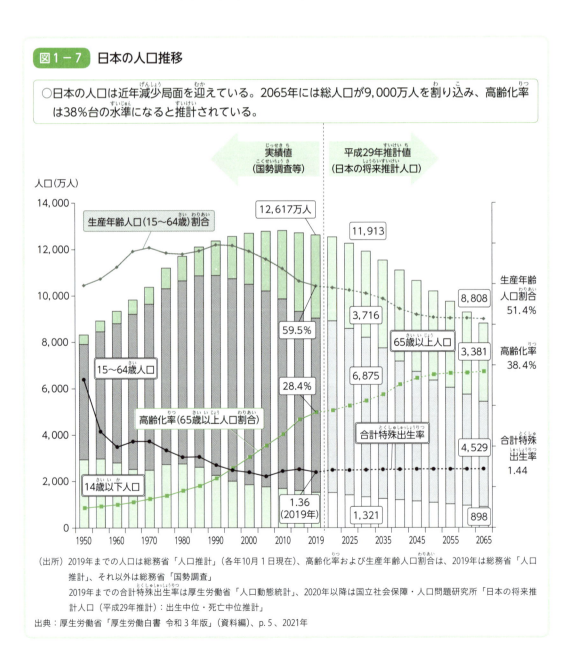

**図1-7　日本の人口推移**

○日本の人口は近年減少局面を迎えている。2065年には総人口が9,000万人を割り込み、高齢化率は38％台の水準になると推計されている。

（出所）2019年までの人口は総務省「人口推計」（各年10月1日現在）、高齢化率および生産年齢人口割合は、2019年は総務省「人口推計」、それ以外は総務省「国勢調査」
2019年までの合計特殊出生率は厚生労働省「人口動態統計」、2020年以降は国立社会保障・人口問題研究所「日本の将来推計人口（平成29年推計）：出生中位・死亡中位推計」

出典：厚生労働省「厚生労働白書　令和3年版」（資料編）、p.5、2021年

す。一方で、1年間に生まれる子どもの数が減少する少子化傾向が続き、社会全体の**人口減少**はすでに始まっています。図1－8のように**出生数**と**合計特殊出生率**❻の減少がみられますが、夫婦のあいだに生まれる子どもの数（**完結出生児数**❼）については出生数が200万人の時代で2.2（1972（昭和47）年）、出生数がその半分に減った100万人の時代で1.94（2015（平成27）年）となっています。出生数の減少に大きな影響を与えているのは、夫婦の数自体の減少であるといえます。夫婦の数が減少する背景には、生涯未婚率の上昇があります。国立社会保障・人口問題研究所の「人口統計資料集」によれば、**生涯未婚率**は1985（昭和60）年に男性3.9％、女性4.3％ですが、2015（平成27）年には男性23.4％、女性14.1％となっており、男女ともに未婚の人が増えていることがわかります。

**少子化**と**高齢化**が同時に起きることにより、日本における人口構成は急速にかつ大きく変化しています。高齢者1人を支える現役世代は1980（昭和55）年に7.4人だったのが、2015（平成27）年には2.3人になり、今後は2.0人を下回るといわれています[1]。一方で、子どもを含む働いていない人（非就業者）を支える働いている人（就業者）の数は1980

❻**合計特殊出生率**
1人の女性が生涯（15歳から49歳のあいだ）に何人の子どもを産むかを示す値をいう。総人口が増えも減りもしない均衡状態の合計特殊出生率は2.07だといわれているが、2005（平成17）年には1.26となり、過去最低を記録した。

❼**完結出生児数**
結婚持続期間（結婚からの経過期間）15年から19年夫婦の平均出生子ども数のことをいう。夫婦の最終的な平均出生子ども数とみなされる。

図1－8 日本の出生に関する統計の動向

資料：出生数と合計特殊出生率については、国立社会保障・人口問題研究所「人口統計資料集 2018年版」、完結出生児数については、国立社会保障・人口問題研究所「第15回出生動向基本調査」より筆者作成

（昭和55）年に0.91人、2015（平成27）年は0.94人、2020（令和2）年以降には0.91～1.12人になると予測されています[2]。将来的にも、「支える人」と「支えられる人」の比率は安定しているともいえます。働く高齢者が増える一方で、進学率の高まりから働く15歳から20歳の若者は減少しています。そして働く女性は増えています。このように単純に年齢で「支える側」と「支えられる側」に分けるのではなく、就業者と非就業者に分けて「支える人」と「支えられる人」のあり方を考えることも大事です。支えられる立場と支える立場は時代によって変化があり、元気な高齢者や働くことを希望する若者が働くことができる社会づくりも重要です。

## 2 健康寿命の延伸

　年齢を重ねることにより病気になり医療機関を利用する人の割合は高くなります。生産年齢人口と比較すると、老年人口は外来受療率では約3倍、入院受療率では約6倍となっています[3]。また、生活習慣病は日本人の死因の約6割となっており、健康上の大きな課題となっています[4]。2000（平成12）年からは生活習慣の改善を盛りこんだ「21世紀における国民健康づくり運動（健康日本21）」が始まり、2013（平成25）年からは「21世紀における第二次国民健康づくり運動（健康日本21（第二次））」が開始され、健康寿命の延伸と健康格差の縮小が最終的な目標としてかかげられるようになりました[5]。

　一方で、晩婚化、晩産化を背景に、育児期にある家族が、同時に親の介護もになう、ダブルケアの問題が指摘されています。その人口は約25万人といわれています[6]。ダブルケアをになっている人の平均年齢は、男女ともに40歳前後であり、新たな社会的課題として注目されています。

◆ 引用文献

1）厚生労働省編『厚生労働白書 平成29年版』pp.20-21、2017年
2）同上、pp.20-21
3）厚生労働省「平成29年 患者調査」
4）厚生労働省「令和2年 人口動態統計」
5）前出1）、p.365
6）NTTデータ経営研究所「平成27年度 育児と介護のダブルケアの実態に関する調査報告書」（内閣府委託調査）、p.14、2016年

◆ 参考文献

- 権丈善一『ちょっと気になる社会保障 知識補給増補版』勁草書房、2017年
- 厚生労働省編『厚生労働白書 平成29年版』2017年
- NTTデータ経営研究所「平成27年度 育児と介護のダブルケアの実態に関する調査報告書」（内閣府委託調査）、2016年
- 中央法規出版編集部編『七訂 介護福祉用語辞典』中央法規出版、2015年

# 第3節 家族の機能と役割

**学習のポイント**
- 家族の定義について学ぶ
- 家族と世帯の変容について学ぶ
- 家族の多様な機能を理解する

**関連項目** ③『介護の基本Ⅰ』▶第1章第1節「介護福祉を取り巻く状況」

## 1 家族の概念とその変容

### 1 家族の定義

　人はだれしもどんな形態にせよ、家族を構成する一員となっています。したがって、家族という言葉はあまりにも日常的すぎて、これまで家族とは何かについて、考える機会がなかったかと思います。

　家族と似たような言葉として、家庭、親族、世帯などがあげられます。家族と家庭についての法律的定義は見あたりません。家族は生活をともにする近親者の「集団」に着目した概念であり、家庭は近親者が生活をともにする「場所」に着目した概念といえます。家庭について、さらにいえば、家庭はもっとも私的な活動の場として、衣・食・住に関する物的要求を満たすだけでなく、家族特有の関係によって、休息や安らぎをえる場となります。

　**家族**とは「夫婦関係を基礎として親子、きょうだいなどの近親者がその主要な構成員で、相互に愛情やわれわれ感情によって強く結ばれ、共同の生活を営んでいる福祉共同集団」[1]です。家族は、親族や世帯とは違い、単に範囲などを示したり、生計をともにしたりというだけでなく、相互に愛情や「われわれ感情」によって強く結ばれることで、重要

な日常生活の基盤となっています。

親族については民法で定められています。民法第725条では、親族について、6親等内の血族、配偶者、3親等内の姻族、と規定されています。そして、民法第730条に「直系血族及び同居の親族は、互いに扶け合わなければならない」と定められています。

世帯について、「国民生活基礎調査」では、「住居及び生計を共にする者の集まり又は独立して住居を維持し、若しくは独立して生計を営む単身者をいう」と定義づけています。ここで注目しておきたいのは、世帯は、「住居及び生計を共にする者の集まり」と定義されている部分です。「国民生活基礎調査」の定義によれば、世帯を構成する者は、親族はもちろんのこと、親族以外の者でも「住居及び生計を共にする者」であれば「世帯」ということになります。

## 2 家族と世帯の変容

最初に、日本の世帯の変容についてみていきましょう。図1−9の世帯数と平均世帯人員をみると、1953（昭和28）年では、1718万世帯で、平均世帯人員は5.00人でした。2019（令和元）年では、5178万5000世帯で、平均世帯人員は2.39人となっています。世帯の変容についてみると、世帯数は増加していますが、平均世帯人員は減少しています。

次に、65歳以上の者のいる世帯の世帯構造についてみていきましょう。図1−10の65歳以上の者のいる世帯の世帯構造の年次推移をみると、1986（昭和61）年では、三世代世帯が44.8％ともっとも割合が大きく、次いで夫婦のみの世帯で18.2％、単独世帯が13.1％と続いています。その後の推移をみると、三世代世帯が減少の一途をたどり、その一方で夫婦のみの世帯、単独世帯および、親と未婚の子のみの世帯が増加しています。2019（令和元）年では、夫婦のみの世帯が32.3％ともっとも割合が大きく、次いで単独世帯が28.8％、親と未婚の子のみの世帯が20.0％と続きます。そして、1986（昭和61）年にもっとも割合が大きかった三世代世帯は9.4％となっています。

このような世帯構造の変容、特に65歳以上の者のいる世帯の世帯構造の変容から、どのようなことが考えられるでしょうか。世帯の規模が縮小していることから、世帯もしくは家族のなかで、介護を要する高齢者を介護するにない手が少なくなったということがいえるでしょう。その

### 図1-9 世帯数と平均世帯人員の年次推移

注：1）1995（平成7）年の数値は、兵庫県を除いたものである。
　　2）2011（平成23）年の数値は、岩手県、宮城県及び福島県を除いたものである。
　　3）2012（平成24）年の数値は、福島県を除いたものである。
　　4）2016（平成28）年の数値は、熊本県を除いたものである。
出典：厚生労働省「令和元年 国民生活基礎調査の概況」p.3

### 図1-10 65歳以上の者のいる世帯の世帯構造の年次推移

| 年 | 単独世帯 | 夫婦のみの世帯 | 親と未婚の子のみの世帯 | 三世代世帯 | その他の世帯 |
|---|---|---|---|---|---|
| 1986（昭和61）年 | 13.1 | 18.2 | 11.1 | 44.8 | 12.7 |
| '89（平成元） | 14.8 | 20.9 | 11.7 | 40.7 | 11.9 |
| '92（ 4 ） | 15.7 | 22.8 | 12.1 | 36.6 | 12.8 |
| '95（ 7 ） | 17.3 | 24.2 | 12.9 | 33.3 | 12.2 |
| '98（ 10 ） | 18.4 | 26.7 | 13.7 | 29.7 | 11.6 |
| 2001（ 13 ） | 19.4 | 27.8 | 15.7 | 25.5 | 11.6 |
| '04（ 16 ） | 20.9 | 29.4 | 16.4 | 21.9 | 11.4 |
| '07（ 19 ） | 22.5 | 29.8 | 17.7 | 18.3 | 11.7 |
| '10（ 22 ） | 24.2 | 29.9 | 18.5 | 16.2 | 11.2 |
| '13（ 25 ） | 25.6 | 31.1 | 19.8 | 13.2 | 10.4 |
| '16（ 28 ） | 27.1 | 31.1 | 20.7 | 11.0 | 10.0 |
| '17（ 29 ） | 26.4 | 32.5 | 19.9 | 11.0 | 10.2 |
| '18（ 30 ） | 27.4 | 32.3 | 20.5 | 10.0 | 9.8 |
| '19（令和元） | 28.8 | 32.3 | 20.0 | 9.4 | 9.5 |

注：1）1995（平成7）年の数値は、兵庫県を除いたものである。
　　2）2016（平成28）年の数値は、熊本県を除いたものである。
　　3）「親と未婚の子のみの世帯」とは、「夫婦と未婚の子のみの世帯」及び「ひとり親と未婚の子のみの世帯」をいう。
出典：厚生労働省「令和元年 国民生活基礎調査の概況」p.4

結果、介護の機能が社会に求められるようになりました。このことは、一般的には**介護の社会化**❶といわれています。

❶介護の社会化
p.141参照

## 2 家族の構造や形態

家族は、家族規模（小家族・大家族）、家族構成、同居する世代の数から、核家族、拡大家族、直系家族、複合家族に分類されます。

夫婦のみの世帯、夫婦と未婚の子のみの世帯、ひとり親と未婚の子のみの世帯を**核家族**といいます。**拡大家族**は、三世代同居など複数の核家族からなる家族です。**直系家族**とは、拡大家族のうち、親と1人の既婚の子からなる縦の系列の家族です。**複合家族**とは、拡大家族のうち、親と複数の既婚の子からなる家族です。

また、われわれは一般的に2つの家族を経験するといわれています。1つ目は、自分が子どもとして親の家族の一員である時期で、これを**定位家族**といいます。2つ目は、結婚し、子どもが生まれて自分が親となり家族をつくる時期で、これを**生殖家族**といいます。

## 3 家族の機能とその変化

先にも述べたように、家族はわれわれが日常生活を営むうえで重要な基盤となっています。まず家族の機能として、子どもを生み、育てるという「生殖と子どもの養育」としての機能があげられます。ただし、家族の機能は多様であり、かつ時代によって変化しています。ここでは、代表的な家族の機能についてみていきましょう。

オグバーン（Ogburn, W.）は、時代の変化に着目した家族の機能の変化として、近代工業勃興以前の家族は、経済・地位付与・教育・保護・宗教・娯楽・愛情という7つの機能を果たしていたが、産業化の進展にともなう専門機関の出現により、愛情以外の6つの機能は企業・学校・政府などに吸収されて衰弱し、**愛情**というパーソナリティ機能が相対的に卓越してきたと述べています[2]。

一方、パーソンズ（Parsons, T.）は、家族の機能が縮小していくなかでも、**子どもの一次的社会化、成人のパーソナリティの安定化**という

機能に着目しました[3]。さらにブラッド（Blood, R.）は、パーソナリティ機能の重要性が高まった結果、成人に対する愛情的支持機能が分化して夫婦の伴侶性や精神衛生機能など新しい機能が出現したという説をとなえています[4]。

そのほか、4つの家族の機能として、衣食住などの生活水準を維持しようとする生活維持機能、個人の生存にかかわる食欲や性欲の充足、安全を求める生命維持機能、家族だけが共有するくつろぎの機能としてのパーソナリティの安定化機能、介護が必要な構成員を家族で支えるケア機能があげられます。

ケア機能についてみれば、これまでの日本の社会福祉政策にも位置づけられたことがありました。1979（昭和54）年に閣議決定された「新経済社会7カ年計画」においてとなえられた「日本型福祉社会論」では、「個人の自助努力と家庭や近隣・地域社会等の連帯を基盤としつつ、効率のよい政府が適正な公的福祉を重点的に保障するという自由経済社会のもつ創造的活力を原動力とした我が国独自の道を選択創出する」とし、とりわけ伝統的な家族・地域共同体を通じた私的扶養や相互扶助が「含み資産」として位置づけられました。

## 4　家族観の多様化

かつては、「女性は家庭、男性は仕事」という家族観が一般的でした。しかし、近年では、三世代世帯の減少、単独世帯や夫婦のみの世帯の増加、夫婦の共働き家庭、単身赴任、さらには、離婚などによるひとり親の増加など、家族観が多様化しています。

このように家族観が多様化しているなかでは、家族をひとくくりとしてみるのではなく、家族を構成している1人ひとりをみる視点が重要です。

---

◆引用文献
1) 安藤喜久雄・児玉幹夫編『わかりやすい社会学――一問一答』学文社、p.72、1980年
2) 森岡清美・塩原勉・本間康平編『新社会学辞典』有斐閣、p.181、1993年
3) 同上、p.181
4) 同上、p.181

# 第4節

# 社会・組織の機能と役割

### 学習のポイント
- 社会・組織の概念について学ぶ
- 社会・組織の機能と役割について理解する
- グループ支援、組織化について理解する

**関連項目** ⑤『コミュニケーション技術』▶第2章第4節「集団におけるコミュニケーション技術」

## 1 社会・組織の概念

### 1 社会の概念

　**社会**という言葉は、家族と同様に非常に慣れ親しんだ言葉だと思われます。地域社会、近隣社会、学校社会、政治社会、企業社会、中流社会、少子高齢社会、格差社会という言葉もよく用いられています。

　社会の本質の大方のとらえ方としては、複数の人間の結合、共同体に求めることができます。また、人はさまざまな社会的結合に関与しながら生活を営むという事実から、具体的な集団や集合体を社会という場合もあります。このように社会を部分的にとらえる場合もあれば、社会生活が全面的に展開する包括的・複合的な社会、すなわち全体社会としての社会の概念もあります。

　社会という概念は非常に多義的で、かつ対象の幅も大きいということがいえます。

### 2 組織の概念

　**組織**という言葉も、集団をさす言葉ですが、家族や世帯と違うところ

は、ある特定の目的を達成するために人為的につくられた集団というところです。言い換えれば、特定の協働目標を達成するために、人々の諸活動を調整し制御するシステムであるといえます。

したがって、個々人が主体的になって、特定の共通した目標をもち、集団を形成するという過程が重要であると考えられます。

## 2 社会・組織の機能と役割

社会・組織の機能と役割について、長野県栄村を例にして考えてみましょう。栄村は2019（平成31）年4月時点で、人口1828人、高齢化率50.6％という高齢化率の非常に高い村です。「田直し」「道づくり」などは本来行政が行うことですが、栄村では国の補助金に頼らず、行政と住民が協働して行っています。また、介護保険の訪問介護（ホームヘルプサービス）は村の職員だけでなく、村民もにない手となっており、通称「下駄ばきヘルパー」といわれています[1]。栄村のように村の規模が小さくても、社会・組織の機能がしっかりとしていれば、本来行政が行うことでも村民がになうことができるのです。

共同社会の構成員がもっている相互の信頼感や互酬・互助組織、ネットワークへの積極的参加などのことを**ソーシャルキャピタル**[1]といいます。このソーシャルキャピタルが豊かな地域ほど、住民の主観的健康が強く、死亡率が低い、ということがわかっています[2]。

社会・組織がうまく機能すれば、行政に影響を与え、さらには地域の1人ひとりの健康にも大きな影響を与えることができるのです。

❶ソーシャルキャピタル
人々のつながりの豊かさをあらわす概念で、社会関係資本と訳される。人々の協調行動を活発にすることによって、社会の効率性を高めることのできる「信頼」「規範」「ネットワーク」といった社会組織の特徴をさす。

## 3 グループ支援、組織化

### 1 グループ支援

グループ支援（**グループワーク**[2]）とはソーシャルワークの専門技法の1つです。対象者でグループを形成し、対象者同士で相互に援助し合うことをいいます。対象者同士で援助することによって、相互作用をも

たらし、対象者の成長と変化をうながします。

　グループ支援で支援者が求められる役割はおもに2つあり、1つは、グループ内で相互援助体制をつくること、もう1つは、対象者の集団発達過程への理解を進め、そしてみずからがほかの対象者に与える影響とほかの対象者が自分に与える影響の理解を深めさせることです。

　グループ支援（グループワーク）の代表的なものとして、セルフヘルプグループがあげられます。**セルフヘルプグループ**とは、何らかの共通している問題や課題をかかえている本人や家族自身のグループです。「当事者であること」が最大の特徴であり、重要な意味をもちます。具体的には、日本身体障害者団体連合会、全日本ろうあ連盟、日本視覚障害者団体連合、全日本手をつなぐ育成会、断酒会などがあります。

❷**グループワーク**
社会福祉援助活動の伝統的な視点である、人間同士、またそれを取り巻く社会環境のなかで起こる生活問題解決に向けて、集団関係に焦点をあてた援助活動である。生活者としての基盤のうえに立って、さまざまな集団を活用して、その人の生活を充実させ、社会的機能を高める。

## 2 組織化

　**組織化**は、ソーシャルワークの重要な概念です。代表的な定義として、ロス（Ross, M.）の組織化説があげられます。組織化とは「共同社会自らが、その必要性と目標を発見し、それらに順位をつけて分類する。そしてそれらを達成する確信と意志を開発し、必要な資源を内部外部に求めて、実際行動を起こす。このようにして共同社会が団結協力して、実行する態度を養い育てる過程（プロセス）」[3]です。重要なところは、共同社会が主体であるというところと、目標を達成することよりも目標を達成する過程を重視しているというところです。

---

◆引用文献
1）高橋彦芳『田直し、道直しからの村づくり――実践的住民自治をめざす栄村の挑戦』自治体研究社、p.72、2008年
2）近藤克則『健康格差社会――何が心と健康を蝕むのか』医学書院、p.135、2005年
3）永田幹夫『改訂 地域福祉論』全国社会福祉協議会、pp.136-137、1995年

第 5 節

# 地域、地域社会

## 学習のポイント

- 地域、地域社会、コミュニティ、集団、組織の意味について理解する
- 現代社会における産業化、都市化、過疎化について理解する
- 自助・互助・共助・公助の意味とバランスについて理解する

**関連項目** ④『介護の基本Ⅱ』▶ 第2章第4節「地域連携」

## 1 地域、地域社会、コミュニティの概念

### 1 地域、地域社会

**地域**とは、そこで生活する人々のまとまりをとらえる言葉であり、近隣や町内会、市町村などがあります。そして**地域社会**とは、**コミュニティ**[1]とも呼ばれるもので、住むことを中心にして広がる人と人とのつながりの存在を前提にした、具体的な場所に関連づけられた社会のことをいいます。

[1] **コミュニティ**
地域社会、共同体、地域共同社会などと訳され、地域性と共同性という2つの要件を中心に構成されている社会をいう。生産、風俗、習慣等に結びつきがあり、共通の価値観を所有している点が特徴である。

### 2 コミュニティの概念

社会学者のテンニース（Tönnies, F.）は家族や近隣住民、村落や仲間等、血縁関係や地縁関係、友情等によって他者と全人格的に結びついている集団（本質意思にもとづく有機的関係による基礎集団）を**ゲマインシャフト**、そして企業や大都市、国家等のようにもともとは分かれている者同士が何らかの目的のために結びついている集団（選択意思にもとづく機械的関係による機能集団）を**ゲゼルシャフト**とし、対比的な概念定義を行いました。このような対比は、クーリー（Cooley, C. H.）

表1-1 集団の類型

| | 概念 | 意味 | 例 |
|---|---|---|---|
| テンニース | ゲマインシャフト | 本質意思にもとづく有機的関係による基礎集団 | 家族・近隣・村落・仲間 |
| | ゲゼルシャフト | 選択意思にもとづく機械的関係による機能集団 | 企業・大都市・国家 |
| クーリー | 第一次集団 | 対面的で親密な集団 | 家族・近隣・仲間 |
| | 第二次集団 | 非対面的で冷徹な集団 | 企業 |
| マッキーヴァー | コミュニティ | 同じ場所や地域で共に生活をしている自然発生的な集団 | 地域社会 |
| | アソシエーション | 同じ関心や目的のために人為的に形成される集団 | 家族・企業・国家 |

による第一次集団（対面的な親密性）と第二次集団（非対面的で冷徹さを含む集団）として議論が展開されました[1]。

さらにマッキーヴァー（MacIver, R. M.）はコミュニティとアソシエーションの対比によって議論を展開しました。これによれば**コミュニティ**とは共同生活の領域であり、同じ場所や地域で共に生活をしている意識を共有している自然発生的な集団です。それに対して**アソシエーション**は、同じ関心や目的のために人の手によって形成される集団のことをいいます[2]、[3]。

金子は、コミュニティは関係（ヒト）、物財（モノ）、意識（ココロ）、行事（イベント、共通の問題を解決していく活動や運動）による4つの要素から構成されていると定義しています[4]。このコミュニティという概念は地域共生社会や地域包括ケアの推進という点からも重視されている概念です。

## 2 地域社会の集団、組織

地域社会には多様な集団、組織がありますが、そのなかでも介護福祉領域にかかわるものでは行政機関、社会福祉協議会、社会福祉施設、町

内会・自治会、セルフヘルプグループがあります。少子高齢化が進む地域社会では、地域コミュニティの再生をになう地域住民やさまざまな集団、組織の参加が重要な課題となっています。

そのなかでもさまざまな役割をになうことが期待されている組織が、NPO（Non-Profit Organization：非営利組織）です。これは利益を追求しない民間組織のことです。内閣府の定義によれば、「様々な社会貢献活動を行い、団体の構成員に対し、収益を分配することを目的としない団体」[5]のことをさします。日本では1998（平成10）年に施行された特定非営利活動促進法によってNPOに対して法人格が与えられました。この法律の定義では、特定非営利活動とは、「保健、医療又は福祉の増進」、「社会教育の推進」、「まちづくりの推進」等の全20項目のいずれかに該当する活動であり、非営利、非宗教、非政治で「不特定かつ多数のものの利益の増進に寄与することを目的とするもの」（第2条）であるとされています。法律によって認証を受けたNPO法人は、2021（令和3）年10月末時点で5万867団体となっています[6]。

# 3 地域社会の変化（産業化、都市化、過疎化）

**❷都市化**
全体社会の地域的構成が、社会的分業の発展・深化の結果として、諸機関の集積した都市域の発達、さらに都市群の形成へと変容していく現象。単に都市人口の増大だけでなく、都市的生活様式や都市的社会関係の浸透と、それによる地域社会の変化も意味する。

**❸過疎化**
都市への人口移動の結果として、農山漁村等の地域からの人口流出が急激に起こり、その地域における社会生活の諸機能が麻痺し、地域の生産の縮小、生活の困難が生じること。

地域社会の変化は、社会の産業化の影響を受けています。産業化とは西欧の産業革命をきっかけとする工業技術、製造業の発展、雇用労働者の増加といった経済活動の変化のことをいいます。この変化が進展した現代の社会を産業社会といいます。

歴史的にふり返ると、1955（昭和30）年以降の高度経済成長期を迎えた日本社会では、1970年代まで**都市化**❷と**過疎化**❸が同時に進んできました。これらの進行は、結果として、地域社会においてさまざまな問題を引き起こしてきました。特に地域社会の崩壊という点では、過疎地域における**限界集落**❹といわれる現象が起き、都市においても似たような都市の空洞化現象が起きました。過疎地域社会では、日常生活に欠かせない買い物や医療の利用において不便さをかかえています。一方で都市地域社会では、自由に職業を選びやすく、自分の関心にあわせてサークル活動やクラブ・組織等に加入することも可能です。しかし、隣にだれが住んでいるのかわからないこともあります。

このような地域社会の変化は地域住民の年齢構成の変化をもたらし、

行政機関のサービス提供にも影響を与えました。人々は移動しやすくなり、地域では新旧住民による利害の対立も起きています。また、同時に地域住民は孤立しやすい環境におかれています。

　さらに、高齢化にともなう現役世代の減少から、介護のみならず多様な産業分野において人材不足が深刻化してきています。介護分野では東南アジアからの外国人労働者に対して、介護福祉士の資格取得を支援する施策が進められています。介護分野以外でも外国人労働者の受け入れが施策として進められており、職をえて定住する外国人の増加が見こまれています。地域で生活する定住外国人が増え、それらの人々が老後をむかえて要介護者になった場合には、定住外国人の文化を理解した介護福祉職が必要となるでしょう。このような地域のグローバル化は、新たな地域生活の課題となっています。

❹**限界集落**
厳密な定義が確立されているとは言い切れないが、代表的な定義として大野による「65歳以上の高齢者が集落人口の半数を超え、冠婚葬祭をはじめ田役、道役などの社会的共同生活の維持が困難な状態に置かれている集落」のことをいう（大野晃「限界集落——その実態が問いかけるもの」『農業と経済』第71巻第3号、p.5、2005年）。

---

◆ **引用文献**

1）友枝敏雄・浜日出夫・山田真茂留編『社会学の力——最重要概念・命題集』有斐閣、pp.60-61、2017年
2）同上、p.62
3）田中正人編著、香月孝史『社会学用語図鑑——人物と用語でたどる社会学の全体像』プレジデント社、p.96、2019年
4）金子勇『地域福祉社会学——新しい高齢社会像』ミネルヴァ書房、pp.122-123、1997年
5）内閣府NPOホームページ「NPO基礎知識」　https://www.npo-homepage.go.jp/about/npo-kisochishiki/npoiroha
6）内閣府NPOホームページ　https://www.npo-homepage.go.jp/

◆ **参考文献**

● 川口清史・田尾雅夫・新川達郎編『よくわかるNPO・ボランティア』ミネルヴァ書房、2005年
● 長谷川公一・浜日出夫・藤村正之・町村敬志『新版 社会学』有斐閣、2019年

第 **6** 節

# 地域社会における生活支援

**学習のポイント**
- 福祉の考え方を理解する
- 地域の集団、組織による生活支援として、ソーシャル・サポート・ネットワークについて理解する

**関連項目** ④『介護の基本Ⅱ』▶ 第2章第4節「地域連携」

## 1 生活支援と福祉

### 1 生活支援と福祉

　現代を生きるわれわれは、さまざまな原因によって生活に困難をかかえることがあります。そのため、生活に困難をかかえないように予防したり、あるいは生活困難から助け、その人らしい生活（人生）を実現するための取り組み（支援）として社会福祉や社会保障（第3章参照）があります。そして、その基本にすえられているのが福祉という考え方です。

　福祉は広い意味で使う場合は、幸福やよりよい人生という理念として使われます。せまい意味で使う場合は、生活困窮者支援、保育サービス、障害福祉サービスといった福祉に関する法律にもとづく具体的な支援サービスという意味で使われます（第3章第1節参照）。日本の福祉の考え方では、日本国憲法（以下、憲法）第25条とのかかわり（制度的根拠）が重視されています。また、2000（平成12）年の社会福祉法の改正（社会福祉事業法から社会福祉法へと改称された大改正）のころから、憲法第13条も重視されています。

> 日本国憲法
> 第13条　すべて国民は、個人として尊重される。生命、自由及び幸福追求に対する国民の権利については、公共の福祉に反しない限り、立法その他の国政の上で、最大の尊重を必要とする。
> 第25条　すべて国民は、健康で文化的な最低限度の生活を営む権利を有する。
> ②　国は、すべての生活部面について、社会福祉、社会保障及び公衆衛生の向上及び増進に努めなければならない。

## 2　地域の集団、組織による生活支援

　地域社会の変化にともなって、介護が必要となっても住み慣れた地域で暮らしつづけられるための取り組みのあり方も、変化が求められてきています。**福祉国家**❶から福祉社会へと移行するとともに、図1-11のような**福祉ミックス**❷（福祉の多元化）による地域生活の支援が重要となってきています。

　福祉ミックスにおいては、特に家族等のインフォーマル（非公式）部門、そしてNPO（Non-Profit Organization：非営利組織）等のボランタリー（民間非営利）部門の存在が重要です。日本においても1973（昭和48）年の**石油危機（オイルショック）**❸以降、財政的問題と関係しながら、**日本型福祉社会**❹として自助・共助といったインフォーマル

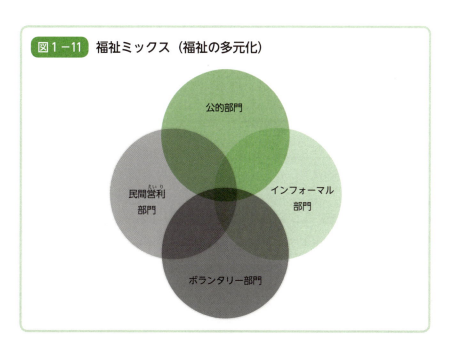

図1-11　福祉ミックス（福祉の多元化）

❶福祉国家
国民全体の福祉を目的とした国家のこと。戦争国家に対していう。

❷福祉ミックス
公的部門、民間営利部門、インフォーマル部門、ボランタリー部門といった各部門の長所を活かして、最適な組み合わせを実現しようという考え方のこと。

❸石油危機（オイルショック）
アラブ諸国が、イスラエルおよびイスラエルを支援する欧米諸国に対抗するために、石油輸出規制を行い、世界的な石油不足と石油価格の高騰をもたらしたこと。先進国の経済に大きなダメージを与えた。

❹日本型福祉社会
p.115参照

部門による支援を強調した政策が打ち出されてきました。このインフォーマル部門における非専門的な援助者によるネットワークを、**ソーシャル・サポート・ネットワーク**[5]といいます。

現在では、介護を必要としている人自身がはぐくんできたソーシャル・サポート・ネットワークによる人間関係だからこそできる支援があり、そして地域だからこそできる支援があると考えられており、本人が自分らしく暮らしつづけられるために重要であるという認識にいたっています。

[5] ソーシャル・サポート・ネットワーク
家族、近隣、ボランティア等、非専門的な援助者による援助のネットワークをいう。ネットワーク形成時には社会福祉分野の専門職がかかわることもある。

## 2 自助・互助・共助・公助

地域での生活が続けられるよう、ソーシャル・サポート・ネットワークのような住民の参加による地域の支え合いが重視され、コミュニティの機能と重要性が取り上げられるようになっています。**表1−2**に示したような**自助・互助・共助・公助**が、それぞれの役割や機能に応じてさまざまなかかわりをもつことが求められています。

これからの介護福祉士は、地域包括ケア（第2章第3節参照）の実現をめざして、地域住民の参加による地域の支え合いも視野に入れた介護

### 表1−2 自助・互助・共助・公助の定義の例

| | |
|---|---|
| 自助 | 自ら働いて、又は自らの年金収入等により、自らの生活を支え、自らの健康は自ら維持すること。 |
| 互助 | インフォーマルな相互扶助。例えば、近隣の助け合いやボランティア等。 |
| 共助 | 社会保険のような制度化された相互扶助。 |
| 公助 | 自助・互助・共助では対応できない困窮等の状況に対し、所得や生活水準・家庭状況等の受給要件を定めた上で必要な生活保障を行う社会福祉等。 |

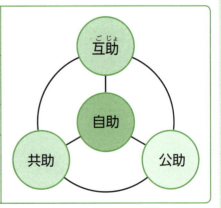

出典：「自助・互助・共助・公助」の定義については、地域包括ケア研究会「地域包括ケア研究会報告書——今後の検討のための論点整理」平成20年度老人保健健康増進等事業、p.3、2009年
注：社会保険制度を「共助」ととらえるか「公助」ととらえるか等、さまざまな議論があるため、それぞれの定義は確立したものではない。

実践が求められています。そして、介護を必要としている人の生活を、地域という広がりのなかでとらえ、理解していくことが重要となっています。

◆ 参考文献
- 藤井博志編著『地域福祉のはじめかた——事例による演習で学ぶ地域づくり』ミネルヴァ書房、2019年
- 日本ソーシャルワーク教育学校連盟編『最新 社会福祉士養成講座 精神保健福祉士養成講座6 地域福祉と包括的支援体制』中央法規出版、2021年
- 仲村優一・一番ヶ瀬康子・右田紀久恵監、岡本民夫・田端光美・濱野一郎・古川孝順・宮田和明編『エンサイクロペディア社会福祉学』中央法規出版、2007年

### 演習1-1　家族と生活の機能

家族と生活がもつ機能と役割について考えてみよう。

1. 家族の構成員が何をしているのか（機能）について書き出し、家族とは何であるのかを考えてみよう。
2. ライフスタイルの変化を調べて、そこから生活の機能のなかで変わるもの、変わらないものはどのようなものであるのかを考えてみよう。
3. 1と2をふまえて、生活のなかの困りごとはどのように解決をしているのか、グループに分かれて話し合ってみよう。

### 演習1-2　地域と生活支援

地域とは何か、生活支援とどのようにかかわるのかを考えてみよう。

1. あなたが「社会」や「組織」を感じるのはどのような場面かを書き出してみよう。そのうえで、どうして「社会」や「組織」は存在しているのかを考えてみよう。
2. 「地域社会」はどのような生活支援を行っているのだろうか。自分の住んでいる地域で調べてみよう。
3. 「自助」「互助」「共助」「公助」の組み合わせを考えたとき、介護福祉士はどのような立場で、何をになうことが期待されているだろうか。地域をキーワードにグループに分かれて話し合い、発表してみよう。

# 第 2 章

# 地域共生社会の実現に向けた制度や施策

第 1 節　地域福祉の発展

第 2 節　地域共生社会

第 3 節　地域包括ケア

第1節

# 地域福祉の発展

**学習のポイント**
- 行政と住民が協働する新しい福祉の姿としての地域福祉について理解する
- 地域福祉の成り立ちと取り組みについて理解する

**関連項目** ④『介護の基本Ⅱ』▶第2章「介護福祉を必要とする人の生活を支えるしくみ」

**事例1** 「ごみ屋敷」と地域からの孤立

訪問介護事業所に勤める介護福祉士のAさんは、最近、訪問介護（ホームヘルプサービス）の利用を始めたBさん（75歳、女性）の自宅へ担当としてはじめて訪問しました。Bさんの自宅は5階建てマンションの3階にあり、3階の廊下を歩いていると、異臭のする部屋の前を通り過ぎました。Bさんの自宅を訪れ、Aさんが異臭のする家のことを話すと、Bさんは「あの家は認知症の1人暮らしのおじいさんがいて、ごみをためこんで困っているんです。ごみを捨てるように自治会から言っても怒って物を投げられたりもして。どうしたものか、困っているんですよね」と話しました。後日、自治会から聞いた話によると、異臭のする家の住人は高齢の男性で、5年前に妻に先立たれてから様子が変わり、2年ほど前からごみ屋敷化が始まったということでした。

## 1 地域福祉の理念

### 1 地域福祉の基本的考え方

人間は、社会という人のつながりのなかで生きています。その社会の

なかでは、学校や会社、あるいは家庭等に人のつながりがあり、そのつながりのなかで物事を融通し合ったり、あるいは支え合ったりして日々の暮らしを営んでいます。日々の暮らしの広がる地域と、そこにおける人と人のつながり、その接点において、人間としてのより豊かな暮らしを皆で実現していこうという取り組みが、地域福祉の原点にあります。

**地域福祉**は、地域生活課題に対して、人がつながり合うことによって可能となる助け合いを通じて、「住み慣れた地域社会のなかで、家族、近隣の人々、知人、友人などとの社会関係を保ち、自らの能力を最大限発揮し、誰もが自分らしく、誇りをもって、家族およびまちの一員として、普通の生活（くらし）を送ることができるような状態を創っていくこと」[1]と定義することができます。

社会福祉法第4条において、「地域福祉の推進」について規定されています。特に第4条第3項では、**地域生活課題**が定義されています。

---

**社会福祉法**
（地域福祉の推進）
**第4条** 地域福祉の推進は、地域住民が相互に人格と個性を尊重し合いながら、参加し、共生する地域社会の実現を目指して行われなければならない。
2 地域住民、社会福祉を目的とする事業を経営する者及び社会福祉に関する活動を行う者（以下「地域住民等」という。）は、相互に協力し、福祉サービスを必要とする地域住民が地域社会を構成する一員として日常生活を営み、社会、経済、文化その他あらゆる分野の活動に参加する機会が確保されるように、地域福祉の推進に努めなければならない。
3 地域住民等は、地域福祉の推進に当たっては、福祉サービスを必要とする地域住民及びその世帯が抱える福祉、介護、介護予防（要介護状態若しくは要支援状態となることの予防又は要介護状態若しくは要支援状態の軽減若しくは悪化の防止をいう。）、保健医療、住まい、就労及び教育に関する課題、福祉サービスを必要とする地域住民の地域社会からの孤立その他の福祉サービスを必要とする地域住民が日常生活を営み、あらゆる分野の活動に参加する機会が確保される上での各般の課題（以下「地域生活課題」という。）を把握し、地域生活課題の解決に資する支援を行う関係機関（以下「支援関係機関」という。）との連携等によりその解決を図るよう特に留意するものとする。

---

地域福祉推進のために地域住民等に対して、たとえば事例1のような地域生活課題を把握し、支援関係機関との連携によってその解決に取り組むことが求められます。

## 2 地域福祉の構成要素

❶ニーズの需要化
ニーズとは、社会的に望ましいとされる生活水準と比べて何らかの不足が起きているために、その不足をおぎなうための社会的必要という意味である。
一方、需要はお金で商品を購入する力（購買力）があることを前提としている。どれだけ不足して生活に困っていたとしても、購買力がない場合は需要とはならない。
ニーズの需要化とは、ニーズ（社会的必要）を、お金で商品を購入することで満たすことをいう。

　地域福祉は、図2－1のように、①社会保障・社会福祉（制度改革）、②コミュニティ・ソーシャルワーク（技術開発）、③福祉問題（ニーズ把握）、④市民・住民参加（主体開発）の4つから構成されています。その具体化された取り組みとして、近年では生活困窮者自立支援や地域包括ケアシステムをあげることができます。

　また、地域福祉は、図2－2のように、自助・互助・共助の組み合わせによる生活力の回復と、公助としての政府の生活保障によって形づくられています。自助のなかには、サービスの購入も含まれますが、このサービスは、ニーズの需要化❶により市場が供給をになっています。

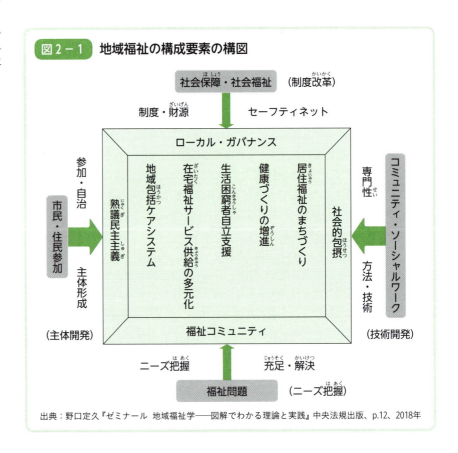

図2－1　地域福祉の構成要素の構図

出典：野口定久『ゼミナール 地域福祉学――図解でわかる理論と実践』中央法規出版、p.12、2018年

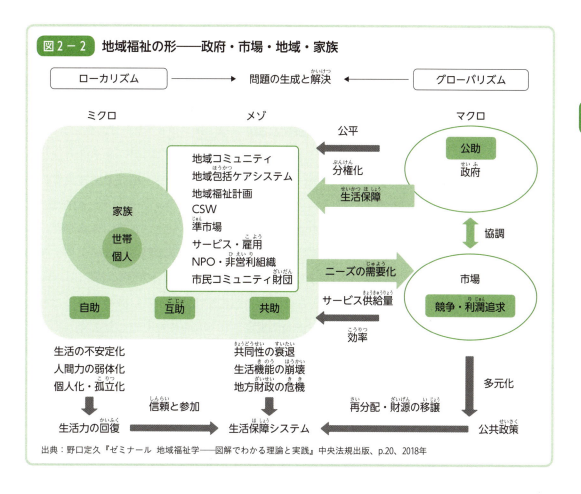

出典：野口定久『ゼミナール 地域福祉学――図解でわかる理論と実践』中央法規出版、p.20、2018年

## 2 地域福祉の歴史的展開

　地域福祉が今日の姿にいたる源流には、**慈善組織協会❷**や**セツルメント運動❸**などがあります。これらは、近代の経済システムの発展とともに拡大した貧困やスラムという問題に対する、民間の慈善活動家たちによる先駆的な社会福祉実践であったといえます。

　日本においても、明治以降の経済の急速な発展にともなって貧困やスラムの問題が拡大し、慈善活動や**隣保館**などのセツルメント運動、現在の民生委員の前身である**方面委員**などの活動を地域福祉の源流としてあげることができます。

　しかし、その後の1945（昭和20）年に終戦をむかえた日本では、戦後の混乱期への対応から、戦災によって遺された子ども対策、貧困対策、元軍人を含めた身体障害者対策が優先的課題であり、それぞれに対応す

❷慈善組織協会

19世紀末のイギリス、新救貧法のもとで、資本主義の発展と人口の都市集中化によって増加した貧困者に対する慈善団体の救済事業の濫救・漏救防止を目的として設立された。地域内の慈善団体間の連絡調整と友愛訪問が開始され、この活動が社会福祉援助活動の出発点だといわれている。

❸ セツルメント運動
社会福祉援助者等が、スラム街や工場街に住みこみ、住民の生活を援助する地域改良運動。19世紀後半のイギリスにおけるトインビー・ホールが始まりである。

❹ 地域組織化活動
地域社会で住民が主体となり、福祉の増進を目的として行われる活動。地域社会のニーズを明らかにしたうえで、その充足のために計画を策定し、組織活動を通じた実践を行う。

る児童福祉法、生活保護法、身体障害者福祉法が成立し、施設中心のサービス体制が整えられてきました。

再び地域福祉が議論され出したのは1960年代でした。そのころ、地域福祉をめぐって2つの方向性がみえはじめます。その1つが地域支援をめざす考え方で、**地域組織化活動**❹（コミュニティ・オーガニゼーション）と**地域社会開発**❺（コミュニティ・ディベロップメント）をその方法としています。もう1つが、個別支援をめざすもので、地域で要援護者の生活支援をするコミュニティケアという考え方です。そして、**岡村重夫**❻らによって、日本での地域福祉が理論的に体系化されていきました。

地域福祉の実践に着目すると、その発展段階は**図2－3**のように3期に分けることができます。第3期の始まりになる2000（平成12）年に、社会福祉事業法が改正され、その題名が社会福祉法に改められるとともに、地域福祉の推進が法的に規定されるようになりました。

そして、現在の福祉ニーズの高度化、多様化へは、行政と住民の協働による新しい福祉の姿としての地域福祉によって対応していくことが望ましいと考えられています。

# 3 地域福祉の推進

❺ 地域社会開発
地域組織化活動の基盤となる地域の施設や住民の福祉意識の高揚など、地域社会における物理的な面と心理的な面の両方における開発をめざした取り組み。

❻ 岡村重夫
p.4 参照

## 1 コミュニティ・ソーシャルワーク

これからの地域福祉の充実に向け、**図2－3**の第3期にもあるように、**コミュニティ・ソーシャルワーク**という実践が必要となってきています。コミュニティ・ソーシャルワークとは、地域支援志向と個別支援志向を統合的に実践しようという考え方です。地域にあるニーズを把握し、援助関係を築きながら地域という広がりのなかでニーズの充足に取り組んでいきます。

## 2 社会福祉協議会

地域福祉の推進を目的とする団体として組織されているのが、**社会福祉協議会**です。市町村を単位とする市町村社会福祉協議会、都道府県を

> **図2-3 大橋謙策による地域福祉の発展段階**
>
> 第1期：1970（昭和45）～1989（平成元）年
> ・地域福祉の萌芽期
> ・法的整備がないままに在宅福祉サービスを実験的に展開
>
> 第2期：1990（平成2）年の福祉関係八法の改正以降
> ・在宅福祉サービスの法的整備が始まる
>
> 第3期：2000（平成12）年の社会福祉事業法の改正以降
> ・在宅福祉サービスの整備と住民ボランティア活動の連携
> ・ともに生きる地域社会の創造、福祉コミュニティの創造をめざす
> ・コミュニティ・ソーシャルワークの必要性
>
> 資料：社会福祉士養成講座編集委員会編『新・社会福祉士養成講座9 地域福祉の理論と方法 第3版』pp.45-46、2015年より筆者作成

単位とする都道府県社会福祉協議会、社会福祉を目的とする事業を経営する者と社会福祉に関する活動を行う者が参加して構成される全国単位の組織として**社会福祉協議会連合会**❼が設置されています。

ボランティアセンターを運営したり、地域住民の組織化のための会議を行ったり、広く社会福祉について知ってもらうための活動などに取り組んでいます。また、地域によっては地域のニーズに対応するべく介護サービスの提供を行っている社会福祉協議会もあります。

❼**社会福祉協議会連合会**
都道府県社会福祉協議会が相互の連絡および事業の調整を行うために設立する全国単位の組織（社会福祉法第111条）。社会福祉法人全国社会福祉協議会がこれにあたるものとして設立・運営されている。

## 3 地域福祉計画

**地域福祉計画**とは、①地域の個別性の尊重の原則、②利用者主体の原則、③ネットワーク化の原則、④公民協働の原則、⑤住民参加の原則にもとづいて、地方分権化の推進や住民参加の福祉のまちづくりをめざすための計画です[2]。

市町村は、地域福祉の推進に関する事項として、**表2-1**にかかげる事項を一体的に定める**市町村地域福祉計画**を策定するよう努めるものとされています（社会福祉法第107条第1項）。都道府県は、市町村地域福祉計画が達成されるように、広域的な視点から市町村の地域福祉の支援に関する事項を一体的に定める**都道府県地域福祉支援計画**を策定するよ

> **表2−1** 地域福祉の推進に関する事項
>
> ① 地域における高齢者の福祉、障害者の福祉、児童の福祉その他の福祉に関し、共通して取り組むべき事項
> ② 地域における福祉サービスの適切な利用の推進に関する事項
> ③ 地域における社会福祉を目的とする事業の健全な発達に関する事項
> ④ 地域福祉に関する活動への住民の参加の促進に関する事項
> ⑤ 地域生活課題の解決に資する支援が包括的に提供される体制の整備に関する事項

う努めるものとされています(第108条第1項)。策定や変更にあたっては地域住民の意見を反映させ、その内容を公表するよう努めるものとされています(第107条第2項、第108条第2項)。また、策定した計画について、定期的に、調査、分析および評価することが求められています(第107条第3項、第108条第3項)。

これからの地域福祉計画は、福祉のほか、まちおこし、産業、農林水産、土木、防犯・防災、社会教育、環境、交通、都市計画といった、広くさまざまな分野との連携に関する事項を盛りこむことが求められています。地域福祉に関する行政機関だけが担当するのではなく、行政内の横断的な協働体制をとりつつ、さらに成年後見、住まい、自殺対策、再犯防止等も含め、他の福祉に関する計画との調和をはかって、一体的に策定することが求められています。

## 4 ボランティア

地域福祉を推進していくにあたって、地域住民による**ボランティア**は重要な存在です。ボランティアとは、だれかがかかえている困りごとを「**我が事**」❽としてとらえ、ともに解決することをめざして自主的に活動を行う存在です。

近年は自然災害などが発生すると、多くのボランティアが被災地へ入り、被災地支援等を行っている姿がみられます。また、認知症サポーターや傾聴ボランティア等は、介護福祉の領域で広がっている取り組みであるといえます。

❽「我が事」
p.46参照

# 4 災害と地域社会

### 事例2　重度の障害児の災害避難

　Cさん（36歳、女性）は、重度の脳性麻痺のある8歳の娘と、6歳の次女と4歳の長男の3人の子どもと自宅でいっしょに暮らしています。以前参加した、大雨や地震などの自然災害を想定した避難訓練では、地域の人から「自家用車で避難しないこと」と言われたものの、重度の障害のある8歳の娘には介護用品や医薬品などの必要な物が多く、次女と長男を連れて歩いて避難することはむずかしいと感じました。

　避難訓練からしばらくして、テレビで、大雨による洪水被害で、自宅で寝たきりだった高齢者が避難することができずに夫婦で亡くなったというニュースを目にしました。Cさんは、夫が仕事で家にいないとき、どうやって小さい次女と長男も連れて避難したらよいのか、そして地域のだれに相談したらよいのか困ってしまいました。

## 1 災害と福祉避難所

　大規模地震だけでなく、豪雨や豪雪、暴風等による大規模な自然災害によって被災し、生活に困難をかかえるケースがあとを絶ちません。被災者のなかには、地域で暮らす要介護高齢者や障害児・者、そして事例2のようにその家族が含まれることは、介護福祉士として忘れてはなりません。

　避難のための立ち退きを行った居住者、滞在者などを避難のために必要なあいだ滞在させ、またはみずから居住の場所を確保することが困難な被災した住民（被災住民）等を一時的に滞在させるための施設を避難所といいます。

　そのうち、主として高齢者、障害者、乳幼児その他の特に配慮を要する者（要配慮者）を滞在させることが想定されるものを福祉避難所としています。福祉避難所の基準❾については、災害対策基本法施行令において規定されています。福祉避難所の対象者として想定されている要配慮者とは、高齢者、障害者、乳幼児その他の特に配慮を要する者（妊産

❾**福祉避難所の基準**
要配慮者の円滑な利用の確保、要配慮者が相談し、または助言その他の支援を受けることができる体制の整備その他の要配慮者の良好な生活環境の確保に資する事項について内閣府令で定める基準に適合するもの。

婦、傷病者、内部障害者、難病患者、医療的ケアを必要とする者等）となっています。なお、介護老人福祉施設等の入所者は、その施設で適切に対応されるべきであるとされ、原則として福祉避難所の対象者となりません。

　2011（平成23）年の東日本大震災などの広域で甚大な自然災害における福祉避難所の課題として、内閣府の「福祉避難所の確保・運営ガイドライン」では、①支援者の確保、②移送（交通手段・燃料の確保）、③スクリーニング、④多様な要配慮者への対応の4点が指摘されています。災害時には一定程度の専門的知識がある人的資源を確保することがむずかしく、一方で迅速な支援の必要性の判断が求められます。

　福祉避難所における介護福祉士には、要配慮者のニーズにきめ細かく対応することが求められます。一方で、災害前は自宅で暮らしていたことが前提となるため、介護を含む**福祉避難所での福祉サービスの提供**❿にあたっては、避難者が被災前にもっていた自立する能力を損なわないような支援を行うことが求められます。

　災害時に適切な介護サービスを提供するには、ふだんから要配慮者の状況を把握しておくことが重要です。そして、要配慮者や家族、そしてボランティア等による自助・互助・共助の取り組みに寄り添う姿勢が必要です。

❿福祉避難所での福祉サービスの提供
福祉避難所におけるホームヘルパーの派遣等、福祉各法による居宅系の福祉サービス等の提供は、福祉各法による実施を想定している。災害救助法による救助としての実施は想定されていない。

---

◆ 引用文献
1 ）上野谷加代子・松端克文・山縣文治編『よくわかる地域福祉 第5版』ミネルヴァ書房、p.2、2012年
2 ）地域福祉計画に関する調査研究委員会編『地域福祉計画・支援計画の考え方と実際――地域福祉計画に関する調査研究事業報告書』全国社会福祉協議会、p.15、2002年

◆ 参考文献
● 岡村重夫『地域福祉論 新装版』光生館、2009年
● 中央法規出版編集部編『六訂 社会福祉用語辞典』中央法規出版、2012年
● 日本地域福祉研究所監、中島修・菱沼幹男編『コミュニティソーシャルワークの理論と実践――THE THEORY AND PRACTICE OF COMMUNITY SOCIAL WORK』中央法規出版、2015年
● 社会福祉士養成講座編集委員会編『新・社会福祉士養成講座9 地域福祉の理論と方法 第3版』中央法規出版、2015年
● 野口定久『ゼミナール 地域福祉学――図解でわかる理論と実践』中央法規出版、2018年
● 山本克彦編著『災害ボランティア入門――実践から学ぶ災害ソーシャルワーク』ミネルヴァ書房、2018年
● 内閣府（防災担当）『福祉避難所の確保・運営ガイドライン』2016年（2021年改定）

第 2 節

# 地域共生社会

> **学習のポイント**
> - 地域共生社会がめざす社会像について理解する
> - 地域共生社会という考え方が出てきた背景について理解する
> - 介護福祉士の立場から、どのような地域づくりをめざすべきなのかを理解する
>
> **関連項目** ④『介護の基本Ⅱ』▶第2章「介護福祉を必要とする人の生活を支えるしくみ」

**事例3** 「8050」問題（ひきこもりの子どもの発見）

地域包括支援センターの主任介護支援専門員のDさんは、Eさん（80歳、女性）からの相談に対応するために自宅を訪問しました。夫に先立たれ、最近、自分でできることが減ってきたように感じ、これからの生活にとても不安を感じているということでした。そこへ突然、奥の部屋から娘（50歳、女性）が出てきて、「ご飯はまだか！！」と叫んで、すぐに奥の部屋に戻っていきました。Eさんによると、娘は30歳で仕事を突然辞めて以降、ずっとひきこもっているとのことでした。近隣住民も、娘の存在についてはよく知らない様子でした。

## 1 地域共生社会をめざす社会的背景

**地域共生社会**という考え方が出てきた背景には、少子高齢化、そして人口減少へと進み始めた日本が、日本全体の経済・社会の存続の危機に直結しているという認識があります。

現代社会で暮らす人たちの生活に目を向けると、深刻な「生活のしづらさ」が増してきています。かつてあった家族や親戚、隣近所の支え合いも衰退し、暮らしにおける困りごとを1人でかかえこみ、だれにも相談できない状態にある人や世帯（家族）があります。また、先の事例3

で紹介したような高齢の親と働いていない独身の50代の子が同居している世帯、介護と育児に同時に直面する世帯（ダブルケア）、障害のある子の親が高齢化し介護を要する世帯など、さまざまな問題が複合化したために生活が困窮している人たちがいます。

　このような困窮した状態にあっても、個人の尊厳が尊重され、多様性を認め合うことができる地域社会を住民主体によってつくっていく必要があります。しかし、実際の地域の状況は複雑であり、互いの価値や権利がぶつかり、差別や排除が起きてしまうことがあります。それぞれの地域で社会的孤立や**社会的排除（ソーシャルエクスクルージョン）**❶をなくし、だれもが役割をもち、互いに支え合うことのできる地域共生社会を実現することは高い理想でもあります。

　地域共生社会というめざすべき社会像が提起された背景には、生活に困難をかかえた状態を**「我が事」**❷として思える地域づくりに取り組み、さらにはそれが文化として定着するよう挑戦することに価値をおこうというねらいがあります。

　さらに、地域住民としてとらえる範囲をひろげる必要があります。2018（平成30）年に出入国管理法が改正され、外国人を労働者として積極的に受け入れることが決まりました。2020（令和2）年に入国した外国人数は430万7257人です[1)]。外国人労働者数は同年10月末時点で172万4328人となっており、前年より6万5524人（4.0％）増加しています[2)]。在留外国人は同年末に288万7116人で、前年末に比べて4万6021人（1.6％）減少しました[3)]。2020（令和2）年に減少したことは新型コロナウイルス感染症の拡大の影響といえますが、長期的には今後も地域で暮らす外国人がさらに増えると考えられます。地域でともに暮らす外国人を排除することなく、国籍や文化を超えて、図2-4で示したような**多文化共生**の地域づくりをさらに進めることも重要です。

❶社会的排除（ソーシャルエクスクルージョン）
社会的なつながりから阻害された状態のことを意味する。もともとは、1980年代のヨーロッパで社会問題となった外国人労働者問題から始まり、最近では絶対的貧困、相対的貧困に並ぶ新たな貧困のとらえ方として注目されている。この社会的排除を克服することをめざした理念として、社会的包摂（ソーシャルインクルージョン）という概念がかかげられた。

❷「我が事」
p.46参照

## 2　地域共生社会の理念

　2016（平成28）年6月2日に閣議決定された「ニッポン一億総活躍プラン」によれば、地域共生社会とは、「子供・高齢者・障害者など全ての人々が地域、暮らし、生きがいを共に創り、高め合うことができる」社会とされています。その実現のために、「支え手側と受け手側に分か

### 図2-4 多文化共生推進の施策

**コミュニケーション支援**
- 地域における情報の多言語化
- 日本語および日本社会に関する学習の支援

**生活支援**
- 居住
- 教育
- 労働環境
- 医療・保健・福祉
- 防災
- その他

**多文化共生の地域づくり**
- 地域社会に対する意識啓発
- 外国人住民の自立と社会参画

資料：総務省「多文化共生の推進に関する研究会報告書——地域における多文化共生の推進に向けて」pp.11-37、2006年より筆者作成

---

れるのではなく、地域のあらゆる住民が役割を持ち、支え合いながら、自分らしく活躍できる地域コミュニティを育成し、福祉などの地域の公的サービスと協働して助け合いながら暮らすことのできる」しくみの構築、寄附文化の醸成、NPO（Non-Profit Organization：民間非営利組織）等の民間団体との連携や民間の資金の活用をはかるとしています。

このような**地域共生社会の理念**は、**社会的包摂**をめざすということを意味します。社会的包摂とは、社会的排除に対する目標としてかかげられてきた理念です。社会的に望ましいとされる生活水準が維持されるとともに、すべての人に選択肢の広がりと選択する自由が保障され、社会とのつながりを通してその人らしく生きていける社会の実現をめざします。

## 3 地域共生社会の実現に向けた取り組み

### 事例4　高齢化団地における個別訪問とサロン活動

建設されてから50年が経過したF団地では、毎週金曜日に集会所を

使ってサロン活動が行われています。サロンでは団地に住んでいるGさん（70歳、女性）をはじめ、6名ほどの高齢者がボランティアとして活動に参加しています。団地で1人暮らしをしているHさん（80歳、男性）は、先日、個別訪問にやってきた地域見守りボランティアのJさん（50歳、女性）から「サロンへ参加してみませんか？」と誘われ、今日は天気もよいので参加してみようと考えています。

「ニッポン一億総活躍プラン」の閣議決定のあと設置された、「我が事・丸ごと」地域共生社会実現本部による「『地域共生社会』の実現に向けて（当面の改革工程）」では、地域共生社会の実現に向けた改革について、**図2－5**に示す①地域課題の解決力の強化、②地域丸ごとのつながりの強化、③地域を基盤とする包括的支援の強化、④専門人材の機能強化・最大活用の4つの柱にそって進めるとされています。さらに、**地域力強化検討会**❸が、2017（平成29）年9月にとりまとめた「地域力強化検討会最終とりまとめ」では、地域共生社会に向けて、❶共生文化、❷参加・協働、❸予防的福祉の推進、❹包括的支援体制、❺多様な場の創造をめざすとされ、総論をふまえた各論として、①市町村における包括的な支援体制の構築、②地域福祉（支援）計画、③自治体と国の役割が述べられています（図2－6）。

❸**地域力強化検討会**
地域における住民主体の課題解決力強化・相談支援体制の在り方に関する検討会。「我が事・丸ごと」地域共生社会実現本部における議論に資するために開催され、2017（平成29）年9月12日に最終とりまとめが公表された。

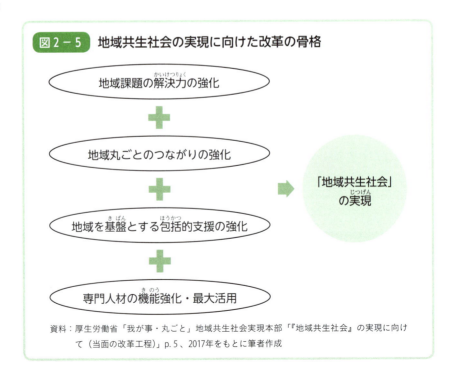

図2－5　地域共生社会の実現に向けた改革の骨格

資料：厚生労働省「我が事・丸ごと」地域共生社会実現本部『『地域共生社会』の実現に向けて（当面の改革工程）」p.5、2017年をもとに筆者作成

## 図2-6 地域共生社会の実現に向けた方向性と取り組み

### 総論

- 地域共生が<u>文化として定着</u>する挑戦
- 専門職による<u>多職種連携</u>、地域住民等との協働による<u>地域連携</u>
- 「点」としての取り組みから、有機的に連携・協働する<u>「面」</u>としての取り組みへ
- 「待ち」の姿勢から、<u>「予防」</u>の視点にもとづく、<u>早期発見、早期支援</u>へ
- 「支え手」「受け手」が固定されない、<u>多様な参加の場、働く場の創造</u>

⇩ 各論

### 各論1 市町村における包括的な支援体制の構築

①他人事を「我が事」に変えていくようなはたらきかけをする機能
○3つの地域づくりの方向性の促進に向けた取り組みの例
- 分野を超えた協働を進めるとともに、分野を超えた協働を進めていく役割を果たす人を地域のなかから多く見つけていく。
- 障害や認知症、社会的孤立等に関して学ぶことを通じ、地域や福祉を身近なものとして考える福祉教育の機会を提供する。

○地域づくりを推進する財源等の例
- 各分野の補助金等の柔軟な活用、社会福祉法人の地域における公益的取り組み等の取り入れ。

②「複合課題丸ごと」「世帯丸ごと」「とりあえず丸ごと」受け止める場
○住民に身近な圏域での「丸ごと」受け止める場の整備にあたっての留意点
- 担い手を定め、わかりやすい名称をつけるなどして、広く住民等に周知する。
- 民生委員、保護司等の地域の関係者から、情報が入る体制を構築する。 等

③市町村における包括的な相談支援体制
○市町村における包括的な相談支援体制の構築にあたっての留意点
- 支援チームの編成は、本人の意思やニーズに応じて新たな支援者を巻きこむ。 等

### 各論2 地域福祉（支援）計画

○各福祉分野に共通して取り組むべき事項の例
- 福祉以外のさまざまな分野（まちおこし、産業、農林水産、土木、防犯・防災、社会教育、環境、交通、都市計画等）との連携に関する事項。
- 高齢者、障害者、児童に対する統一的な虐待への対応や、家庭内で虐待を行った介護者・養育者がかかえている課題にも着目した支援のあり方。
- 役所内の全庁的な体制整備。 等

### 各論3 自治体と国の役割

○**市町村**➡包括的な支援体制の整備について、責任をもって進めていくこと（地域福祉計画として関係者と合意し、計画的に推進していくことが有効） 等
○**都道府県**➡単独の市町村では解決がむずかしい課題への支援体制の構築、都道府県域の独自施策の企画・立案、市町村への技術的助言 等
○**国**➡指針等の作成で終わることなく、「我が事・丸ごと」の人材育成、プロセスを重視した評価指標の検討、財源の確保・あり方についての検討 等

資料：地域における住民主体の課題解決力強化・相談支援体制の在り方に関する検討会（地域力強化検討会）「地域力強化検討会最終とりまとめ——地域共生社会の実現に向けた新しいステージへ」2017年より筆者作成

とくに、①市町村における包括的な支援体制の構築において示されているように、地域共生社会は、図2-7に示した3つの地域づくりを通じて、地域住民が地域生活課題を「我が事」として考える意識を高めていくことをめざしています。このような地域づくりは、福祉とこれまで関係の少なかった他の分野をつなぐ地域づくりへの提案でもあります。また、地域づくりを進めるための財源については、各分野の補助金や共同募金、クラウドファンディングやふるさと納税、企業の社会貢献活動、そして社会福祉法人の地域における公益的取り組みなどの活用が期待されています。事例4の個別訪問とサロン活動は、ボランティアによる地域づくりの1例です。

地域共生社会の実現に向け、介護福祉士には、単に目の前にいる介護サービスの利用者だけではない、その家族全体を丸ごととらえた支援、他職種との連携、地域づくりへの提言、介護福祉施設や事業所における地域貢献への取り組みなどが期待されています。

1人の利用者の日常の身のまわりの生活を支援するという立場から、その利用者を支える関係づくり、地域づくり、まちづくりにまでかかわっていくことが介護福祉士に求められています。

### 図2-7 3つの地域づくりの方向性と取り組み

**①まちづくりにつながる「地域づくり」**

「自分や家族が暮らしたい地域を考える」という主体的、積極的な姿勢と福祉以外の分野との連携・協働によるまちづくりに広がる地域づくり

**②福祉コミュニティとしての「地域づくり」**

「地域で困っている課題を解決したい」という気持ちで、さまざまな取り組みを行う地域住民や福祉関係者によるネットワークにより共生の文化が広がる地域づくり

**③1人を支えることができる「地域づくり」**

「1人の課題から」、地域住民と関係機関がいっしょになって解決するプロセスをくり返して気づきと学びがうながされることで、1人ひとりを支えることができる地域づくり

資料：地域における住民主体の課題解決力強化・相談支援体制の在り方に関する検討会（地域力強化検討会）「地域力強化検討会最終とりまとめ――地域共生社会の実現に向けた新しいステージへ」2017年より筆者作成

◆引用文献
1）法務省「2020年 出入国管理統計」
2）厚生労働省「『外国人雇用状況』の届出状況まとめ（令和2年10月末現在）」
3）法務省「令和2年末現在における在留外国人数について（確定値）」

◆参考文献
- 地域における住民主体の課題解決力強化・相談支援体制の在り方に関する検討会（地域力強化検討会）「地域力強化検討会最終とりまとめ――地域共生社会の実現に向けた新しいステージへ」2017年
- 東洋大学福祉社会開発研究センター編『地域におけるつながり・見守りのかたち――福祉社会の形成に向けて』中央法規出版、2011年
- 辻哲夫監、田城孝雄・内田要編『まちづくりとしての地域包括ケアシステム――持続可能な地域共生社会をめざして』東京大学出版会、2017年

第 3 節

# 地域包括ケア

**学習のポイント**
- 地域包括ケアという考え方が出てきた背景について理解する
- 地域包括ケアのめざす介護のあり方について理解する
- 地域包括ケアシステムについて理解し、介護福祉士としてどのようなことが期待されているのかを理解する

**関連項目** ④『介護の基本Ⅱ』▶ 第4章「協働する多職種の機能と役割」

**事例5 複合的課題のある要介護者へのチームアプローチ**

　Kさん（73歳、男性）は、外出中に脳卒中で倒れ緊急入院をしましたが、右半身に麻痺が残ったため、長年住み慣れた自宅で家族といっしょに暮らすことを目標に、懸命にリハビリテーションに取り組んできました。医療ソーシャルワーカーは、介護支援専門員（ケアマネジャー）と、どのようなチームで在宅での生活を支援していけばよいか、相談をすることにしました。

## 1 地域包括ケアの理念

　高齢者の医療・介護ニーズの高度化・多様化、そしてニーズそのものの増大によって、病院や施設を中心としたこれまでの介護サービスのあり方で対応していくことに限界がみられるようになってきました。事例5のようなケースの場合、従来の病院や施設を中心とした介護サービスの提供では、住み慣れた自宅で家族といっしょに過ごすために介護サービスの利用をあきらめるか、あるいは家族と離れて過ごすかを選ばなくてはなりませんでした。そこで、2025（令和7）年をめどに、高齢者介

護のあり方の方向性として提起され、システムとして構築が推進されているのが**地域包括ケアシステム**です。

**地域包括ケア**という言葉は、1970年代以降に、当時の広島県御調町（現在は尾道市に合併）で展開された医療と福祉の連携による地域ケア実践を表現するために用いられはじめました。その後、事例5のような状態になったとしても、住み慣れた地域で適切な住環境が確保され、そして保健、医療、福祉が途切れることなく提供され、その人らしく生きていくことができる地域づくりのあり方として広まってきました。

2003（平成15）年6月には、**高齢者介護研究会報告書**❶において「介護が必要になっても、自宅に住み、家族や親しい人々と共に、不安のない生活を送りたいという高齢者の願いに応えること、施設への入所は最後の選択肢と考え、可能な限り住み慣れた環境の中でそれまでと変わらない生活を続け、最期までその人らしい人生を送ることができるようにすること」が、これからの高齢者介護としてめざすべき方向として示されました。これをふまえ2005（平成17）年には介護保険法が改正され、**地域包括支援センター**❷が創設されました。

地域包括支援センターの運営にあたっては、開設当初より業務マニュアルやガイドラインが公表されてきましたが、2011（平成23）年に出された「地域包括支援センター業務マニュアル」によれば、**地域包括ケア**とは「地域住民が住み慣れた地域で安心して尊厳あるその人らしい生活を継続することができるように、介護保険制度による公的サービスのみならず、その他のフォーマルやインフォーマルな多様な社会資源を本人が活用できるように、包括的および継続的に支援すること」としています[1]。

ここまでをふまえ、地域包括ケアの理念とは、介護が必要となったとしても、保健、医療、福祉といった専門的なサービスの切れ目ない提供とともに、ボランティアや近隣の友人知人からの助けもえながら、住み慣れた地域で暮らしつづけられることをめざすことだといえます。事例5は、まさしくこの理念にもとづいた実践例であるといえます。前節で説明した地域共生社会と地域包括ケアシステムの関係について整理すると、これからの日本社会全体でめざす社会全体のイメージやビジョンが地域共生社会であり、高齢者分野から始まった地域包括ケアシステムは地域共生社会を実現するためのシステムの1つであるといえます[2]。

❶**高齢者介護研究会報告書**
「ゴールドプラン21」後の新たなプランの策定の方向性、中長期的な介護保険制度の課題や高齢者介護のあり方について検討した「高齢者介護研究会」がとりまとめた報告書。「2015年の高齢者介護――高齢者の尊厳を支えるケアの確立に向けて」ともいう。「戦後のベビーブーム世代」が65歳以上になりきる2015（平成27）年までに実現すべきことを念頭において、求められる高齢者介護の姿を描いた。

❷**地域包括支援センター**
p.173参照

## 2 地域包括ケアシステム

**事例6　認知症高齢者の徘徊捜索模擬訓練の活用**

ボランティア活動に取り組んでいるLさんとMさんは、昼前に携帯電話にメールで徘徊捜索依頼が届いていた、認知症高齢者のNさん（87歳、女性）が、公園のベンチに座っているところを発見しました。先日参加した徘徊捜索模擬訓練を思い出しながら、市役所の地域福祉課と警察署に発見・保護の連絡を入れ、家族のもとに無事に送り届けることができました。2人は改めて訓練の重要性を感じました。

❸**地域包括ケアシステム**
p.171参照

❹**日常生活圏域**
日常の暮らしの場での広がりとして、中学校区を単位とされている。

　代表的な定義によると、**地域包括ケアシステム**❸とは、「ニーズに応じた住宅が提供されることを基本とした上で、生活上の安全・安心・健康を確保するために、医療や介護のみならず、福祉サービスを含めた様々な生活支援サービスが日常生活の場（**日常生活圏域**❹）で適切に提供できるような地域での体制」であり、その「地域包括ケア圏域については、『おおむね30分以内に駆けつけられる圏域』を理想的な圏域として定義し、具体的には、中学校区を基本とする」とされています[3]。事例6は、この「地域での体制」をあらわした1例です。

　地域包括ケアシステムは、図2－8のように介護福祉士等による専門的サービス（**公助・共助**）だけでなく、ボランティアや民間団体の活動（**互助**）、民間企業などが提供する商品としてのサービス（**自助**）を利用する**福祉ミックス**を重視しています。このなかで介護福祉士は、身体介護や生活援助のみならず、認知症高齢者への介護、喀痰吸引等の医療的ケア、介護に関する家族等への指導・助言、家族会の立ち上げなどが期待されているといえるでしょう。

　これら地域包括ケアシステムの実現に向けた具体的な取り組みについては、第4章第3節で詳しく説明しています。全体像については、本書の口絵「地域包括ケアシステムの姿」を参照してください。

## 第3節 地域包括ケア

**図2-8 地域包括ケアシステムを支える「自助・互助・共助・公助」**

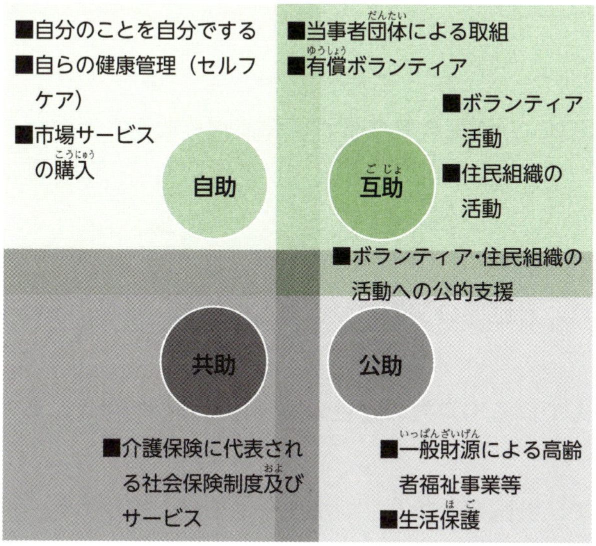

- 自助
  - ■自分のことを自分でする
  - ■自らの健康管理（セルフケア）
  - ■市場サービスの購入
- 互助
  - ■当事者団体による取組
  - ■有償ボランティア
  - ■ボランティア活動
  - ■住民組織の活動
- 共助
  - ■介護保険に代表される社会保険制度及びサービス
- 公助
  - ■ボランティア・住民組織の活動への公的支援
  - ■一般財源による高齢者福祉事業等
  - ■生活保護

出典：三菱UFJリサーチ＆コンサルティング「〈地域包括ケア研究会〉―2040年に向けた挑戦―」（地域包括ケアシステム構築に向けた制度及びサービスのあり方に関する研究事業）、平成28年度厚生労働省老人保健健康増進等事業、p.50、2017年

---

◆引用文献

1）長寿社会開発センター「地域包括支援センター業務マニュアル」p.1、2011年
2）三菱UFJリサーチ＆コンサルティング「〈地域包括ケア研究会〉―2040年に向けた挑戦―」（地域包括ケアシステム構築に向けた制度及びサービスのあり方に関する研究事業）、平成28年度厚生労働省老人保健健康増進等事業、p.6、2017年
3）地域包括ケア研究会「地域包括ケア研究会報告書――今後の検討のための論点整理」平成20年度厚生労働省老人保健健康増進等事業、p.6、2009年

◆参考文献

- 隅田好美・藤井博志・黒田研二編著『よくわかる地域包括ケア』ミネルヴァ書房、2018年
- 高橋紘士編『地域包括ケアシステム』オーム社、2012年
- 高齢者介護研究会「2015年の高齢者介護――高齢者の尊厳を支えるケアの確立にむけて」2003年

## 演習2-1　自分の住んでいる市町村の行政計画

　地域福祉計画、老人福祉計画、介護保険事業計画、障害福祉計画など、概要版ではなく正式版をできるだけたくさん集め、自分の住んでいる市町村の行政計画についてまとめてみよう。

1. 各計画を分析するとともに、計画間の関係についても検討し、レポートにまとめてみよう。
2. 計画を通して、自分の住んでいる市町村の福祉政策全体について考え、レポートにまとめてみよう。
3. 一般市民の視点にも立って、計画を分析し、レポートにまとめてみよう。
4. グループや全体で発表し、意見交換を通して、ほかの市町村の計画との共通点および相違点などについても学ぼう。

## 演習2-2　ボランティア

1. 自分の住んでいる地域のボランティアセンターへ行って、どのようなボランティア活動が行われているのかを調べてみよう。さらに、調べたボランティア情報をもとに、興味のある活動へボランティアとして参加してみよう。
2. ボランティア活動から学んだことについて、グループで話し合い、レポートにまとめよう。レポートには、「参加した理由」「活動内容」「気づいたこと」「学んだこと」などを各自で書いてみよう。

# 第 3 章

# 社会保障制度

第 1 節　社会保障の基本的な考え方
第 2 節　日本の社会保障制度の発達
第 3 節　日本の社会保障制度のしくみ
第 4 節　現代社会と社会保障制度

第 **1** 節

# 社会保障の基本的な考え方

> **学習のポイント**
> - 私たちの生活と社会保障の関係性（特に必要性）について理解する
> - 社会保障制度の範囲や種類を知る
> - 社会保障の目的や機能について理解する

## 1 社会保障のイメージをつかむ

### 1 社会保障を学ぶ前に

　学生であるみなさんが社会保障に抱くイメージは、「むずかしそう」「覚えることが多そう」「法律は苦手」というようなマイナスイメージが多いのではないでしょうか。このようなイメージを抱くのは、みなさんだけでなく一般の人々も同じです。

　しかし、働きはじめたり、親が高齢になったり、結婚し家族をもったりすると、社会保障について知りたいと思うことが多くなるようです。なぜ、苦手意識をもっていた社会保障について急に知りたいと思うようになるのでしょうか。このような変化のきっかけとして、現実に問題をかかえる人を目の当たりにするという経験があげられます。それまでは問題なく生活を送っていたとしても、介護、子育て、健康、失業などの不測の事態（＝生活問題、生活上のリスク）が、他人ごとではなくなるのです。年齢を重ねることで、あるいは社会に出ることで、学生時代には想像もしなかった問題の多様さや大きさに不安を感じる機会が増加します。

　実際に問題をかかえた人だけでなく、そのときは安定した生活を送れている人ですら、数多くある問題に不安を感じ、その不安を少しでもやわらげたいと考えることになります。そこで、社会保障について知る必

要性を実感するのです。

　社会保障に対するマイナスイメージは、具体的な場面を想像することが困難なために起こっているともいえます。具体的な場面を抜きにして、「障害者総合支援法における自立支援医療では……」と説明されても困ってしまいます。そこで、次項では事例を用いることによって、具体的な場面を想像しながら、社会保障のイメージをつかめるようにしています。みなさんも自分や家族にあてはめて考えるなどして現実味を高めてください。

## 2　介護問題から社会保障のイメージをつかむ

　次の事例を読んで、友人からの相談に対するアドバイスを考えてください。

### 事例1　友人からの相談

> みなさんは介護福祉士をめざす学生です。そのみなさんに友人から相談がありました。相談内容は以下のとおりです。
> 　友人の祖父（81歳）は数か月前まで健康でしたが、この2～3か月で介護が必要な状態になりました。現在は家族で何とか対応していますが、今後どうすればよいのか家族全体で悩んでいます。どのような方法があるのか、具体的な選択肢を教えてほしい。

　この相談に対して、みなさんは次のようなアドバイスを考えたのではないでしょうか。
・家族で助け合って介護を行う。
・家政婦を雇う。
・介護保険施設（特別養護老人ホーム（介護老人福祉施設）や介護老人保健施設等）に入所する。
・訪問介護（ホームヘルプサービス）を利用する（訪問介護員（ホームヘルパー）に来てもらう）。
・通所介護（デイサービス）や短期入所生活介護（ショートステイ）などを利用する。
・近隣住民やボランティアにお願いする。
　細かくいえばほかの選択肢もありますが、およそこのような選択肢に

なるのではないでしょうか。これらの選択肢はその特性によって「家族」「市場」「制度利用」「ボランティア等」の4つに分類することができます。

### （1）家族

　その名のとおり家族で介護を行います。事例では、祖母、父母、伯父伯母（叔父叔母）あるいは相談者である友人本人もありえるでしょう。

### （2）市場

　市場をむずかしく考える必要はありません。みなさんが生活を送っている社会を想定してください。みなさんはふだんお金を払うことで、必要なものや欲しいものを手に入れています。事例では介護が必要なので、お金を払って介護を手に入れる、つまり家政婦を雇うことが該当します。

### （3）制度利用

　事例では、介護保険施設、訪問介護、通所介護、短期入所生活介護が該当します。つまり、介護保険を利用することになります。介護保険サービスを利用することで原則1割の費用負担でそれぞれのサービスを利用できます。一見すると、家政婦と訪問介護には大きな違いがないように思えるかもしれません。しかし、家政婦を雇う場合は全額自費となるのに対して、介護保険サービスを利用する場合は原則1割の費用負担ですむことが大きな違いです。

### （4）ボランティア等

　近隣の住民に手伝ってもらったり、大学のボランティアサークルに依頼したりすることが該当します。無償であることがポイントになりますが、継続的利用が困難になることが多いといえます。

　ここまで介護の事例を用いて説明してきましたが、このような4つの分類を福祉生産の4類型と呼んだりもします。ここでは介護で困った場合にどうするかという事例を用いましたが、介護に限らず、私たちが生活を送るうえで発生した問題に対して、制度を利用して対応する方法が準備されています。この制度が社会保障制度なのです。

第1節 社会保障の基本的な考え方

## 3 社会保障の範囲

　社会保障制度は、福祉生産の4類型のうち、「制度利用」に属することを説明しました。では、社会保障制度とは具体的にどのような範囲を示しているのでしょうか。これについて、非常にわかりやすい分類があります。図3-1の「A　内容別分類」は、社会保障制度をその目的や内容によって3つに分類したものです。それぞれについてもう少し説明を加えます。

> ①所得保障…生活保護や年金保険などのように現金を給付することで所得を保障しようとするものです。
> ②医療保障…医療保険や**公費負担医療制度**❶なども含めた医療サービスや医療費の保障に関連するものです。
> ③社会福祉…児童福祉（保育や児童虐待対応など）、障害者福祉（介護や就労支援など）、高齢者福祉（介護や生活支援など）などが代表的なものです。所得保障や医療保障に含まれないものが含まれており、保育や介護などの専門職が提供するサービスのほかに児童手当などの現金給付も含んでいます。

❶**公費負担医療制度**
診療費の支払いについて、医療保険ではなく公費が負担する医療制度。戦傷病者特別援護法、生活保護法、感染症の予防及び感染症の患者に対する医療に関する法律（感染症法）などで実施されている。

### 図3-1　社会保障の範囲

A　内容別分類（最近のとらえ方）

社会保障 {
　所得保障（生活保護、年金保険、雇用保険など）
　医療保障（医療保険、公費負担医療制度など）
　社会福祉（児童福祉、障害者福祉、高齢者福祉など）
}

B　制度別分類（伝統的とらえ方）

社会保障 {
　社会保険（医療保険、年金保険、雇用保険、労働者災害補償保険、介護保険）
　公的扶助（生活保護）
　社会福祉（児童福祉、障害者福祉、高齢者福祉など）
　社会手当（児童手当、児童扶養手当など）
　保健医療・公衆衛生（母子保健、疾病予防など）
}

このように分類することで、社会保障の全体像を大まかにつかめたと思います。ごく単純にすれば、お金の給付、医療の提供、社会福祉の提供の3つによって社会保障が構成されているといえます。

しかし、この内容別分類には弱点があります。たとえば、医療保険は医療保障だけでなく所得保障（**傷病手当金**❷など）も含んでいます。そのため、医療保険の範囲で医療保険を学び、さらに所得保障の範囲でも医療保険を学ぶことになります。これでは制度の学びが非常に複雑になってしまいます。

そこで社会保障制度を体系的に学ぶために必要となる分類が図3－1の「B 制度別分類」です。社会保障制度を理解するには、まずは内容別分類でイメージをつかみ、続いて制度別分類で内容を知るという順番が最適です。制度別分類で登場する制度についての詳しい説明はあらためて行います。

❷**傷病手当金**
p.95参照

## 2 社会保障の意義と役割

### 1 社会保障の意義と役割

ここでは社会保障がなぜ存在するのか考えていきたいと思います。現代社会では、みずからの能力を活用しながら、みずからの生活を維持・発展させていくことが基本とされています。つまり、自己責任によって生活を営むことが求められるのです。しかし、人生を送るうえで健康問題（病気やけが）、雇用問題（失業や労働不能）、介護問題（障害や高齢）など思いがけない事態が起こることがあります。このような問題は、自己責任やみずからの努力あるいは家族の責任だけで対応できるものではありません。

さらに、問題が重なる場合も多くあります。病気で働くことができなければ、健康問題だけでなく経済的問題も重なりますし、子どもがいる家庭は子育てに関する経済的問題や保育問題をかかえます。また、年金の少ない高齢者が要介護状態となった場合、健康問題、介護問題、経済的問題が複雑にからみ合います。

人生80年から90年の時代となった現代社会では、長い人生のなかで大

きいものから小さいものまで多様な問題が発生します。これらをすべて自己責任や家族の責任で対応することは不可能でしょう。そこで社会的支援が必要になるのです。

私たちが人生を送るうえで発生する問題や抱く不安には多くの共通性があります。病気、失業、介護、貧困などは、すべての人にとって共通する危険（リスク）です。多くの人に共通するという特徴は、裏を返せば事前準備が可能ということにもなります。人が人生を送るうえで直面するであろう不測の事態を予測し、それに備えるべく設けられた制度が社会保障制度です。生活の安定を損なう危険のある多様な問題に対して、一定の備えをすることで、安心で安定した生活を送ることが可能となります。

社会保障の定義については、『厚生労働白書 平成29年版』によれば、「1993（平成5）年の社会保障制度審議会『社会保障将来像委員会第一次報告』では、社会保障とは、『国民❸の生活の安定が損なわれた場合に、国民にすこやかで安心できる生活を保障することを目的として、公的責任で生活を支える給付を行うもの』とされている」[1)]とあります。つまり、病気やけが、出産や子育て、障害、介護、失業、老齢、貧困など生活が不安定になる要因に対して、社会保障制度を通じた社会的支援を提供することで、安定した生活を維持できるようにするものといえます。

❸国民
外国籍の人も社会保険に加入し、保険料を支払うことで、医療や介護など必要なサービスを利用することができる。

## 2 セーフティネット

社会保障制度のことをセーフティネットと説明することもあります。セーフティネットとは、高所作業やサーカスにおいて、万が一落下した際にけがや死亡を防ぐために設置されている安全網のことです。そこから転じて、人生における危険に対応し、事態の悪化を防ぐ社会保障制度にも用いられるようになりました。

高所作業やサーカスの場合、落下というリスクのみによるけがや死亡を防ぐことが目的ですが、人生におけるリスクは病気やけが、子育て、失業など複数あります。複数のリスクに対応した多様なセーフティネットが必要となります。

多様なセーフティネットにはそれぞれの関係性が浅いものもありますが、それぞれの関係性が非常に深いものもあります。とくに関係性が深

く、重層的に張りめぐらされているセーフティネットについては、第1、第2、第3と順番をつけることもあります。

失業を例にあげると、失業（問題が発生）した際、ただちに対応できる「第1のセーフティネット」として社会保険制度、それで対応しきれなかった場合に「第2のセーフティネット」として生活困窮者対策や求職者支援制度、それでも問題の解消・解決ができなかった場合、最終的に「第3のセーフティネット」として生活保護制度が準備されています。

## 3 社会保障の目的と機能

### 1 社会保障の目的

社会保障制度はいくつもの制度から構成されており、医療保険、年金保険、生活保護など、それぞれの制度に固有の目的があります。ただし、それぞれの制度に固有の目的はありますが、社会保障制度全体に共通する普遍的な目的もあります。それは①生活の安定・生活の保障と②個人の尊厳の保持と自立支援です。

#### （1）生活の安定・生活の保障

生活の安定を損なう原因には、どのようなものがあるでしょうか。生活の安定を損なうとは、お金が不足して生活を送ることが困難になる状態です。いくつか例をあげて、それに対応する社会保障制度を書き出してみます。

・仕事を定年退職したら収入がなくなり生活できない
　→　年金保険（老齢年金）
・失業し、収入が途絶えて生活できない
　→　雇用保険
・医療費が高くて支払えない
　→　医療保険
・生活が苦しくて働きたいのに、子どもがいるため働けない
　→　児童福祉（保育所）
・重い病気や障害で働けず、助けてくれる家族もいない

→ 生活保護

このような問題をかかえた場合に、利用できる制度がなかったとしたら生活が行きづまってしまいます。そこで、生活の安定を損なう多様な要因（＝**生活上のリスク**）に対して、それぞれに対応できる制度を設けることで安定した生活を送ることが可能となります。生活の安定を実現するために、国家として社会保障制度を設けていることから、社会保障制度を**生活の保障**と呼ぶ場合もあります。

このような、生活の安定や生活の保障は**日本国憲法第25条**[4]が基盤となっています。日本国憲法第25条において、**最低限度の生活保障（生存権保障）** の理念が明記されており、この理念を実現しようとする具体的な方法が社会保障制度です。

[4] 日本国憲法第25条 p.71参照

## （2）個人の尊厳の保持と自立支援

**個人の尊厳の保持**は非常に重要な目的です。たとえば、生活保護を受けている、寝たきりで介護保険を利用している、大きな病気で長期間入院している、などの理由でその人の人格や尊厳を否定される社会でよいでしょうか。そのような社会を望む人は少ないでしょう。しかし、社会保障の歴史をたどれば、自分の人格や尊厳を捨て去ることを制度利用の条件にしていた時代もありました。つまり、制度を利用するには惨めな思いやはずかしい思いをしなければならなかったのです。このようなレッテルを**スティグマ**といいます。

スティグマが制度を利用する条件とされていた時代から180度変化し、近年の社会保障制度は個人の尊厳を保持することを目的にかかげています。大きな病気や失業といった人生における大問題を経験したとしても、社会保障制度が安定した生活を送れるように、そして個々人の人格や尊厳を守れるように支援を行います。

**自立支援**は、特に2000（平成12）年以降から数多く使われるようになったキーワードです。介護保険法では第1条（目的）に「自立した日常生活」が明記されており、障害者の日常生活及び社会生活を総合的に支援するための法律（障害者総合支援法）では「自立した日常生活又は社会生活」が条文中に多く含まれています。現代社会は、みずからの生活についてみずから責任をもって営むこと、つまり自立した生活を基本としています。しかし、自立した生活が困難となる場合も数多くあります。ここで、少しですが、自立について考えてみましょう。

自立には、身体的自立、精神的自立、経済的自立、社会的自立などがあります。とくに社会福祉分野では自己決定を非常に重視しますが、これは精神的自立の言い換えと理解できます。自己決定をさらに具体的にすると、自分の生活やふだんの行動を主体的決定にもとづいて行うことと説明できます。介護が必要となると身体的自立は困難になりますが、身体的介護を受けながら、主体的に自分の生活や人生を決めていくことはできます。また、生活保護受給者は経済的な自立をしていませんが、生活保護から給付されるお金を主体的に使って生活を組み立てることはできます。

このように社会保障制度が不足部分を支援することによって、個々人がみずからの判断や責任において主体的に生活することが可能となります。このように自立支援は、社会保障制度の重要な目的の1つとなっています。

## 2 社会保障の機能

❺社会保障の機能
①～④以外に、格差をなくして社会の統合を進め、社会の安定をはかる機能もある。

社会保障の機能❺として①生活安定・向上機能、②所得再分配機能、③家族機能の支援・代替機能、④経済安定機能があげられます。

### (1) 生活安定・向上機能

社会保障の目的と直接的に合致する機能であり、生活上のリスクに対応することで生活の安定や安心をもたらす機能です。さらに生活安定だけでなく、生活向上も重要な機能となります。社会保障制度が弱ければ、生活上のリスクに怯えながら生活を送ることになってしまいます。病気やけがをしたら医療費はどうしよう、失業したらお金がなくなる、親が要介護状態になったらだれも助けてくれない、というような言い知れぬ不安です。このような不安をかかえたままでは活力ある生活を送ることは困難です。何かあっても社会保障制度が支えてくれるのであれば、不安をかかえず生き生きとした生活を送ることが可能です。これが生活向上機能であり、社会全体の活力の源にもなります。

### (2) 所得再分配機能

社会保障のおもな財源は税金（公費）と社会保険料です。税金の代表として所得税、住民税（市町村民税、都道府県民税）、消費税等があり、

社会保険料の代表として医療保険料や国民年金保険料等があります。個人が所得から支払った税金や社会保険料は、社会保障制度などを通じてほかのだれかに移ります。このような所得移転を所得再分配といいます。所得再分配❻によって所得格差を縮小したり、低所得者や生活問題をかかえた人々の生活安定をはかるなどしています。

### （3）家族機能の支援・代替機能

もともと高齢者介護や子どもの保育は家族内で対応されていました。しかし、就業構造や家族構成といった社会経済状況の変化によって、家族内での対応に支障が出はじめました。つまり、家族の福祉機能が限界をむかえたことになります。そこで現在は、社会として介護保険制度や保育所を準備することで、弱まった家族機能の支援や代替（代わり）を社会保障制度がになっています。家族機能が弱まれば弱まるほど、家族機能の支援・代替機能の重要性が増加するので、今後さらに社会保障制度の重要性が増すでしょう。

### （4）経済安定機能

社会保障と経済は関係が薄そうに感じるかもしれませんが、経済安定機能は社会保障の重要な機能です。

たとえば、年金制度がなくなった場合にどのような問題が発生するか考えてください。このような問いに対し、みなさんの多くが高齢者やその家族の立場に立って問題を考えるのではないでしょうか。しかし、異なる視点から考えると、高齢者が毎日買い物をしている商店も売り上げが落ちるし、車をもっていた高齢者が車を手離さざるをえなければガソリンスタンドの売り上げも下がってしまうと考えることもできます。つまり社会保障制度は、個人を支えているのはもちろんのこと、地域経済や日本の経済全体を支えていることにもなります。

また、生活上のリスクに対する不安が大きい社会では、人々はどのような行動をとるでしょうか。病気のため、老後のため、失業のために貯金に熱心にならざるをえなくなってしまいます。これでは消費が落ちこみ、経済状況が悪化してしまいます。社会保障制度が安心を提供できることで、不安に対する貯金が減少し、消費の活性化が期待できます。このように、経済の安定あるいは発展に社会保障制度が寄与しています。

❻所得再分配
具体的な制度を例に紹介すると、生活保護制度は、所得がある人から税金を徴収し、それを所得のない（少ない）人に移している。介護保険や障害福祉だと、介護が不要な人から介護が必要な人へお金を再分配していると理解することができる。

# 4 ライフサイクルからみた社会保障

社会保障が対象とする範囲は幅広く、多様な生活上のリスクに対応しています。私たちの人生全体を通して、社会保障制度がどのように関係しているのかについて確認してみましょう。

図3-2は出生段階から最期をむかえるまでのライフサイクルとそれぞれの段階に応じた社会保障制度を示しています。

## 1 保健・医療

まずは保健・医療からみてみましょう。生まれる前から母子保健制度による母子健診などがあり、生まれてからも予防接種や学校保健による健康診断が準備されています。一方、40歳以上には**特定健康診査**[7]や高齢者医療があります。また、一生を通して医療保険が病気やけがに対応しており、保健・医療制度は誕生から亡くなるまでの長期間にわたり個人を支えているといえます。

[7] **特定健康診査**
p.285参照

## 2 社会福祉等

児童福祉分野の代表は保育所です。共働き世帯や1人親世帯が増加していることから保育所は欠かせない存在であり、2021(令和3)年の保育所等を利用する児童数はおよそ274万人となっています[2)]。その一方で、待機児童の数はおよそ5600人となっています[3)]。前年のおよそ1万2000人から大きく減少したものの、まだまだ見過ごすことのできない大きな課題でもあります。また、子のいる多くの家庭に関係する制度が、児童手当制度でしょう。児童手当制度は、中学校卒業までの児童を対象に現金が給付されます。

障害者福祉は身体障害、知的障害、精神障害のみならず発達障害や難病患者なども対象となっています。介護や手当の給付が代表的ですが、社会参加促進を忘れてはいけません。図3-2には記載されていませんが、就労支援は社会参加に不可欠な要素であり、障害者福祉の重要な役割です。

高齢者福祉の要として2000(平成12)年から介護保険制度がスタート

図3－2 国民生活を生涯にわたって支える社会保障制度

出典：厚生労働省編『厚生労働白書 平成29年版』p.8、2017年

しました。2019（令和元）年度末現在で、要介護・要支援の認定を受けた高齢者の割合は、高齢者（第1号被保険者）の18.5％になっています[4]。介護保険は訪問介護や通所介護などの居宅サービスのほか、介護老人福祉施設（特別養護老人ホーム）などによる施設サービスも提供しています。

## 3　所得保障

　所得保障の代表が年金制度と生活保護制度です。仕事を定年退職した、障害を負って働けなくなった、一家の大黒柱が亡くなったなどは収入が途絶えてしまう大きなリスクです。これらのリスクに対し年金保険が対応することで、一定の所得を継続してえることができます。

　また、生活保護はリスクの種類を問わず、困窮者に対し最低限度の生活を送ることができるよう、最後のセーフティネットとして所得保障を行っています。

## 4　雇用

　労働者災害補償保険・雇用保険は労働者を対象にした社会保障制度です。**公共職業安定所（ハローワーク）**[8]における職業紹介や、雇用保険による失業給付、育児休業給付などが含まれます。

　このように、生まれてから亡くなるまでの長期間にわたり多様な方法で私たちの生活を支えてくれているのが社会保障制度です。もう少し視野を広げ、自分自身だけでなく家族全体で考えると、たくさんの場面で非常に多くの制度に支えられていることがわかります。

[8] 公共職業安定所（ハローワーク）
職業安定法にもとづき、労働市場の実情に応じて労働力の需給の適正な調整を行うために、全国的体系で組織・設置される総合的雇用サービス機関。

---

◆引用文献
1) 厚生労働省編『厚生労働白書 平成29年版』p.5、2017年
2) 厚生労働省「保育所等関連状況取りまとめ（令和3年4月1日）」
3) 同上
4) 厚生労働省「令和元年度 介護保険事業状況報告（年報）」

# 第 2 節 日本の社会保障制度の発達

**学習のポイント**
- 日本の社会保障制度の発達について知る
- 社会経済状況と社会保障制度の関係性を理解する
- 近年行われている社会保障改革の方向性を学ぶ

**関連項目** ③『介護の基本Ⅰ』▶ 第1章第2節「介護福祉の歴史」

## 1 社会保障制度の歴史を学ぶ意義

　私たちを当然のように支えている社会保障制度は、どこかの時点でいきなり誕生したのではありません。数十年以上の歴史を経て現在の形に落ち着いたのです。社会保障制度がどのような歴史を重ねて発達したのかを知ることは、現在の社会保障制度を理解する助けにもなりますし、今後の社会保障制度を展望していく基準にもなります。

　社会保障の歴史を学ぶうえで、とくに重要なポイントが、ただ物事を順に並べて覚えるのではなく、社会経済状況と関連させて理解することです。社会経済状況とは、
- 経済発展や好景気・不景気（経済状況）
- 人口の変化（人口構造）
- 働き方の変化（就業構造）
- 家族の変化（家族構造）
- 生活の変化（生活水準）

をイメージしてください。つながりなく、順に制度を並べるだけでは理解が深まりません。どのような要因によって社会保障が発達したのか、「変化」をキーワードとしてみていきましょう。

　表3－1は、明治時代から現在までの社会保障制度の発展について、大まかな時代区分とその特徴をあらわしています。

表3-1 社会保障の動向

| 時代区分 | 時代背景 | 社会保障制度の動向 |
|---|---|---|
| ～1944（昭和19）年 | ・明治維新<br>・日本の近代化<br>・大正デモクラシー<br>・世界大恐慌 | 社会保障制度の導入<br>・公的扶助制度の誕生（恤救規則）<br>・社会保険（医療・年金）の導入、拡大<br>・救護法 |
| 1945（昭和20）～1954（昭和29）年 | ・戦後の大混乱<br>・生活困窮者、戦傷病者の増加<br>・衛生問題 | 戦後緊急援護と社会保障の基盤整備<br>・救貧対策、戦傷病者対応<br>・伝染病対策<br>・福祉三法体制と行政組織の整備 |
| 1955（昭和30）～1974（昭和49）年 | ・高度経済成長と生活水準向上<br>・多様な生活問題の顕在化<br>・豊富な財源 | 国民皆保険・皆年金と社会保障制度の発展<br>・国民皆保険・皆年金の達成（1961（昭和36）年）<br>・福祉六法体制<br>・福祉元年（1973（昭和48）年） |
| 1975（昭和50）～1989（平成元）年 | ・高度経済成長の終焉<br>・第2次臨時行政調査会（1981（昭和56）年）<br>・少子高齢化進行<br>・消費税の創設（1989（平成元）年） | 社会保障制度の見直し期<br>・社会保障費用の抑制<br>・老人保健制度創設（1982（昭和57）年）<br>・医療保険制度改革（1984（昭和59）年） |
| 1990（平成2）～2000（平成12）年 | ・少子高齢化のさらなる進行<br>・バブル崩壊による不況<br>・消費税率5％引き上げ（1997（平成9）年） | 少子高齢社会に対応できる社会保障制度の再構築<br>・福祉3プラン（ゴールドプラン、エンゼルプラン、障害者プラン）<br>・福祉関係八法の改正（1990（平成2）年）<br>・社会福祉基礎構造改革、介護保険制度の施行（2000（平成12）年） |
| 2001（平成13）年～現在 | ・財政赤字の拡大と構造改革<br>・人口減少社会の到来<br>・止まらない少子高齢化の進行<br>・地方分権<br>・非正規労働者の拡大<br>・消費税率8％引き上げ（2014（平成26）年）<br>・消費税率10％引き上げ（2019（令和元）年） | 経済財政問題と社会保障改革<br>・年金制度改正（2004（平成16）年）<br>・医療保険制度改正（2006（平成18）年）、後期高齢者医療制度施行（2008（平成20）年）、介護保険制度改正（2005（平成17）年、2008（平成20）年、2011（平成23）年、2014（平成26）年、2017（平成29）年、2020（令和2）年）<br>・社会保障国民会議（2008（平成20）年）、社会保障制度改革国民会議（2012（平成24）年）<br>・社会保障と税の一体改革（2012（平成24）年） |

　日本における社会保障制度の源流となる制度が恤救規則（1874（明治7）年）やそのあとの救護法（1929（昭和4）年）です。恤救規則は、親族扶養や地域の相互扶助（助け合い）が期待できない「無告の窮民（身寄りのない貧困者）」のみに限って救済を行いました。具体的に対

象となったのは、①働くことのできない障害者、②働くことのできない70歳以上の重病もしくは老衰者、③働くことのできない状態にある病人、④13歳以下の児童、という限られた者でした。救護法では救済対象が拡大され、❶65歳以上の老衰者、❷13歳以下の子ども、❸妊産婦、❹けがや病気、障害のため働くことのできない者、が対象とされました。また、救護法では公的扶助の義務が認められるようになるなど進展もみられましたが、救護を求める権利は認められておらず、救護を受けると選挙権や被選挙権をはく奪されるという問題もかかえていました。恤救規則や救護法は貧困者に対する公的扶助制度で、とくに生活保護法の原型といえます。

　また、公的扶助制度以外では、健康保険法（1922（大正11）年）や労働者年金保険法（現・厚生年金保険法）（1941（昭和16）年）といった社会保険制度が戦前に制定されています。健康保険法や労働者年金保険法は、現在の医療保険や年金保険の原型となっています。

　このように1900年代前半に公的扶助や社会保険の原型が誕生しましたが、大きく社会保障制度が発達するのは、1945（昭和20）年の第2次世界大戦終戦以降になります。

## 2 日本国憲法と社会保障

　第2次世界大戦終戦後の1946（昭和21）年11月3日に日本国憲法（以下、憲法）が公布され、1947（昭和22）年5月3日から施行されました。憲法は、国家や統治のあり方を定めるとともに国民の基本的人権を定めた国の最高法規です。社会保障制度も憲法を法的基礎として制定されていますが、なかでも憲法第25条が社会保障制度の土台になっています。

> **日本国憲法**
> **第25条**　すべて国民は、健康で文化的な最低限度の生活を営む権利を有する。
> ②　国は、すべての生活部面について、社会福祉、社会保障及び公衆衛生の向上及び増進に努めなければならない。

　第1項で、健康で文化的な最低限度の生活を営む権利を国民が有することが明記されています。この規定は、**生存権の保障**ともいわれ、基本

的人権の中核となっています。

第2項は、社会福祉、社会保障、公衆衛生の向上と増進が国家の務めであることが明記されています。憲法第25条にもとづいて、その後の社会保障制度の発達や充実がはかられていきます。

ただし、憲法第25条にはいくつかの学説が存在し、それぞれの立場によって憲法に求める内容に濃淡がありました。現在では、**朝日訴訟**❶や**堀木訴訟**❷など最高裁判所の判断によって、法的性格について一定の解釈が示されています。

また、憲法第25条だけでなく、憲法第13条も社会保障の重要な法的基礎であるとされています。この規定は幸福追求権ともいわれ、それぞれの個人が人間としての尊厳を維持し、主体的な生活や人生を送ることができるよう定めたものと理解できます。そのため、個人の尊厳の保持と自立支援をおもな目的としている社会保障制度にとって、欠かせない条文であるといえます。

> **日本国憲法**
> **第13条** すべて国民は、個人として尊重される。生命、自由及び幸福追求に対する国民の権利については、公共の福祉に反しない限り、立法その他の国政の上で、最大の尊重を必要とする。

❶**朝日訴訟**
生活保護法上、もっとも著名な行政訴訟。岡山県津山市福祉事務所長の朝日茂氏に対する保護変更の行政処分に対し、朝日氏はそれを不服とし、当時の岡山県知事に審査請求、厚生大臣に再審査請求の不服申立を行ったが、いずれも却下。1956（昭和31）年当時の生活扶助費月額600円が、健康で文化的な最低限度の生活水準を維持するに足りるかが問われた。

❷**堀木訴訟**
障害福祉年金と児童扶養手当の併給禁止規定の合憲性が争われた訴訟。

# 3 戦後社会と社会保障の基盤整備

第2次世界大戦（1939（昭和14）年～1945（昭和20）年）で敗れた日本は極度の混乱状態におちいります。戦争によって数多くの人命を失っただけでなく、国土が荒れ果て、国富も大幅に減少しました。敗戦後の日本は、1952（昭和27）年までアメリカを中心とするGHQ（連合国軍最高司令官総司令部）の占領下におかれました。GHQは、明治以来の日本の国家体制を強く否定し、その強力な指導力のもとに非軍事化と民主化を推し進めました。GHQの指示は憲法制定、教育改革、財閥解体など多岐にわたりましたが、社会保障制度もそのなかに含まれていました（**SCAPIN775（社会救済）**❸など）。

敗戦後間もない日本では、失業や激しいインフレーションによって多数の生活困窮者が発生していたため、それに対応すべく生活保護法を

❸**SCAPIN775（社会救済）**
1946（昭和21）年にGHQ（連合国軍最高司令官総司令部）が日本政府に提示した覚書であり、公的扶助三原則（国家責任、無差別平等、最低生活保障）がその内容であった。

1946（昭和21）年に制定しました。生活保護法の制定によって、不完全ではあったものの国家責任、無差別平等、最低生活保障を原則とする公的扶助制度が日本に誕生したことになります。その後、増大した戦災孤児や傷痍軍人等に対応するため、児童福祉法を1947（昭和22）年に、続いて身体障害者福祉法を1949（昭和24）年に制定しました。

生活保護法制定後に憲法が公布・施行されたことから、1950（昭和25）年に生活保護法が憲法に即した内容へと大改正されました。生活保護法、児童福祉法、身体障害者福祉法を福祉三法と呼んでいます。福祉三法に加え、1951（昭和26）年の社会福祉事業法（現・社会福祉法）の制定によって福祉三法体制が整備され、日本の社会保障制度が急速に発達するきっかけとなりました。日本の社会保障制度（特に公的扶助と社会福祉分野）の発達のきっかけは敗戦後の混乱に対応するためにあったのです。

この時期には、全国的な衛生問題や栄養不足に加えて、国民病といわれた結核等の感染症の蔓延防止を目的に、公衆衛生の向上に向けた法整備が進められました。昭和20年代に相次いで制定された保健所法（現・地域保健法）、医療法、保健婦助産婦看護婦法（現・保健師助産師看護師法）、結核予防法（2007（平成19）年に感染症の予防及び感染症の患者に対する医療に関する法律（感染症法）に統合）、栄養改善法（2002（平成14）年の健康増進法の公布にともない廃止）などがその代表であり、公衆衛生関係の法整備とともに医療機関や医療関係職の確保がめざされました。

1950（昭和25）年には、その後の社会保障制度の構築を進めるうえで基盤となった社会保障制度審議会の勧告（50年勧告）が出され、社会保障制度を次のように定義しています。

> **社会保障制度に関する勧告**
> 社会保障制度とは、疾病、負傷、分娩、廃疾[4]、死亡、老齢、失業、多子その他困窮の原因に対し、保険的方法又は直接公の負担において経済保障の途を講じ、生活困窮に陥った者に対しては、国家扶助によって最低限度の生活を保障するとともに、公衆衛生及び社会福祉の向上を図り、もってすべての国民が文化的社会の成員たるに値する生活を営むことができるようにすることをいうのである。

[4] **廃疾**
身体障害のこと。回復が見こめない病のことでもある。

社会保障制度に関する勧告に明記されている社会保障制度の目的は経済的貧困に対する生活の保障を中心にしているため、現在の社会保障の

❺租税制度
国や地方公共団体といった行政が、国民ないし住民に対して税金を課して、徴収する制度のこと。

目的より限定的な内容となっています。ここから、当時の優先課題が防貧と救貧にあったこと、そして社会保険制度を中心に租税制度❺を補完的に使いながら、社会保障制度を整備しようと意図したことがわかります。また本勧告において社会保障制度を、「社会保険」「公的扶助」「社会福祉」「公衆衛生および医療」の4つに分類したことも見逃せません。この分類は、本章第1節で紹介した社会保障の分類に非常に似ています。つまり、社会保障制度審議会の50年勧告は、日本の社会保障制度のその後のあり方を方向づける指針となったといえます。

## 4 国民皆保険・皆年金の確立

1950年代半ばから、日本の経済成長率は年平均10％を超え、高度経済成長期と呼ばれる時代に入りました。1956（昭和31）年の『経済白書』では「もはや戦後ではない」とする宣言が行われ、同年にはじめて刊行された『厚生白書』では、「果たして「戦後」は終わったか」をテーマとしています。『厚生白書』では、国民生活の面で、まだまだ復興できていない分野が多いことや、1000万人におよぶ生活保護すれすれの低所得者が取り残されていることを指摘し、経済成長と並行して社会保障政策を充実させる必要性を強調しています。

当時の日本は現在と異なり、老年人口よりも生産年齢人口が多い時期であったことも影響し、社会保障の重心が生活保護を中心とする救貧から、社会保険を中心とする防貧に移り変わりました。とくに1950年代後半になると、医療保険が全人口の70％程度、年金保険にいたっては全就業者の30％程度しかカバーできていないことが問題視されました[1]。医療保険や年金保険は社会保障、とりわけ防貧には欠かせないため、急ピッチで全国民をカバーするための法整備が行われました。その結果、1961（昭和36）年に国民皆保険❻と国民皆年金❼の体制が確立されました。現在の私たちがあたりまえに受けている医療や、高齢者の生活を支えている年金が確立されたのがこの時期になります。これ以降、現在にいたるまで、医療保険と年金保険は社会保障制度の根幹として重要な役割をにないつづけています。

❻国民皆保険
すべての国民を、何らかの公的医療保険でカバーした社会保障制度。

❼国民皆年金
すべての国民を、何らかの公的年金制度によりカバーした社会保障制度。

## 5 社会保障の拡充（福祉六法の時代）

　1960年代は、国民皆保険や国民皆年金にとどまらず、さまざまな社会保障制度が誕生し拡充した時代でした。とくに社会福祉分野の発展がめざましく、1960（昭和35）年に精神薄弱者福祉法（現・知的障害者福祉法）が、1963（昭和38）年に老人福祉法が、翌1964（昭和39）年に母子福祉法（現・母子及び父子並びに寡婦福祉法）が制定されました。

　なぜ、このように社会福祉分野が大きく発展したのでしょうか。その要因として大きなものを2つ紹介します。1つは高度経済成長によって財源が豊富であったこと、もう1つは、高度経済成長が目に見える形で福祉問題を顕在化させたことです。高度経済成長期は産業構造に急激な変化をもたらし、農村から都市部へ人口が流入する都市化が急速に進みました。都市部で行われた工業生産などが大量の労働力を必要としたからです。高度経済成長は国を豊かにし、国民の生活水準を急激に高める源となりましたが、その反面、さまざまな福祉問題を目に見える形で発生させました。高齢者、障害者、母子の問題がその代表です。このような福祉問題への対応として、高齢者福祉、障害者福祉、母子福祉が発展することになりました。福祉三法に、**精神薄弱者福祉法、老人福祉法、母子福祉法**を加えたことによって、社会福祉分野の主要な制度が整備されることとなり、**福祉六法体制**が確立されました。

　1970年代に入ると、児童手当法（1971（昭和46）年）が制定され、さらに**老人医療費無料化**（1973（昭和48）年）が実施されるなど社会保障の充実がめざされました。社会福祉分野の法整備が進んだことや、社会保険制度の給付水準の改善が相次いだことによって、この1973（昭和48）年は**福祉元年**と呼ばれました。

## 6 社会保障の見直し

　福祉元年として、社会保障の充実をはかろうとする矢先であった1973（昭和48）年10月に発生した**石油危機（オイルショック）**❽によって、経済成長は一気に鈍化し、日本の高度経済成長は終わりをむかえました。不況や低成長によって税収が落ちこみ、1975（昭和50）年にははじ

❽石油危機（オイルショック）
p.29参照

めて赤字国債が発行され、1979（昭和54）年度予算では国債依存度が40％程度にまで上昇しました[2]。それまで良好だった国の財政バランスが数年間で急激にくずれてしまいました。

このような経済状況のもと、「増税なき財政再建」のため、1981（昭和56）年に第2次臨時行政調査会（第2次臨調）が設置され、活発な議論が行われました。第2次臨調では、社会保障制度について見直しが行われ、社会保障関係の予算についても厳しく抑制する方向が示されました。

その結果、1982（昭和57）年の老人保健法（現・高齢者の医療の確保に関する法律（高齢者医療確保法））の制定によって老人医療費無料化が廃止され、1984（昭和59）年には健康保険法の改正によって被用者本人にはじめて1割負担が導入されました（以前は定額負担）。この時期以降、現在まで社会保障の費用を抑えようとする費用抑制政策が常に社会保障全体を取り巻くことになりました。

# 7 介護保険と福祉の考え方の変化

❾**合計特殊出生率**
p.13参照

1980年代後半になると少子高齢化の問題が社会的な問題として認識されるようになりました。1989（平成元）年の**合計特殊出生率**❾が1.57であったことが公表され、1994（平成6）年には高齢化率が14.1％となり**高齢社会**と呼ばれる社会になりました。

高齢社会の到来は、増大する高齢者医療費、年金保険の制度設計、高齢者介護のあり方、といった大きな課題を私たちに投げかけました。そこで、高齢者介護の問題に対して、1989（平成元）年に**高齢者保健福祉推進十か年戦略（ゴールドプラン）**が策定され、高齢者保健福祉サービスの基盤整備がはかられました。ゴールドプランは1990（平成2）年度から1999（平成11）年度までの10年間の目標を定めていましたが、当初の見こみを上回る高齢者保健福祉サービス整備の必要性が明らかになったことなどから、1994（平成6）年に、ゴールドプランを全面的に見直し、高齢者介護対策のさらなる充実をはかるため、**新・高齢者保健福祉推進十か年戦略（新ゴールドプラン）**が策定されました。新ゴールドプランは、1995（平成7）年度から1999（平成11）年度までの5年間の目標を定めたものでした。さらに、高齢者保健福祉施策のいっそうの充実

をはかるため、1999（平成11）年に**今後5か年間の高齢者保健福祉施策の方向（ゴールドプラン21）**が策定され、介護保険法が施行された2000（平成12）年度から実施されました。

1990年代以降は、日本の社会福祉分野全体に非常に大きな変化がみられた重要な時期です。1980年代に世界的に広まったノーマライゼーションの理念が日本でも一般化したことに加え、現実の制度にも大きな変革が行われました。その具体的内容として、①住民に身近な市町村が主体となる福祉行政の推進、②利用者本位と自立支援、③民間活力の活用、などがあります。

まず、1990（平成2）年の**福祉関係八法の改正**（老人福祉法等の一部を改正する法律）によって、福祉行政をになう主体が市町村とされ①が進み、各市町村に老人保健福祉計画の策定が義務づけられました。

また、2000（平成12）年の介護保険制度の創設によって、②と③が進みます。日本の福祉制度は長年にわたり**措置制度**❿によって行われてきましたが、介護保険制度は措置制度ではなく、新たに**利用契約制度**⓫を導入しました。措置制度は、利用者にサービス提供事業者（施設、事業所）を選ぶ権利がないなど、利用者本位とはいえない制度でした。しかし、利用契約制度によって利用者が事業者を選択できるようになり、対等な関係にもとづいたサービス利用が行えるようになりました。行政主体の措置制度から、**利用者主体**（利用者本位）の利用契約制度への変更です。

さらに介護保険制度によって、民間営利企業もサービス提供事業者として参入できるようになりました。それまでは、国、地方自治体、社会福祉法人などに限られていたサービス提供事業者の範囲が拡大したことも大きな変革といえます。

このような、介護保険制度を中心に行われた福祉制度の大きな変革を基礎づけたものが、社会福祉事業法の大改正です。1951（昭和26）年から50年間続いた社会福祉事業法が、2000（平成12）年に**社会福祉法**に改称され、内容も大きく改正されました。この社会福祉分野全般に影響を及ぼす変革を**社会福祉基礎構造改革**と呼んでいます。

これにより、介護保険制度だけでなく、障害福祉領域にも利用契約制度や民間事業者参入が波及することになりました。

---

❿**措置制度**
措置とは、行政がその権限として強権活動することによってサービスの利用決定を行う「職権措置」をさす。

⓫**利用契約制度**
契約とは、一般的には、相対する複数の者の意思表示が合致して成立する法律行為のことをいう。社会福祉援助においては、援助者が利用者と取り交わす最初の約束をさす。ここで契約というのは、援助を必要とする者が、ただ単に申請するというのではなく、自己決定し、援助機関のサービスを利用していく役割をもつという個別援助技術等の理論にもとづくものである。

## 8 社会保障構造改革

　社会保障制度には給付の側面のほかに、負担の側面もあります。高齢化の進行などによってふくらむ社会保障費を支えているのは、税金や社会保険料です。つまり、社会保障制度の給付を増やそうとすれば負担を増やす必要があり、負担を減らそうとすれば給付を減らす必要があるという表裏一体の関係にあります。給付と負担の双方から社会保障制度の見直しを行うために、年金制度の改正（2004（平成16）年）、介護保険制度の改正（2005（平成17）年）、医療保険制度の改正（2006（平成18）年）などの制度改正が行われてきました。

　このように2000（平成12）年以降、医療・年金・介護などに関する一連の法改正が立て続けに行われました。この一連の法改正を**社会保障構造改革**と呼んでいます。社会保障制度と経済や財政との整合性を高めること、そしてもっとも重要である社会保障制度の持続可能性を高めるために必要不可欠な改革です。

　そのなかでも、**社会保障と税の一体改革**は、とくに大きなものです。2008（平成20）年に設置された**社会保障国民会議**[12]における議論を起点として、社会保障改革の全体像や必要な財源を確保するための税制抜本改革が積み重ねられました。その結果、2012（平成24）年に成立した**社会保障制度改革推進法**では、公的年金制度、医療保険制度、介護保険制度、少子化対策について改革の基本方針が、同年に成立した**社会保障の安定財源の確保等を図る税制の抜本的な改革を行うための消費税法の一部を改正する等の法律（税制抜本改革法）**では、消費税率の引き上げなどが定められました。

　社会保障制度改革推進法にもとづいて設置された**社会保障制度改革国民会議**[13]では、それぞれの分野を改革するための具体的な方向性が議論され、2013（平成25）年に報告書がまとめられました。そこでは、日本の社会保障のあり方を「1970年代モデル」から「21世紀（2025年）日本モデル」へと転換し、すべての世代が年齢ではなく負担能力に応じて負担し、支え合う「全世代型の社会保障」をめざすとされています[3]。

　報告書をふまえて、2013（平成25）年に**持続可能な社会保障制度の確立を図るための改革の推進に関する法律（社会保障改革プログラム法）**が成立・施行されました。社会保障改革プログラム法にもとづいて、

[12] **社会保障国民会議**
社会保障のあるべき姿について、国民にわかりやすく議論を行うことを目的として2008（平成20）年に開催された。

[13] **社会保障制度改革国民会議**
社会保障制度改革を行うために必要な事項を審議するため2012（平成24）年から2013（平成25）年にかけて開催された。

第 2 節　日本の社会保障制度の発達

2014（平成26）年から社会保障の4分野（年金、医療、介護、少子化対策）の改革が進められています。図3－3は社会保障制度改革推進法やそれにともなう社会保障改革の流れです。

### 図3－3　社会保障制度改革推進法にもとづく改革の流れ

**2012（平成24）年社会保障・税一体改革**

↓

社会保障制度改革推進法（自民党が主導し、民主党・公明党との3党合意に基づく議員立法）
- 社会保障改革の「基本的な考え方」、年金、医療、介護、少子化対策の4分野の「改革の基本方針」を明記。
- 社会保障制度改革に必要な法制上の措置を法施行後の1年以内（2013（平成25）年8月21日）に、社会保障制度改革国民会議の審議結果等を踏まえて講ずる。

↓

**2013年8月6日：社会保障制度改革国民会議　国民会議報告書とりまとめ**
- 改革推進法により設置され、少子化、医療、介護、年金の各分野の改革の方向性を提言。
- 報告書総論では、意欲のある人々が働き続けられ、すべての世代が相互に支え合う「全世代型の社会保障」を目指すことの重要性を強調。
- 医療・介護制度改革については、医療・介護提供体制の改革と地域包括ケアシステムの構築、国民健康保険の財政運営の責任を都道府県が担うことなど医療保険制度の改革、難病対策の法制化などを提言。

↓

**2013年12月5日：社会保障改革プログラム法成立（同13日：公布・施行）**
- 社会保障4分野の講ずべき改革の検討項目、改革の実施時期等を規定。
- 改革推進体制の整備等について規定。

【社会保障・税一体改革による社会保障制度改革の主な取組状況】

| | 主な実施事項 |
|---|---|
| 2014（平成26）年度 | ○年金機能強化法の一部施行（2014年4月～）<br>・基礎年金国庫負担割合2分の1の恒久化、遺族基礎年金の父子家庭への拡大、産前・産後休業期間中の厚生年金保険料の免除<br>○育児休業中の経済的支援の強化（2014年4月～）・育児休業給付の支給割合の引上げ（50％→67％） |
| 2015（平成27）年度 | ○子ども・子育て支援新制度の施行（2015年4月～）<br>・待機児童解消等の量的拡充や保育士の処遇改善等の質の改善を実施<br>○医療介護総合確保推進法の一部施行<br>・都道府県において、地域医療構想を策定し、医療機能の分化と連携を適切に推進（2015年4月～）<br>・地域包括ケアシステムの構築に向けた地域支援事業の充実（2015年4月～）<br>・低所得者への介護保険の一号保険料軽減を強化（2015年4月より一部実施、消費税率10％時までに完全実施）<br>・一定以上の所得のある介護サービスの利用者について自己負担を1割から2割へ引上げ等（2015年8月～）<br>○被用者年金一元化法の施行（2015年10月～）・厚生年金と共済年金の一元化 |
| 2016（平成28）年度 | ○年金機能強化法の一部施行（2016年10月～）<br>・大企業の短時間労働者に対する被用者保険の適用拡大（501人以上の企業対象） |
| 2017（平成29）年度 | ○年金改革法の一部施行（2017年4月～）<br>・中小企業の短時間労働者に対する被用者保険の適用拡大（労使合意を前提として500人以下の企業対象）<br>○年金機能強化法の一部施行（2017年8月～）<br>・老齢基礎年金の受給資格期間を25年から10年に短縮 |

| | |
|---|---|
| 2018<br>(平成30)年度 | ○国民健康保険の財政運営責任等を都道府県に移行し、制度を安定化<br>（2018年4月～、医療保険制度改革関連法案関係）<br>○医療計画・介護保険事業（支援）計画・医療費適正化計画の同時策定・実施（2018年4月～）<br>○年金改革法の一部施行（2018年4月～）<br>・マクロ経済スライドについて、名目下限措置を維持しつつ、賃金・物価の上昇の範囲内で前年度までの未調整分を含めて調整 |
| 2019<br>(平成31)年度 | ○年金改革法の一部施行（2019年4月～）<br>・国民年金1号被保険者の産前産後期間の保険料を免除（財源として国民年金保険料を月額100円程度引上げ）<br>○年金生活者支援給付金法の施行<br>・年金を受給している低所得者の高齢者・障害者等に対して年金生活者支援給付金を支給（消費税率10％時までに実施） |
| 2020<br>年度 | ○年金改革法の一部施行（2020年4月～）<br>・年金額改定において、賃金変動が物価変動を下回る場合に賃金変動に合わせて年金額を改定する考え方を徹底 |

（注）年金生活者支援給付金と介護保険1号保険料の低所得者軽減強化については、現在の法律の規定やこれまでの社会保障の充実の考え方に従って記載。

出典：厚生労働省編『厚生労働白書 平成29年版』p.25、2017年

---

◆引用文献

1）厚生省編『厚生白書 昭和32年度版』1958年
2）厚生労働省編『厚生労働白書 平成23年版』p.56、2010年
3）社会保障制度改革国民会議「社会保障制度改革国民会議報告書――確かな社会保障を将来世代に伝えるための道筋」p.8、2013年

# 第 3 節

# 日本の社会保障制度のしくみ

## 学習のポイント

- 社会保障制度の給付と負担について学ぶ
- 社会保障制度の種類について体系的に学ぶ
- それぞれの社会保障制度の概要を知る

**関連項目** ④『介護の基本Ⅱ』▶ 第2章「介護福祉を必要とする人の生活を支えるしくみ」

## 1 社会保障を支えるもの

　社会保障制度の根底にある考え方として**相互扶助**と**社会連帯**があります。私たちは、何か困ったことが発生した場合には、相互扶助の精神によって互いに助け合いますし、社会の一員としてみんなで協力し合う社会連帯の精神ももち合わせています。社会保障制度が準備されるまでの時代では、家族の助け合い、親族の助け合い、地域住民の助け合いによって生活上のリスクに立ち向かっていました。しかし、そのような小規模グループでの助け合いには限界がありました。そこで規模の大きなグループである国家として、制度を設け国家全体で助け合うしくみを構築してきたのです。

　私たちのだれもが、生活を送るうえで思いがけない事態に直面するおそれがあります。経済的問題、健康問題、子育て問題などがその代表です。これらの問題に対して、社会保障制度を通じて支え合うことが可能となりました。

## 2 社会保障の実施体制

　社会保障の実施体制は、次のように国、都道府県、市町村がおもな役

割をになっています（図3-4）。

## 1 国

　国は、全国的に統一して定めることが望ましい事柄、全国的な規模で実施すべき施策や事業、その他の国が本来果たすべき役割を重点的にになっています。社会保障分野で考えれば、全国民に対して一定水準のサービスを保障することが重要な役割となっています。その役割を果たすため、各種制度の企画・立案、基本方針の策定、国庫負担金の交付などを行っています。また、地方自治体が自主性や独自性を発揮できるよ

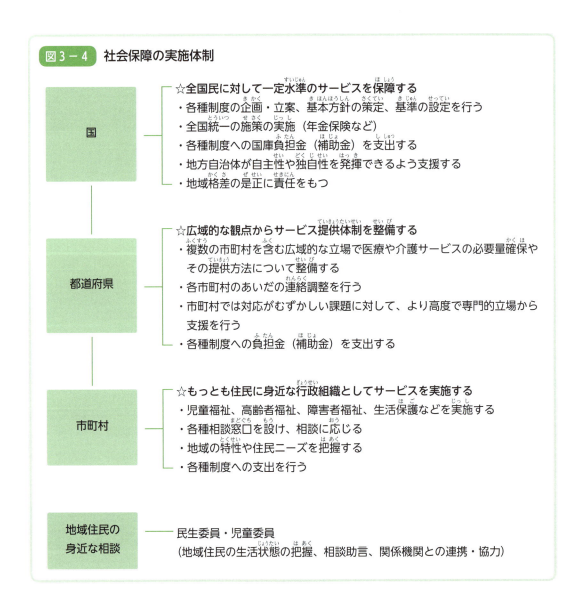

図3-4 社会保障の実施体制

**国**
☆全国民に対して一定水準のサービスを保障する
・各種制度の企画・立案、基本方針の策定、基準の設定を行う
・全国統一の施策の実施（年金保険など）
・各種制度への国庫負担金（補助金）を支出する
・地方自治体が自主性や独自性を発揮できるよう支援する
・地域格差の是正に責任をもつ

**都道府県**
☆広域的な観点からサービス提供体制を整備する
・複数の市町村を含む広域的な立場で医療や介護サービスの必要量確保やその提供方法について整備する
・各市町村のあいだの連絡調整を行う
・市町村では対応がむずかしい課題に対して、より高度で専門的立場から支援を行う
・各種制度への負担金（補助金）を支出する

**市町村**
☆もっとも住民に身近な行政組織としてサービスを実施する
・児童福祉、高齢者福祉、障害者福祉、生活保護などを実施する
・各種相談窓口を設け、相談に応じる
・地域の特性や住民ニーズを把握する
・各種制度への支出を行う

**地域住民の身近な相談**
民生委員・児童委員
（地域住民の生活状態の把握、相談助言、関係機関との連携・協力）

う支援するとともに、大きな地域格差が発生しないよう格差是正にも取り組みます。

## 2 都道府県

　都道府県は、市町村を包括する広域の地方公共団体として、広域にわたる事務、市町村のあいだの連絡調整などを行っています。たとえば、医療機関や介護施設の整備などは１つの市町村で十分な量を整備することが困難な場合があります。そのため、複数の市町村を含む圏域を設定し、その圏域を範囲として医療や介護サービスの提供体制の整備をはかっています。

　また、非常に困難な問題をかかえている市民からの生活相談を受けた場合など、市町村では適切な対応ができないこともあります。そのような場合には、都道府県がより高度な専門的支援を行います。

　さらに、規模の小さな自治体では独自で設置・運営することが困難な機関について、都道府県が設置・運営するという役割もあります。例として**福祉事務所**[1]を紹介します。福祉事務所は、都道府県と市には設置義務がありますが、町村は任意で設置できるとされています。つまり、町村は独自で福祉事務所を設置していないことが多く、その場合は都道府県の福祉事務所が業務をにないます。

## 3 市町村

　市町村はもっとも住民に近い行政主体であるため、サービスの実施主体として大きな役割をになっています。具体的には、保育所への入所手続き、介護保険制度の運営、障害者総合支援制度の運営、生活保護の実施などです。また、生活に関する各種の相談に応じるため相談窓口や専門機関を設置しています。さらに、地方分権がキーワードになっている近年においては、地域住民のニーズや地域特性を把握し、地域の実情に応じた施策の実施が市町村に求められています。

　また、社会福祉に関する行政機関の設置も行います。先ほど例にあげた福祉事務所について、市の場合には設置義務があります。福祉事務所に代表されるような社会福祉の行政機関を設置し運営することも、市町村の大きな役割の１つです。

[1] **福祉事務所**
福祉六法（生活保護法、児童福祉法、母子及び父子並びに寡婦福祉法、老人福祉法、身体障害者福祉法および知的障害者福祉法）に定める援護、育成または更生の措置に関する事務を行う社会福祉行政機関である。

## 4 民生委員・児童委員

さらに市町村よりも住民に近い存在といえるのが**民生委員・児童委員**です。住民の生活状態を必要に応じ適切に把握し、相談助言を行うとともに、関係機関との連携や福祉事務所への協力をしています。地域住民のなかから選出されるため、顔なじみになりやすいなど身近で相談しやすい存在です。民生委員・児童委員は、都道府県知事の推薦にもとづき厚生労働大臣から委嘱されますが、任期は3年で給与は支給されません。

なお、介護保険制度の実施体制については第4章第3節、障害者総合支援制度の実施体制については第5章第4節で具体的に解説しているので、参照してください。

# 3 社会保障のしくみ

## 1 社会保険と社会扶助

社会保障制度の負担と給付のしくみとして、**社会保険方式**と**社会扶助方式**の2つがあります。**社会保険方式**❷は1880年代にドイツで誕生し、日本では1920年代に導入されています。それに対し、社会扶助方式の歴史は古く、16世紀のイギリスで誕生し、日本では1870年代から国家的に用いられています。

### (1) 社会保険方式

現代社会で生活していると、保険という用語を数多く目にしたり耳にしたりします。保険は**社会保険**と**民間保険**に分けることができます。社会保険の代表として医療保険、年金保険、介護保険などがあり、民間保険の代表として自動車保険、火災保険、生命保険などがあります。社会保険と民間保険は保険の技術を用いている点は共通ですが、異なる点も多くあります。

保険の技術は次のようなものです。
① 共通の危険（リスク）にさらされている多数の人々がグループを組

---

❷**社会保険方式**
社会保険方式によって運営される制度が社会保険制度である。世界で最初の社会保険制度は、1883年にドイツで制定された疾病保険法である。日本で最初の社会保険制度は、1922（大正11）年に制定された健康保険法である。

む。
② 加入者が事前に保険料を拠出する（出し合う）。
③ 想定していた危険（＝保険事故）が実際に起こった場合、プールしていた（蓄えておいた）保険料から給付を受けることで損害をおぎなう。

このような保険の技術は、保険料を事前に拠出することで集団として危険を分散するしくみといえます。

社会保険と民間保険が大きく異なる点を3つ紹介します。

❶ 運営主体（保険者）が異なる

民間保険の場合は株式会社などの民間企業が保険者ですが、社会保険の場合は国、地方自治体、公的な団体が保険者となります。

❷ 法律を基礎としている

国民年金法、健康保険法、介護保険法に代表されるように、社会保険には基礎となる法律が設けられています。法律にもとづく保険なので、強制的に加入させることが可能で、保険給付も法律で規定されています。それに対して、民間保険は強制加入ではありませんし、保険給付も保険会社が独自に設定しています。

❸ 財源に国庫負担や地方負担が入る

民間保険には税金からの補助は出ませんが、多くの社会保険では国や地方自治体の税金から補助や繰入が行われています。また、サラリーマンなどの被用者の保険料については、被保険者（本人）と事業主（企業）が保険料を半分ずつ支払っています（＝労使折半）。さらに、低所得者に対する保険料減免（保険料が減らされたり、保険料の支払いを許されたり）なども行われています。このような労使折半や所得による保険料減免は社会保険に特有なしくみです。

これら3点が社会保険と民間保険の大きな違いです。民間保険には多数の種類がありますが、社会保険は年金保険、医療保険、介護保険、雇用保険、労働者災害補償保険の5種類です。

## （2）社会扶助方式

社会扶助とは、保険料ではなく税金を財源として国や地方自治体が実施するサービスの提供などのしくみです。

社会扶助方式にはいくつかの種類があり、公的扶助制度である生活保護制度、社会サービスである児童福祉や障害者福祉、社会手当である児童手当や児童扶養手当などがあります。

## 2 社会保障制度の給付と負担の方法

### (1) 給付の方法

　社会保障制度による給付は現金給付とサービス給付（現物給付）に分けることができます。現金給付とは、金銭を直接給付する方法です。年金保険や生活保護（医療扶助、介護扶助を除く）は、対象者に現金を給付します。そのほか、児童手当や、失業時の所得保障を行う雇用保険も同様です。

　現金給付に対してサービス給付（現物給付）は、（現金ではなく）サービスを提供する方法です。その代表が、医療サービス、介護サービス、保育サービスです。現金ではなく専門職の専門的サービスを受けることになります。

　これら現金給付とサービス給付（現物給付）の違いを示したものが図3-5になります。現金給付は、制度と対象者の間が直接的につながりますが、サービス給付は、専門機関や専門職が制度と対象者とのあいだに入り（介在し）ます。それぞれの代表として、年金保険と医療保険を例にしているので参考にしてください。

### (2) 負担の方法

　続いて負担の方法です。負担の方法とは、言い換えると利用料の支払い方法で、応能負担と応益負担に分かれます。応能負担とは、利用者の支払能力（所得など）に応じて負担額を増減させる方法で、保育料が代表的です。保育料は親の所得によって、月額数千円〜10万円以上と大き

#### 図3-5　現金給付とサービス給付（現物給付）

| | | | |
|---|---|---|---|
| 現金給付 | 制　度 —現金→ | | 対象者 |
| | 例：年金保険 —現金→ | | 高齢者 |
| サービス給付（現物給付） | 制　度 —現金→ | 機関・専門職 —サービス→ | 対象者 |
| | 例：医療保険 —現金→ | 病院・医師等 —サービス→ | 患者 |

な開きがあります。つまり応能負担とは、高所得者からは多く、低所得者からは少なく、その利用料を徴収する（集める）方法です。

一方、応益負担は受けたサービス量に応じて支払う方法です。たとえば、就学後から70歳未満の場合、医療費の自己負担は3割ですが、これは所得が多くても少なくても同じ3割負担です（ただし、減免などの措置がある場合があります）。このように応益負担は支払能力を考慮しないため、結果的に定率負担あるいは定額負担となります。

支払能力に応じた負担を求める応能負担、支払能力を原則考慮しない応益負担と理解すればよいでしょう。

## 4 社会保障制度の体系

現在の日本における社会保障制度の体系は**表3－2**のようになります。重要なポイントは、1つの制度が複数の保障（給付）を行っていることです。

たとえば、生活保護法は所得保障というイメージがありますが、医療保障と介護保障も兼ねています。また、医療保険は医療保障だけでなく所得保障も行っています。このようにそれぞれの制度には、そのなかで別々の異なる問題に対応しているものが多くあります。

## 5 年金保険

年金と聞けば高齢者のためと思ってしまいがちですが、年金保険は高齢者のためだけに給付を行っているのではありません。年金保険は老齢、障害、働き手の死亡という、生活を損なう3つのリスクに対応します。それぞれのリスクに対して**老齢年金**、**障害年金**、**遺族年金**が対応しています。

また、年金は全国民を対象にした**国民年金**と、被用者を対象にした**厚生年金**に分かれています。**図3－6**は国民年金と厚生年金の関係性をあらわしています。公的年金制度は、1階部分に相当する国民年金と2階部分に相当する厚生年金で構成されています。さらに3階部分として厚生年金基金や確定拠出年金が準備されています。ただし、3階部分は個

## 表3−2 日本の社会保障制度の体系

| | | 所得保障 | 医療保障 | 社会福祉 | 法制度の例 |
|---|---|---|---|---|---|
| 社会保険 | 年金保険 | 老齢年金<br>遺族年金<br>障害年金 等 | | | 国民年金法<br>厚生年金保険法 |
| | 医療保険 | 傷病手当金<br>出産育児一時金<br>葬祭費 等 | 療養の給付<br>健診・保健指導 | | 国民健康保険法<br>健康保険法<br>各種共済組合法<br>高齢者医療確保法 |
| | 介護保険 | | | 施設サービス<br>居宅サービス<br>特定福祉用具販売<br>住宅改修 等 | 介護保険法 |
| | 雇用保険 | 失業等給付(求職者給付、雇用継続給付等) | | | 雇用保険法 |
| | 労働者災害補償保険 | 休業(補償)給付<br>障害(補償)給付<br>遺族(補償)給付<br>介護(補償)給付 等 | 療養(補償)給付 | | 労働者災害補償保険法 |
| 社会扶助 | 公的扶助 | 生活扶助<br>教育扶助<br>住宅扶助 等 | 医療扶助 | 介護扶助 | 生活保護法 |
| | 社会手当 | 児童手当<br>児童扶養手当<br>特別障害者手当 等 | | | 児童手当法<br>児童扶養手当法<br>特別児童扶養手当等の支給に関する法律 |
| | 社会サービス 児童福祉 | | | 保育所<br>放課後児童健全育成事業<br>児童養護施設 等 | 児童福祉法 |
| | 社会サービス 障害(児)者福祉 | | 自立支援医療(育成医療・更生医療・精神通院医療)費の支給 | 介護給付<br>訓練等給付<br>補装具費の支給<br>地域生活支援事業 等 | 障害者総合支援法<br>身体障害者福祉法<br>知的障害者福祉法<br>精神保健福祉法<br>児童福祉法 |
| | 社会サービス 老人(高齢者)福祉 | | | 老人福祉施設<br>生きがい・健康づくり対策 等 | 老人福祉法 |
| | 社会サービス 母子父子寡婦福祉 | 母子父子寡婦福祉資金の貸し付け | | 自立支援<br>生活指導 等 | 母子及び父子並びに寡婦福祉法 |
| | 社会サービス 低所得者対策等 | 住居確保給付金<br>生活福祉資金貸付制度 | | 自立相談支援事業<br>就労準備支援事業 | 生活困窮者自立支援法<br>社会福祉法 |

注1：給付内容はおもなものを記載している。
　2：法律名の長いものは、略称で表記している。

第3節　日本の社会保障制度のしくみ

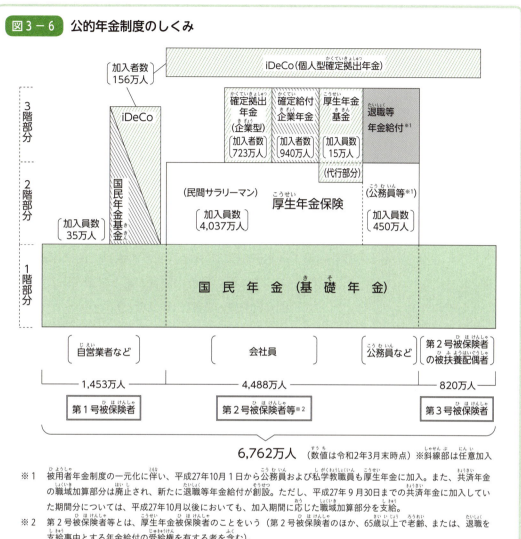

図3-6　公的年金制度のしくみ

※1　被用者年金制度の一元化に伴い、平成27年10月1日から公務員および私学教職員も厚生年金に加入。また、共済年金の職域加算部分は廃止され、新たに退職等年金給付が創設。ただし、平成27年9月30日までの共済年金に加入していた期間分については、平成27年10月以後においても、加入期間に応じた職域加算部分を支給。
※2　第2号被保険者等とは、厚生年金被保険者のことをいう（第2号被保険者のほか、65歳以上で老齢、または、退職を支給事由とする年金給付の受給権を有する者を含む）。

出典：厚生労働省編「厚生労働白書 令和3年版」（資料編）p.240、2021年を一部改変

人や企業によって加入が選択できるしくみなので、公的年金の中心は国民年金と厚生年金の2つといえます。

年金の財政方式には**積立方式**と**賦課方式**があります。

積立方式は、将来の年金給付に必要な額を長年にわたる保険料の支払いによって積み立てる方式です。賦課方式は、給付に必要な額をその時々の現役世代が支払う保険料でまかなう方式です。賦課方式を簡単に説明すれば、高齢者に給付される今年の年金額を、現役世代が支払う今年の保険料で準備する方法で、現役世代から高齢者への仕送りに近い方法です。

日本は賦課方式を基本にしつつ、保有する**積立金**❸を用いて賦課方式

❸積立金
現役世代が支払った年金保険料のうち、年金の支払いなどに充てられなかった部分が、将来世代のために積み立てられている。

をおぎなっているので修正賦課方式とも呼べる方式となっています。日本だけでなく欧米先進国も賦課方式によって年金制度を運営しています。

## 1 国民年金（基礎年金）

国民年金は、20歳以上60歳未満の人が加入する制度です。加入者（被保険者）とは保険料を負担する側で、年金を受け取る側を受給者といいます。国民年金には20歳以上60歳未満のすべての人が加入するため、加入者を3つのグループに分けています。

①第1号被保険者：日本国内に住所を有する20歳以上60歳未満の者であって、第2号被保険者、第3号被保険者ではない者（自営業、無職、学生など）
②第2号被保険者：厚生年金保険に加入している者（サラリーマン、OL、公務員などの被用者）
③第3号被保険者：第2号被保険者の被扶養配偶者（サラリーマンや公務員の配偶者で専業主婦やパート勤務の者）

### （1）保険料

第1号被保険者の保険料は定額制であり、2021（令和3）年度は1万6610円です（この額は物価や賃金の変化を考慮し年々改定されます）。第2号被保険者については、厚生年金保険料に国民年金保険料が含まれていますので、別途支払う必要はありません。第3号被保険者については、配偶者である第2号被保険者が加入している厚生年金保険が基礎年金拠出金として毎年度負担しているため、保険料を納める必要はありません。

第1号被保険者のなかには無職の人や低所得者が含まれています。保険料の負担がむずかしい場合、免除制度や納付猶予制度が設けられています。大学・短大・専門学校などに在学中に国民年金保険料を猶予する学生納付特例もこの1つです。

### （2）保険給付の種類

国民年金には、老齢に対応する老齢基礎年金、障害に対応する障害基礎年金、働き手の死亡に対応する遺族基礎年金の3つの保険給付があり

ます。このほかに第1号被保険者の独自給付として、付加年金、寡婦年金、死亡一時金があります。

老齢基礎年金を受給するには、**資格期間**[4]が**10年以上**あることが必要です。年金の額は、保険料を納付した期間に応じて決まります。20歳から60歳になるまでの40年間保険料を納めた場合は、65歳から満額の老齢基礎年金が支給され、10年間の納付では、受け取れる年金の額はおおむねその4分の1になります。

2021（令和3）年度現在の老齢基礎年金額は、保険料を40年間満額納めた場合で年78万900円（月々およそ6万5000円）です。これは、65歳から受給する場合の額です。くり上げ受給（60歳以上65歳未満）とくり下げ受給（66歳以上70歳まで（2022（令和4）年4月1日から75歳までとなる予定である））が可能であり、その場合は額が増減します。

## 2 厚生年金（被用者年金）

サラリーマン、OL、**公務員**[5]など、雇われている者は国民年金に加えて厚生年金にも加入します。

### （1）対象者

厚生年金保険への加入は、事業所単位で行われます。事業所には、法律によって加入が義務づけられている強制適用事業所と任意で加入する任意適用事業所の2つがあります。

厚生年金保険の強制適用事業所とは、法人事業所（株式会社など）と従業員が常時5人以上いる個人事業所（例外的に、農林漁業、サービス業の一部が除かれています）をさします。また、強制適用でなくても任意適用事業所として厚生年金保険に加入することが可能です。

厚生年金保険に加入している事業所に常時使用される70歳未満の人は、国籍、性別、年金受給の有無にかかわらず厚生年金保険の被保険者となります。

### （2）保険料

厚生年金保険の保険料は、月収（標準報酬月額）やボーナス（標準賞与額）から一定の割合（保険料率）で徴収されています。保険料率は、2017（平成29）年9月から18.3％とされており、これを事業主（企業）

[4] **資格期間**
次の期間を合計したものをいう。
・国民年金の保険料を納付した期間や免除された期間
・厚生年金、共済年金等の加入期間
・年金制度に加入していなくても資格期間に加えることができる期間（合算対象期間）
原則として25年以上必要だった資格期間が、2017（平成29）年8月から、10年以上あれば老齢基礎年金を受け取ることができるようになった。

[5] **公務員**
2015（平成27）年までは公務員や私立学校の教職員を対象にした共済年金が別に設けられていたが、現在は厚生年金として統合されている。

と被保険者（本人）で折半して負担しています（＝労使折半）。

### （3）保険給付の種類

厚生年金保険の保険給付の種類は、国民年金と同じ、老齢に対応する老齢厚生年金、障害に対応する障害厚生年金、働き手の死亡に対応する遺族厚生年金があります。現役時代の給与や加入年月などで増減しますが、モデル世帯（元サラリーマンと専業主婦世帯）の老齢厚生年金と国民年金の平均的な額は月およそ22万円となっています（夫の厚生年金と夫婦2人の国民年金の総額）。

## 6　医療保険

日本は国民皆保険の国であり、私たちは何らかの公的医療保険に加入しています。年金保険については、すべての国民が国民年金に加入していますが、医療保険は非常に多くの種類に分かれています。

図3－7は、医療保険を大別した場合の樹形図です。下線を引いた部分が医療保険の種別になります。

ただし、私たちは医療保険を選択することはできません。年齢、職業（働き方、就労先）、住所によって自動的に加入する保険が決まります。

#### 図3－7　医療保険の分類

- 被用者保険
  - 健康保険
    - 協会けんぽ…おもに中小企業従業員
    - 組合健康保険…おもに大企業従業員
  - 共済組合…国家・地方公務員、私立学校教職員
  - 船員保険…大型船舶乗組員
- 地域保険
  - 国民健康保険
    - 市町村・都道府県が保険者となるもの…ほかに該当しない者
    - 国民健康保険組合が保険者となるもの…同業種の自営業の集まり
- 後期高齢者医療制度…75歳以上（65歳以上の一定の障害者）

## 1 被用者保険

被用者とは、雇われている者のことですが、被用者保険は業種や事業所規模によって3種類に分かれます。

船員保険は、船員として船舶所有者に使用される者を対象にした保険です。共済組合は、国家公務員、地方公務員、私立学校の教職員を対象にしています（保険という名称ではありませんが保険です）。

船員保険と共済組合の対象でない被用者は健康保険（健保）に加入します。健康保険は大きく、組合健康保険と協会けんぽの2つに分けられます。

組合健康保険[6]（正式には組合管掌健康保険）は、大企業が単独（単一）あるいは複数集まって（総合）健康保険組合を設立して運営しています。例外もありますが、大企業の従業員は組合健康保険に加入しています。

協会けんぽ[7]（正式には全国健康保険協会管掌健康保険）は、中小企業の従業員が加入している保険です。公法人である全国健康保険協会が保険者となり、中小企業の従業員を集めて運営しています。すべての保険者のうちでもっとも加入者数が多くなっています。

ちなみに、協会けんぽと組合健康保険については企業による選択が可能です。ただし、組合健康保険設立には条件があり、単一で700人以上、共同で設立しようとするときは3000人以上の被保険者が必要となります。

[6] 組合健康保険
全国で1388の健康保険組合があり、被保険者とその家族を合わせると約2884万人が加入している（2020（令和2）年3月末現在）。

[7] 協会けんぽ
都道府県別の47支部があり、被保険者とその家族を合わせると約4044万人が加入している（2020（令和2）年3月末現在）。

## 2 国民健康保険

自営業者、無職の人（定年後含む）、被用者保険に加入していない非正規雇用の人などが加入する医療保険が国民健康保険（国保）です。国民健康保険は、市町村・都道府県が保険者となる国民健康保険と、同種の事業または業務に従事する者が集まった国民健康保険組合が保険者となる国民健康保険に分かれます。前者はもともと市町村国民健康保険と呼ばれていましたが、保険料の市町村格差が問題とされ、その格差是正のため、2018（平成30）年4月から都道府県が財政運営の責任主体として中心的な役割をになうように変更されました。

## 3　後期高齢者医療制度

　医療保険制度の大きな課題が高齢者の医療費をどのように負担するかということでした。この課題に対する1つの答えとして、2008（平成20）年4月から後期高齢者医療制度が始まりました。詳細は第4章第2節を参照してください。

## 4　医療保険の保険給付

　療養にかかった費用のうち、3割を自己負担として支払い、残り7割が保険給付として給付されるということはだれもが経験していますが、保険給付はそれだけではありません。療養の給付を含め、医療保険には表3-3の保険給付があります。医療保険の種類によって、保険給付の内容が異なることに注意が必要です。

### （1）療養の給付

　私たちがもっとも受けている保険給付です。病気やけがの診察、治療、手術、入院、投薬などの費用について、保険給付として大部分をになってくれます。多くの人が医療費の自己負担は3割と思っているかもしれませんが、そうでない場合もあります。

　表3-4は年齢と保険給付（自己負担）の割合をあらわしています。

**表3-3　保険給付と保険制度の関係性**

|  | 被用者保険 | 国民健康保険 | 後期高齢者医療制度 |
| --- | --- | --- | --- |
| 療養の給付 | ○ | ○ | ○ |
| 傷病手当金 | ○ | △※1 | × |
| 出産育児一時金 | ○ | ○※2 | × |
| 出産手当金 | ○ | × | × |
| 高額療養費 | ○ | ○ | ○ |

○：給付あり　△：任意給付　×：給付なし

※1：任意給付だが、実際に支給している市町村はない。ただし、2021（令和3）年現在は新型コロナウイルス感染症に限った特例的な措置が設けられており、市町村によっては感染するなどした被用者に支給する場合がある。

※2：特別な理由があるときは支給を行わないことができる。

> **表 3 − 4　保険給付割合（自己負担の割合）**
>
> - 一般　　　　　　　　　　7 割（3 割）
> - 就学前児童　　　　　　　8 割（2 割）※1
> - 70歳以上75歳未満　　　　8 割（2 割）※2
> - 75歳以上　　　　　　　　9 割（1 割）※3
>
> ※1：ただし、多くの市町村で乳幼児医療費助成事業があるため、実質的な負担はさらに軽くなる。
> ※2：現役並み所得者は7割（3割）。
> ※3：現役並み所得者は7割（3割）。また、一定の収入のある者については、2022（令和4）年10月1日から2023（令和5）年3月1日までのあいだにおいて政令で定める日から8割（2割）となる予定である。

## （2）傷病手当金

　病気やけがによって仕事を4日以上休業した場合に給付されます。標準報酬月額の3分の2に相当する額が1年半まで給付されるため、長期間の休業に対しての所得保障となります。

## （3）出産育児一時金

　被保険者や扶養家族が出産した場合に42万円（産科医療補償制度の対象外となる場合は40.4万円）を給付します。よく「出産費用は医療保険の対象にならない」といわれます。たしかに、療養の給付の対象にはならないため、出産費用は全額自己負担となります。その代わり出産費用に対応しているのが出産育児一時金です。正式には「出産費用は、療養の給付の対象にならないが、その代わり出産育児一時金の対象になる」というべきでしょう。

## （4）出産手当金

　出産のために仕事を休業した場合に給付されます。出産前42日から出産後56日を対象としており、標準報酬月額の3分の2に相当する額が給付されます。一見すると出産後56日は短いように思いますが、このあとを雇用保険の**育児休業給付**❽が引き継いでくれます。

## （5）高額療養費

　一般的な医療費の自己負担割合は3割ですが、非常に高額な医療費がかかった場合はどうなるでしょうか。たとえば急性心筋梗塞の平均的な

❽育児休業給付
雇用保険法にもとづく失業等給付のうち、雇用継続給付に含まれる給付の一種。被保険者が1歳（育児休業期間の延長に該当する場合は1歳6か月もしくは2歳）未満の子を養育するために育児休業を取得した場合に育児休業給付金が支給される。

医療費は200万円ほどになります[1]。200万円の3割は60万円ですし、平均を上回る300万円の医療費がかかったとすると自己負担は90万円となってしまいます。

このような高額な自己負担を防ぐために高額療養費制度があります。平均的な年収の患者で医療費が300万円の場合、実質的な自己負担は1か月で11万円ほどに抑えられます。11万円でも十分高いですが、90万円と比較すれば非常に軽くなっています。

ここでは医療保険のおもな保険給付を紹介しましたが、このように医療保険はさまざまな保険給付を私たちに行ってくれます。療養の給付だけでなく、その他の保険給付を知ることも必要です。

## 7 介護保険

介護保険については、第4章で詳しく扱うため、本章では割愛します。

## 8 雇用保険と労働者災害補償保険

働くことに関連する社会保険として、**雇用保険**と**労働者災害補償保険**があります。2つを合わせて労働保険ともいいます。

雇用保険は、労働者が失業した場合や、就労するための職業教育訓練を受けた場合などに、失業等給付として必要な給付を行います。解雇や倒産だけでなく、自己都合で退職した場合であっても、雇用保険が所得保障を行いますので生活が破たんすることを防ぐことができます。また、雇用保険では、育児休業給付や介護休業給付が用意されており、子育てや介護をになう労働者を支えています。このほか、雇用保険二事業といわれる雇用安定事業と能力開発事業を行っています。雇用保険は、①1週間の所定労働時間が20時間未満である者、②継続して31日以上雇用されることが見込まれない者などを除いた**労働者**[9]が対象となります。保険料は、失業等給付に要する費用は労使折半、雇用保険二事業に要する費用は全額事業主負担になります。これらの業務は、**公共職業安**

❾**労働者**
正規雇用以外の有期雇用、パート、アルバイト、派遣労働者も含まれる。

❿**公共職業安定所（ハローワーク）**
p.68参照

定所（ハローワーク）⑩がになっています。

　一方、労働者災害補償保険は、労働者の業務災害や通勤災害に対して必要な保険給付を行うことで、療養補償や休業補償だけでなく、被災労働者の社会復帰促進や、遺族援護なども行っています。労働者災害補償保険は、職業の種類、雇用形態や雇用期間にかかわらず、事業所に使用されるすべての**労働者**⑪が対象となります。保険料は原則として全額事業主の負担になり、けがや病気を治療する際には被災労働者の自己負担は一部を除いてありません。これらの業務は、**労働基準監督署**⑫がになっています。

⑪労働者
正規雇用以外の有期雇用、パート、アルバイト、派遣労働者も含まれる。

⑫労働基準監督署
労働者災害補償保険法・労働基準法・最低賃金法などの法律にもとづいて、労災給付や労働条件の確保・向上などを行う行政機関。

## 9 各種社会扶助

　社会扶助方式の制度として**公的扶助**、**社会手当**、社会サービスの分野である**社会福祉**があります。

### 1 公的扶助

　日本の公的扶助制度として**生活保護制度**⑬があります。日本国憲法第25条に規定されている生存権（健康で文化的な最低限度の生活を営む権利）の理念を具体化させているのが生活保護制度です。生活困窮者に対しその程度に応じて必要な保護を行い、最低生活を保障するとともに、あわせて自立助長を目的としています。

　また、生活保護にいたる前段階における自立支援を強化するため、2015（平成27）年から**生活困窮者自立支援法**⑭が施行されています。

⑬生活保護制度
p.292参照

⑭生活困窮者自立支援法
p.296参照

### 2 社会手当

　社会手当とは、ある特定の要件に該当する場合に現金が給付される制度です。社会保険のように事前に保険料を納めていたかどうかを問わず、生活保護のような厳格な資産調査も行われません。

　社会手当には、**児童手当**、**児童扶養手当**、**特別児童扶養手当**、**特別障害者手当**などがあります。

### （1）児童手当

　子どもを育てる家庭の生活の安定と子どもの健やかな成長のために現金が支給されます。

　対象年齢は0歳以上中学校修了前となっています。1か月の児童手当額は0歳以上3歳未満1万5000円、3歳以上小学校修了前1万円（第3子以降は1万5000円）、小学校修了後中学校修了前1万円となっています（所得制限あり）。

### （2）児童扶養手当

　死別や離婚によって父や母がいない家庭に対し、生活の安定と自立の促進に寄与することを目的として給付を行います。手当の額は、子ども1人の場合、最大で1か月4万3160円（子が2人なら5万3350円）となっています（所得制限あり）。

### （3）特別児童扶養手当

　身体障害や精神障害のある20歳未満の児童について手当を給付します。重度である1級で月額5万2500円、中度である2級で3万4970円となっています（所得制限あり）。

### （4）特別障害者手当

　日常生活で常に特別の介護を必要とする20歳以上の重度障害者であって、在宅で生活する場合に給付されます。月額2万7350円の給付となっています（所得制限あり）。

## 3　社会福祉

　社会福祉については、第4章、第5章、第6章で詳しく扱うため、本章では割愛します。ここでは、社会福祉を支える社会福祉法と社会福祉法人について表を用いて説明をします（表3－5、表3－6）。社会福祉法は社会福祉を目的とする事業に共通する基本事項を定めています。また、社会福祉法では社会福祉法人についても定めています。

### 表3-5 社会福祉法の概要

| | |
|---|---|
| 目的 | 社会福祉を目的とする事業の全分野における共通的基本事項を定め、福祉サービスの利用者の利益の保護および地域福祉の推進を図ることなどによって、社会福祉の増進を目指す。 |
| 社会福祉事業と経営主体 | 社会福祉事業を第一種社会福祉事業と第二種社会福祉事業に分類し、それぞれの具体的事業を定めている。第一種社会福祉事業は国、地方公共団体または社会福祉法人が経営することを原則としているが、第二種社会福祉事業については経営主体の制限がない。<br>（例）<br>第一種：特別養護老人ホーム、児童養護施設<br>第二種：老人居宅介護等事業、老人デイサービス事業、保育所 |
| 福祉サービスの基本的理念 | 個人の尊厳の保持を基本とし、利用者が心身ともに健やかに育成され、その有する能力に応じ自立した日常生活を営むことができるように支援するものとして、良質かつ適切なものでなければならない。 |

### 表3-6 社会福祉法人の概要

| | |
|---|---|
| 社会福祉法人とは | 社会福祉事業を行うことを目的として、所轄庁の認可を受けて設立された法人をいう。社会福祉法人の所轄庁は、法人の所在地等に応じて都道府県知事、市長または厚生労働大臣となる。 |
| 行える事業 | 社会福祉事業に支障がない範囲で、公益事業や収益事業を行うことができる。<br>・公益事業：社会福祉と関係のある公益を目的とする事業<br>（例）有料老人ホームの経営<br>・収益事業：その収益を社会福祉事業や公益事業に充てる事業<br>（例）法人所有不動産を利用した駐車場の経営 |
| 組織 | 社会福祉法人は、評議員、評議員会、理事、理事会および監事を置かなければならない。さらに、会計監査人を置くことができる。<br>・評議員（会）：法人運営に関する重要事項の議決機関である。運営の基本ルールや体制を決定するととも |

| | |
|---|---|
| | に、理事や監事の選任・解任等を通じ、法人運営を監督する。評議員は理事、監事または当該社会福祉法人の職員を兼ねることができない。<br>・理事（会）：法人の業務執行の決定機関である。理事長は法人の代表権を有し、理事会の決定に基づき、法人の業務執行の決定を行う。<br>・監事：理事の職務執行を監査する。監事は、理事または当該社会福祉法人の職員を兼ねることができない。<br>・会計監査人：法人の計算書類等の監査を行う。 |
| その他（規制と優遇） | 法人設立や運営等に一定の要件が定められており、所轄庁の指導監査や報告書類の提出を求められるなど公的規制が強い。その反面、社会福祉法人の公益性や非営利性を考慮して、法人税や固定資産税などの税制上の優遇措置や、施設整備に対し一定の補助が行われる。 |
| 合併 | 社会福祉法人は、他の社会福祉法人と合併することができる。この場合においては、合併をする社会福祉法人は、合併契約を締結しなければならない。 |
| 解散 | 社会福祉法人は、評議委員会の決議、目的たる事業の成功の不能、破産手続き開始の決定、所轄庁の解散命令等の事由により解散する。 |

### コラム　社会福祉と法律の変遷

　社会サービスの分野には、非常に多くの制度があります。これは、社会福祉の制度それぞれが社会的な支援を必要としている人に着目して制定されていったという歴史的経過によるものです。福祉三法からはじまり、福祉六法（現在の名称で生活保護法、児童福祉法、身体障害者福祉法、知的障害者福祉法、老人福祉法、母子及び父子並びに寡婦福祉法）にまで広がりました。福祉六法は、日本の社会福祉の中核をにない、いまなお重要な制度です。

　ただし、高齢者保健福祉の分野では介護保険法が、障害者保健福祉の分野では障害者の日常生活及び社会生活を総合的に支援するための法律（障害者総合支援法）が中心的役割を占めるようになっています。

---

◆引用文献

1）全日本病院協会「医療の質の評価・公表等推進事業」

第 **4** 節

# 現代社会と社会保障制度

> **学習のポイント**
> ■ 少子高齢化によって社会保障制度が受ける影響について知る
> ■ 社会保障制度を支える負担と給付について学ぶ
> ■ 持続可能な社会保障制度について考える

## 1 少子高齢化の進行と社会保障

　日本は世界一高齢化が進んだ社会ですが、さらに2011（平成23）年以降は総人口が減りつづける人口減少社会に突入しました。**少子高齢化**の急速な進行と人口減少は、日本の経済社会に大きな影響を及ぼす重大な問題です（図3－8）。少子高齢化の進展と社会保障の関係を考えると、次のような課題があることに気づきます。

### 1 年金、医療、介護などを支える財源不足

　高齢化の進展は、年金、医療、介護といった社会保障制度の給付を受ける人の増加を意味し、社会保障の費用を増大させる要因となります。また一方では、税金や社会保険料をおもに負担する現役世代が相対的に減少することから、社会保障の負担と給付のバランスがくずれてしまいます。

### 2 医療や介護を支える人材不足

　看護師や介護福祉職の人材不足は有名ですが、今後ますます人材不足が深刻化します。出生数が非常に多かった1947（昭和22）年から1949（昭和24）年生まれの世代は**団塊の世代**と呼ばれています。2025（令和7）年には、団塊の世代が後期高齢者になるため、医療や介護を必要と

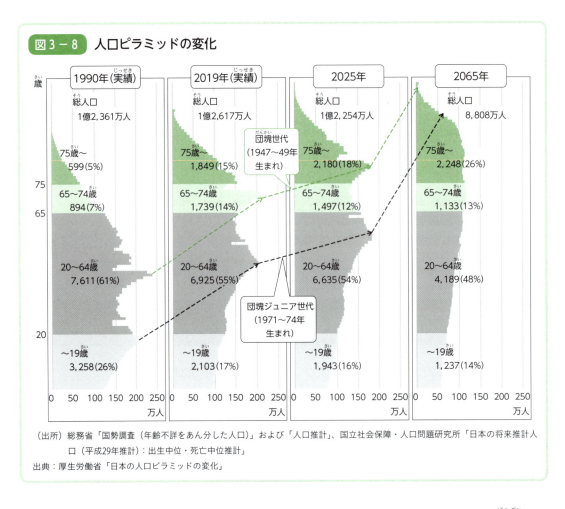

図3-8 人口ピラミッドの変化

（出所）総務省「国勢調査（年齢不詳をあん分した人口）」および「人口推計」、国立社会保障・人口問題研究所「日本の将来推計人口（平成29年推計）：出生中位・死亡中位推計」
出典：厚生労働省「日本の人口ピラミッドの変化」

する人が数多く発生するとみられています（＝**2025年問題**）。現在ですら人材不足の状況におちいっている医療や介護分野が、2025年問題に耐えることは困難で、人材不足の解消が大きな課題となっています。

## 3 地域の過疎化と地域を支える人材の不足

　高齢化や人口減少にともなう地方の過疎化は、地域における医療や介護のにない手不足を招き、多くの高齢者が医療や介護を受けられないという状況を生む可能性も十分に考えられます。過疎化は、医療や介護のにない手不足を引き起こすだけではありません。住人が高齢者ばかりとなる地域が生まれ、地域社会の存続そのものを危うくする課題でもあります。

　今後の社会保障の方向性を考えるには、少子高齢化を無視することはできません。少子高齢化がさらに進行するなかで、社会保障の費用、医

療や介護の人材不足、地域社会の存続に対処しなければいけないという非常に厳しい状況にあります。この問題を解決・緩和させるには少子化に歯止めをかけることが根本的に必要と考えられます。日本では、社会保障制度が高齢者にかたよっており、若者世代（とくに子どものいる家庭）に対する社会保障が薄くなっていることも大きな問題です。

　このような少子化問題が差し迫っている状況では、本章第2節で扱った社会保障制度改革国民会議の報告書が説得力をもちます。日本の社会保障のあり方を「1970年代モデル」から「21世紀（2025年）日本モデル」へと転換し、すべての世代が年齢ではなく負担能力に応じて負担し、支え合う「全世代型の社会保障」をめざす必要があります[1]。

## 2 財政問題と社会保障

　日本の財政問題と社会保障を考えるうえで、**社会保障関係費**、国の**一般会計歳入**、**社会保障給付費**は重要となります。

### 1 社会保障関係費

　図3−9の左の円グラフは、国の**一般会計歳出**（予算）を示しています。国の一般会計歳出はおよそ107兆円で、歳出のなかでもっとも大きな割合を占めているのが**社会保障関係費**（33.6％）となっています。この社会保障関係費から年金保険、医療保険、介護保険、生活保護などへの支出が行われています。

### 2 一般会計歳入

　図3−9の右の円グラフは国の**一般会計歳入**（予算）です。まず目を引く項目が公債金（40.9％）の割合の大きさでしょう。歳入の4割以上を借金に頼っているわけですから危機的状態にあるといえます。1990年代から続く経済不況のなかで落ちこんだ税収をおぎなうために、大量の赤字国債を発行してきました。それが積もって現在の公債残高は990兆円（2021（令和3）年度末見こみ）になっています。

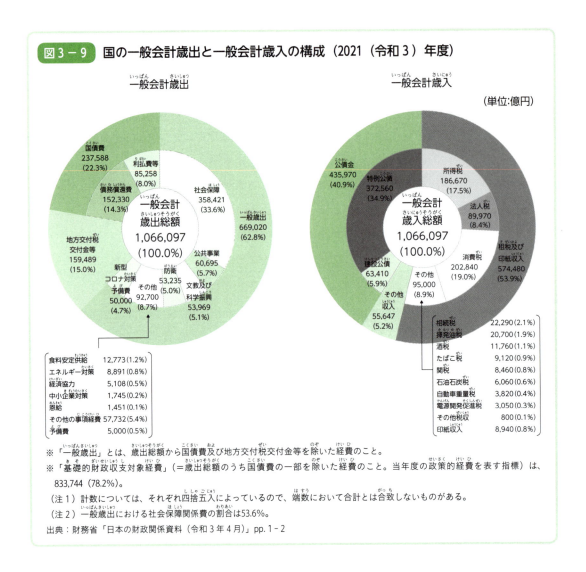

図3−9 国の一般会計歳出と一般会計歳入の構成（2021（令和3）年度）

※「一般歳出」とは、歳出総額から国債費及び地方交付税交付金等を除いた経費のこと。
※「基礎的財政収支対象経費」（＝歳出総額のうち国債費の一部を除いた経費のこと。当年度の政策的経費を表す指標）は、833,744（78.2％）。
（注1）計数については、それぞれ四捨五入によっているので、端数において合計とは合致しないものがある。
（注2）一般歳出における社会保障関係費の割合は53.6％。
出典：財務省「日本の財政関係資料（令和3年4月）」pp.1-2

## 3 社会保障給付費

社会保障給付費とは、社会保障制度を通じて、1年間に国民に給付される金銭またはサービスの合計額を示します。その財源となっているのが社会保障関係費（国の税金からの支出）、民生費（都道府県や市町村からの支出）、社会保険支出（徴収した社会保険料からの支出）であり、それらの総額が社会保障給付費です。つまり社会保障に関連する費用すべてを示しています。

図3−10は社会保障給付費の推移を示したグラフです。2019（令和元）年度は約123.9兆円となっています。また、社会保障給付費は、年金（44.7％）、医療（32.9％）、福祉その他（22.4％）に分かれていま

す。さらに国民所得に占める社会保障給付費はおよそ30％となっています。

社会保障の費用が増加しているという問題が頻繁にメディアで取り上げられています。図3－10で確認できるように、実際に社会保障給付費は年々増加しています。しかし、社会保障給付費の額だけで比較することに意味があるでしょうか。ここでみるべき数値は額ではなく、割合で

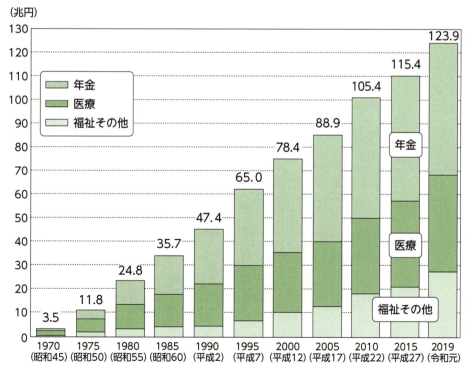

図3－10　社会保障給付費の推移

|  | 1970 | 1980 | 1990 | 2000 | 2010 | 2019 |
|---|---|---|---|---|---|---|
| 国民所得額(兆円) A | 61.0 | 203.9 | 346.9 | 386.0 | 361.9 | 401.3 |
| 給付費総額(兆円) B | 3.5 (100.0%) | 24.8 (100.0%) | 47.4 (100.0%) | 78.4 (100.0%) | 105.4 (100.0%) | 123.9 (100.0%) |
| (内訳) 年金 | 0.9 ( 24.3%) | 10.3 ( 41.7%) | 23.8 ( 50.1%) | 40.5 ( 51.7%) | 52.2 ( 49.6%) | 55.5 ( 44.7%) |
| 医療 | 2.1 ( 58.9%) | 10.8 ( 43.4%) | 18.6 ( 39.3%) | 26.6 ( 33.9%) | 33.6 ( 31.9%) | 40.7 ( 32.9%) |
| 福祉その他 | 0.6 ( 16.8%) | 3.7 ( 14.9%) | 5.0 ( 10.6%) | 11.3 ( 14.4%) | 19.5 ( 18.5%) | 27.7 ( 22.4%) |
| B／A | 5.77% | 12.15% | 13.67% | 20.31% | 29.11% | 30.88% |

資料：国立社会保障・人口問題研究所「令和元年度社会保障費用統計」より筆者作成
注：図中の数値は、社会保障給付費（兆円）である。

す。2010(平成22)年度の社会保障給付費は105.4兆円です。2019(令和元)年度の社会保障給付費は123.9兆円ですから、9年間でおよそ18.5兆円増加したことになります。ただし、国民所得も361.9兆円から401.3兆円に増加しています。そのため、社会保障給付費が国民所得に占める割合は、それぞれ29.11%と30.88%で微増です。額の増減だけに目を向けるのではなく、国の経済規模のうち、どの程度を社会保障にまわしているかという割合に注目することのほうが非常に重要です。

　額よりも割合に注目することは、経済発展が社会保障に与える影響を考えることにつながります。今後、社会保障給付費は増加するでしょう。額のみに注目していては非常に暗い未来にしかみえません。しかし、社会保障給付費の増加よりも国民所得の増加が大きければ、割合は小さくなり、実質的な負担は軽くなります。このことから、今後の社会保障の安定には経済成長も必要になるといえます。

## 3 社会保障における給付と負担の関係

　国立社会保障・人口問題研究所の「令和元年度社会保障費用統計」によると、2019(令和元)年度の社会保障給付費は123.9兆円ですが、これを高齢者への給付(高齢者関係給付費)と高齢者以外への給付に分けると、高齢者関係給付費が66.2%であり、高齢者以外への給付が残りの33.8%となっています。さらに、高齢者以外への給付33.8%のうち、児童・家族関係の給付(児童・家族関係給付費)は7.7%と10分の1程度となっています。子どもや子どものいる家庭への支出割合が少ないことは、日本の社会保障制度がかかえる大きな課題です。

　図3-11は、ライフサイクルでみた社会保障の給付と負担の状況を示しています。20代前半までは給付が多いが負担も多く、一方、20代半ば以降60代前半までは給付が少なく負担が多くなっています。また、高齢期には負担がほとんどなく給付が非常に多くなっています。日本の社会保障の給付が高齢者にかたよっていることがわかります。

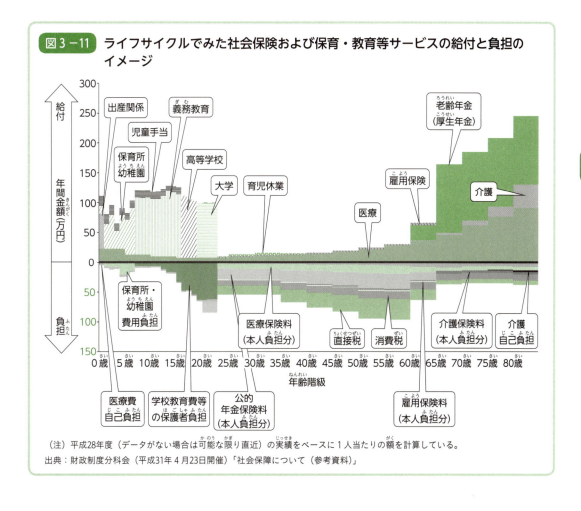

図3-11 ライフサイクルでみた社会保険および保育・教育等サービスの給付と負担のイメージ

（注）平成28年度（データがない場合は可能な限り直近）の実績をベースに1人当たりの額を計算している。
出典：財政制度分科会（平成31年4月23日開催）「社会保障について（参考資料）」

# 4 持続可能な社会保障制度への道

　持続可能な社会保障というと、どのように社会保障給付費を抑制するかという問題にすり替えられてしまうことが多くあります。しかし、社会保障給付費を抑制することだけが持続可能性を高めるわけではありません。

　図3-12は、国民負担率に関する国際比較です。国民負担率とは、租税負担率（税金の負担率）と社会保障負担率（社会保険料の負担率）を合わせたもので、各国の税金や社会保険料の重さを示しています。図3-12では、左の国ほど税金・社会保険料の重い国、右の国ほど軽い国といえます。

　日本は、35か国中、国民負担率の高いほうから26番目となっています。低いほうから10番目の、国民負担率の比較的低い国であることがわ

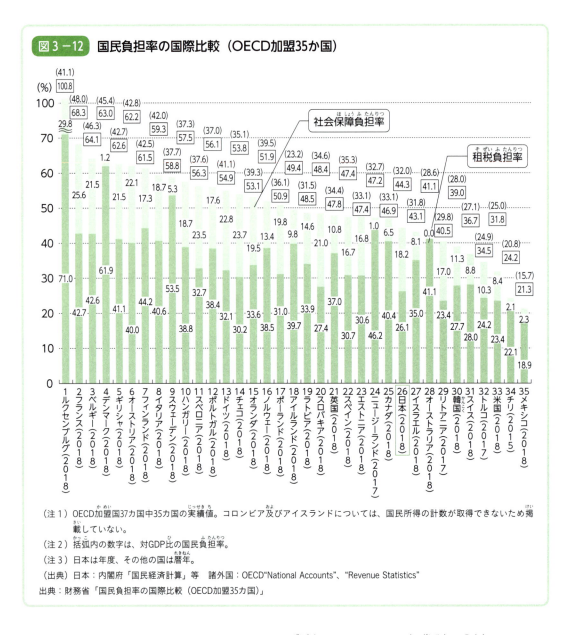

図3-12 国民負担率の国際比較（OECD加盟35か国）

（注1）OECD加盟国37カ国中35カ国の実績値。コロンビア及びアイスランドについては、国民所得の計数が取得できないため掲載していない。
（注2）括弧内の数字は、対GDP比の国民負担率。
（注3）日本は年度、その他の国は暦年。
（出典）日本：内閣府「国民経済計算」等　諸外国：OECD"National Accounts"、"Revenue Statistics"
出典：財務省「国民負担率の国際比較（OECD加盟35カ国）」

かります。つまり、日本の税金・社会保険料は諸外国と比較しても軽いということになります。

　このような日本の国民負担率の状況をみると、社会保障を持続可能なものとするためには、先に述べた社会保障給付費を抑制すること以外に、国民負担率を上げることで新たに財源を準備するということなども考えられます。

　少子高齢化が進むなかで社会保障制度の持続可能性を高めるためには、今後、その方法について国民的議論と合意の形成をめざす必要があります。

## 5 地方分権と社会保障構造改革の課題

　社会保障分野だけではなくその他の広範囲な分野で地方分権が進められています。地方分権とは、国がもっていた権限や財源を地方自治体（都道府県、市町村）に移すことを意味します。行政に対する住民のニーズが多様化する現代社会では、国が一括して住民ニーズに応えることが困難になりつつありました。そこで、住民の多様なニーズに応え、地域の特性に根ざした豊かさを実現するために、分権型の社会が求められました。このように地方分権は住民主体の行政サービスを実現することを目的として進められています。ただし、地方分権には、みずからの地域について主体的に決定すること、さらにその決定に責任をもつことがあわせて求められている点を忘れてはなりません。

　地方分権の流れは1990年代半ばから活発化しました。詳細には触れませんが、地方分権推進法（1995（平成7）年）、地方分権一括法（1999（平成11）年）、地方分権改革推進法（2006（平成18）年）、地域主権改革一括法（2011（平成23）年）が制定・施行されたことで地方分権が急速に進みました。このような地方分権の推進には、社会福祉分野も含まれます。具体例として、介護保険法や障害者の日常生活及び社会生活を総合的に支援するための法律（障害者総合支援法）では地方自治体独自の給付を認めるなど、地方自治体が独自に福祉サービスを充実させることが可能となっています。

　地方分権にはデメリットや問題もあります。わかりやすい例として地方格差の発生や拡大があります。地方自治体によって、福祉サービスの種類やその充実度に差が発生してしまいます。特に福祉サービスを必要とする人からすれば、福祉サービスが充実していない地方自治体に住んでいると、ニーズが十分に満たされないという重大な問題が発生します。福祉サービスを必要とする人は引っ越しも困難でしょうから、ニーズが満たされず困難をかかえたままとなってしまう危険性が高まります。地方分権を進める際には、住民の福祉ニーズの充足を第一に考えていく必要があります。

　地方分権の推進と、それに伴う福祉サービスの多様化や充実は財源問題を抜きに考えることはできません。2000（平成12）年以降の**社会保障構造改革**❶は、社会保障制度と経済や財政との整合性や社会保障制度の

❶社会保障構造改革
p.78参照

持続可能性を高めることを目的として、現在も改革が進んでいます。しかし、持続可能性を高めるからといって、社会保障や福祉サービスを削減するという方向に向いてしまっては生活の安定が損なわれてしまいます。

そうならないためには、医療や福祉サービスのにない手であるそれぞれの専門職が、現状を十分に理解し、必要な情報を社会に発信することも求められます。産業別就業者数をみると、「医療・福祉」は862万人となっており、「卸売業・小売業」1057万人、「製造業」1045万人に次ぐ第3位の従事者数です[2]。これは、医療や福祉サービスの従事者が社会を動かせる可能性を十分にもっていることを示しています。

医療や福祉サービスのにない手にとどまらず、日本に暮らす多くの人々の生活を守るために、それぞれの専門職が社会を動かす力を発揮することが期待されます。

### コラム　社会保障の給付と負担のあり方

　社会保障制度の持続可能性を高めるために、社会保障給付費を抑制し、社会保障制度を弱めてしまっては元も子もありません。持続可能性を高めるもう一方の方法を考慮しなくてはいけません。それは、社会保障にかけるお金を増やし、社会保障制度をよりいっそう充実させることです。

　本節において、日本の社会保障制度は高齢者に対する給付が多く、現役世代や子どもへの給付が少ないことを紹介しました。ここで、「高齢者への給付を減らして、その分を現役世代や子どもへの給付にまわすべき」とする主張は、議論を望ましくない方向に向けてしまいます。高齢者への給付を削るのではなく、国民負担率を上げることで新たに財源を準備し、それを現役世代や子どもを対象とした社会保障制度の充実に使う、という発想が必要です。高齢者と高齢者以外の世代が対立するのではなく、協調して社会保障制度を充実させる方向に向いてほしいものです。たとえば、社会保障制度改革国民会議の報告書において、すべての世代が年齢ではなく負担能力に応じて負担し、支え合う「全世代型の社会保障」をめざすことが強調されています。

　税や社会保険料の負担増は国民の反発を招くことも容易に想像できます。しかし、国民生活の安定には欠かすことのできない社会保障の持続可能性を高めるためには、避けては通れない問題といえます。社会保障や福祉サービスの充実を実現するには、「財源なければ給付なし」という視点をいかに社会全体で共有できるかが重要となります。

◆ 引用文献
1）社会保障制度改革国民会議「社会保障制度改革国民会議報告書——確かな社会保障を将来世代に伝えるための道筋」p.8、2013年
2）総務省統計局「労働力調査」（2020年（令和2年）平均結果の概要）

◆ 参考文献
- 厚生労働省編『厚生労働白書 令和3年版』2021年
- 社会保障国民会議「社会保障国民会議 最終報告」2008年

**演習3-1　社会保障の意義と機能**

どうして社会保障は存在し、必要とされるのかを考えてみよう。

1. あなたが今まで利用してきた、あるいは加入している（いた）社会保障制度について書き出してみよう。
2. もし社会保障がこの社会になかったら、あなたの生活はどうなっているだろうか。1をふまえてグループに分かれて話し合ってみよう。
3. 1と2をふまえて、社会保障はどのような機能、役割をになっていると考えられるだろうか。グループに分かれて考え、発表してみよう。

 **演習3-2　少子高齢化と持続可能な社会保障のあり方**

少子高齢化が進展する社会のなかで、持続可能な社会保障のあり方について考えてみよう。

1. 少子高齢化の要因は何であり、社会が少子高齢化することの何が問題なのかを調べてみよう。
2. 年金保険制度において、どのような課題があるのか調べてみよう。
3. 医療保険制度において、どのような課題があるのか調べてみよう。
4. 1～3をふまえて、日本で社会保障制度がこれからも続いていくためにはどうすればよいか、グループで話し合い、発表してみよう。

# 第 4 章

# 高齢者保健福祉と介護保険制度

第 1 節　高齢者保健福祉の動向
第 2 節　高齢者保健福祉に関連する法体系
第 3 節　介護保険制度

第 1 節

# 高齢者保健福祉の動向

**学習のポイント**

- 高齢者保健福祉における施策の視点の移り変わりについて学ぶ
- 高齢者保健福祉における施策の動向とともに、変化をもたらした社会的背景についても学ぶ
- 高齢者保健福祉における今日的課題について学ぶ

**関連項目**
③『介護の基本Ⅰ』▶ 第1章「介護福祉の基本となる理念」
⑬『認知症の理解』▶ 第6章「認知症の人の地域生活支援」

## 1 高齢者保健福祉に関する歴史

### 1 戦後から1990年代までの高齢者保健福祉

#### （1）老人福祉法の制定

　第2次世界大戦後には、1946（昭和21）年に旧・**生活保護法**、1947（昭和22）年に**児童福祉法**、1949（昭和24）年に**身体障害者福祉法**が成立し、**福祉三法体制**が成立しました。なお、1946（昭和21）年に定められた旧・生活保護法は、保護請求権が認められておらず、また素行不良者を保護の対象外とするなどの**欠格条項**❶が設けられており、1950（昭和25）年に現・生活保護法に全面改正されました。

　このように1940年代後半以降、社会福祉に関する新たな制度が成立し、児童や身体障害者を対象とする制度が設けられましたが、高齢者については、この当時は生活保護法のなかで対応が行われていました。

　そして、1960年代に入ると、1960（昭和35）年に**精神薄弱者福祉法**（現・**知的障害者福祉法**）、1963（昭和38）年に**老人福祉法**、1964（昭和39）年に**母子福祉法**（現・**母子及び父子並びに寡婦福祉法**）が成立し、**福祉六法体制**が成立しました。この高齢者における固有の制度である老

❶**欠格条項**
特定の人々をある対象から除外するために、制度などの規定のなかに、事前に除外されるべき条件が定められる場合があり、この事前に規定される条件を欠格条項と呼ぶ。

人福祉法の成立によって、高齢者福祉が救貧施策から切り離されることになりました。

## （2）福祉の見直し

1960年代には福祉六法体制が成立し、また、1961（昭和36）年にはすべての国民が医療保険ならびに年金保険に加入する**国民皆保険**❷と**国民皆年金**❸の体制が確立しました。さらに、1972（昭和47）年には**老人福祉法の改正**が行われ、翌1973（昭和48）年に医療保険の自己負担分を公費で負担する**老人医療費支給制度**による**老人医療費無料化**が導入されました。このように1960年代に入り、日本の社会福祉は高度経済成長を背景に拡張・充実されていきました。そうしたなか、政府は1973（昭和48）年を**福祉元年**として位置づけ、さらなる社会福祉の充実をめざすことを宣言しました。

しかし、1973（昭和48）年10月に第4次中東戦争が勃発し、これにより**石油危機（オイルショック）**❹が発生したため、日本の高度経済成長は終わりを告げました。これにより、社会福祉における歳出を削減する見直しが進められ、1979（昭和54）年に「新経済社会7カ年計画」が閣議決定され、このなかで個人の自助努力と家庭や近隣、地域社会等との連帯を基礎とする**日本型福祉社会**を創造することが提言されました。

そして、こうした福祉を見直す動きにより、福祉における給付内容や水準の見直し、有料化が進められていくことになります。この代表的なものとして、1982（昭和57）年の**老人保健法**の成立と同年に行われた老人福祉法の改正があげられます。老人保健法は、老人医療と医療以外の保健事業をになう制度です。老人保健法が成立する以前は、老人医療と医療以外の保健事業については老人福祉法に規定されていました。しかし、老人保健法の成立により、これらの規定が老人福祉法から削除され、老人保健法に移行されました。そして老人保健法において新たに定められた老人医療については有料とされ、これにより老人医療費支給制度による老人医療費無料化が廃止されることになりました。

## （3）高齢者保健福祉サービスの計画的整備

高度経済成長期以降、日本は都市化や過疎化などにより近隣関係の希薄化が進み、地域社会がこれまでもっていた相互扶助機能は弱くなっていきました。また、家族についても、核家族化の進行や女性の社会進出

❷**国民皆保険**
p.74参照

❸**国民皆年金**
p.74参照

❹**石油危機（オイルショック）**
p.29参照

の拡大、扶養意識の変化などにより、家族がになっていた扶養機能が低下していくことになりました。このような状況を受けて、1980年代後半になると、高齢者における地域での生活を支えるために、在宅福祉施策を拡大し、推進させていくことが重要であるとされ、施設福祉の拡張・充実も含め、これを計画的に整備していくことの必要性が指摘されるようになりました。

こうしたなか、1989（平成元）年に高齢者保健福祉推進十か年戦略（ゴールドプラン）が策定されました。このプランは、1990（平成2）年度から1999（平成11）年度までの10か年の保健福祉サービスにおける整備をはかるための計画として定められたものです。

また、ゴールドプランを達成させるために、1990（平成2）年には老人福祉法等の一部を改正する法律（福祉関係八法の改正）が施行され、都道府県と市町村に対して老人保健福祉計画の策定が義務づけられました。なお、この各自治体の老人保健福祉計画において、現行のゴールドプランを大幅に上回る高齢者保健福祉サービス整備の必要性が明らかになったため、1994（平成6）年には新・高齢者保健福祉推進十か年戦略（新ゴールドプラン）が策定され、ゴールドプランにおけるサービス整備目標値が上方修正されることになりました。

その後、1999（平成11）年に、新ゴールドプランが最終年度を迎えたことから、今後5か年間の高齢者保健福祉施策の方向（ゴールドプラン21）が策定されました。

## 2 介護保険法制定までの高齢者保健福祉

### （1）介護保険法の制定

ゴールドプランが策定されて以降、高齢者保健福祉サービスにおける供給体制についての整備が進められていきました。そして、1990年代半ばごろになると、老人福祉法と老人保健法による制度そのものがかかえる構造的な問題が指摘されるようになりました。

具体的には、1994（平成6）年に旧・厚生省のなかに高齢者介護・自立支援システム研究会が設置され、「新たな高齢者介護システムの構築を目指して」と題する報告書が提出されました。そのなかで、老人福祉法が採用する措置制度[5]は、行政機関である市町村がサービスの必要性を判断し、決定するしくみであるため、利用者がサービスを選択できな

[5] 措置制度
p.77参照

いことや、このしくみのもとではサービス事業者間の競争原理がはたらかないことなどが指摘されました。また、老人保健法についても、**社会的入院**❻の問題を取り上げ、老人医療が介護を必要とする高齢者をカバーしており、医療の枠組みのなかでは日常生活に対する十分なケアを行えていないことなどが言及されました。さらにこの報告書では、社会保険方式による新たな高齢者介護システム（**介護保険制度**）を創設することが提案されました。そしてこれをもとに、1997（平成9）年に**介護保険法**が成立し、2000（平成12）年4月に施行されることになりました。

❻社会的入院
社会的入院とは、医学的には入院の必要がないにもかかわらず、家庭の事情や地域での受け皿がないために病院で生活をしている状態。

### （2）利用者主体のためのしくみの創設

介護保険制度が創設されたことにより、これまで老人福祉法のもとで**措置**というしくみで提供されていた福祉サービスが、**契約**によって提供されることになりました。「契約」は、サービス利用者とサービス事業者が対等な関係で契約を結び、サービスを利用するしくみです。しかし、このような契約のしくみを導入するにあたっては、自己決定能力が低下している者などの**権利擁護**をはかるなど、契約制度を補完するしくみを設けることも必要になりました。

こうしたしくみについては、**社会福祉基礎構造改革**❼に関する議論のなかで検討されていきました。この改革のなかで、「契約」のしくみが高齢者分野以外に児童分野や障害者分野に拡大されるとともに、社会福祉事業法が社会福祉法に改称され、苦情解決のしくみや**福祉サービス利用援助事業**❽に関する規定が定められました。

❼社会福祉基礎構造改革
p.77参照

❽福祉サービス利用援助事業
判断能力が不十分な人を対象として、福祉サービスを利用するうえでの援助を行う事業であり、成年後見制度を補完するしくみとして位置づけられている。

## 3 介護保険制度の下における高齢者保健福祉

### （1）「2015年の高齢者介護」報告書にみる　　　高齢者保健福祉制度の課題

介護保険制度が施行して3年後の2003（平成15）年に、厚生労働省老健局長の私的研究会である高齢者介護研究会が「**2015年の高齢者介護——高齢者の尊厳を支えるケアの確立に向けて**」という報告書を発表しました。

この報告書のなかで、要介護高齢者および要支援高齢者の増加が高齢者数の伸びを上回る勢いで増加しており、とりわけ軽度の者の増加がい

ちじるしいことや、当時においては認知症ケアが発展途上にあったこと、要介護高齢者の生活をできる限り継続して支えるためにはさまざまな支援が継続的かつ包括的に提供される地域包括ケアシステムの確立が必要であることなどが指摘されました[1]。

その後、これらの指摘をふまえ、2005（平成17）年に介護保険制度は介護予防を重視したシステムへと転換をはかるため新予防給付が創設され、さらに中重度の要介護状態や認知症となっても、可能な限り住み慣れた環境のなかでそれまでと変わらない生活を送ることができるようにするために、新たなサービス体系として、地域密着型サービスが創設されるなどの改正が行われました。

そしてこれ以降、前述の報告書がきっかけとなって、地域包括ケアシステムの構築をはかることが高齢者保健福祉における政策課題として位置づけられるようになり、介護保険制度を含むさまざまな制度の改正がそれにもとづいた方向で行われていくことになります。

## （2）認知症施策の動向

わが国における認知症施策については、包括的な計画を策定する必要性が高まり、2012（平成24）年に「認知症施策推進5か年計画（オレンジプラン）」が定められました。その後、2015（平成27）年に「認知症の人の意思が尊重され、できる限り住み慣れた地域のよい環境で自分らしく暮らし続けることができる社会」[2]の実現をはかることをねらいとして「認知症施策推進総合戦略（新オレンジプラン）――認知症高齢者等にやさしい地域づくりに向けて」が策定されました。

そして、2019（令和元）年には、この新オレンジプランの考えをさらに進めるかたちで、「認知症施策推進大綱」が閣議決定されました。この大綱では、団塊の世代が75歳以上となる2025（令和7）年までを対象期間として、認知症になっても地域で安心して暮らせる「共生」と、認知症の発症や進行を遅らせる「予防」を車の両輪として施策を進めることをかかげています。また、①普及啓発・本人発信支援、②予防、③医療・ケア・介護サービス・介護者への支援、④認知症バリアフリーの推進・若年性認知症の人への支援・社会参加支援、⑤研究開発・産業促進・国際展開の5つの柱を定め、これに沿って施策を推進していくとしています。

## 2 人口の高齢化と高齢者保健福祉

### 1 日本の高齢化の状況

#### (1) 日本の高齢化の特徴

　高齢化をあらわす指標として、**高齢化率**があります。高齢化率は、総人口に占める65歳以上の人口割合によって算出されます。

　そして高齢化率7％を超えた社会を**高齢化社会**、高齢化率14％を超えた社会を**高齢社会**、高齢化率21％を超えた社会を**超高齢社会**と呼びます。日本は、1970（昭和45）年に高齢化率が7％を超え[3]、高齢化社会となり、1994（平成6）年には高齢化率が14％を超え[4]、高齢社会となっています。また、2007（平成19）年には高齢化率が21％を超え[5]、すでに超高齢社会に突入しており、2019（令和元）年の高齢化率は28.4％となっています[6]。

　このように日本の高齢化率は、すでに高い水準にありますが、今後の推移についてみると、2036（令和18）年には33.3％、2040（令和22）年には35.3％、2065（令和47）年には38.4％と、今後さらに高齢化が進むことが予想されています[7]。

#### (2) 地域ごとにみた高齢化の状況

　すでにみてきたように、日本の高齢化は高い水準にあり、今後その傾向はより加速していくと予想されています。しかし、こうした傾向は全国で一律にみられるのではなく、地域によってその強弱は異なります。

　そこで、地域ごとの状況をとらえるために、都道府県ごとの高齢化率についてみていきます。まず、2019（令和元）年時点での高齢化率の高い都道府県についてみると、もっとも高いのは秋田県（37.2％）となり、次いで高知県（35.2％）、島根県と山口県（34.3％）と続きます[8]。また、高齢化率の低い都道府県については、もっとも低いのは沖縄県（22.2％）となり、次いで東京都（23.1％）、愛知県（25.1％）と続きます[9]。この都道府県別でみた高齢化の状況からいえることは、都市部あるいはその近郊の地域における高齢化率が低い状況にあることがわかります。

## 2 介護問題と高齢者保健福祉

　ここでは日本における世帯の状況についてみていきます。まず、65歳以上の者のいる世帯の世帯構造についてみると、三世代世帯は1986（昭和61）年に44.8％あったものが2019（令和元）年に9.4％まで減少しているのに対して、単独世帯は13.1％から28.8％に増加しています（図4－1）。また、夫婦のみの世帯についても同様に、18.2％であったものが32.3％に増加しています（図4－1）。このように、日本における65歳以上の者のいる世帯の状況は、世帯人員数が減少傾向にあり、単独世帯と夫婦のみの世帯が増加傾向にあります。

　こうした傾向は、要介護者または要支援者（以下、要介護者等）のいる世帯においても同様にみられます。具体的には表4－1をみるとわかるように、2001（平成13）年と2019（令和元）年を比較してみると、三世代世帯は32.5％から12.8％に減少しているのに対して、単独世帯は15.7％から28.3％、夫婦のみの世帯は18.3％から22.2％に増加しています。

　また、介護者の年齢について目を向けてみると、2019（令和元）年の時点で、65歳以上の高齢者が65歳以上の高齢者を介護する**老老介護**については59.7％、老老介護のうち75歳以上の後期高齢者が後期高齢者を介護する場合については33.1％となっており、その割合は増加傾向にあります（図4－2）。

　このように介護を必要とする高齢者における世帯の状況は、世帯人員数の減少により、家族介護者にのしかかる介護負担は重くなる傾向にあり、さらに介護者の年齢も高くなる傾向にあることから、その負担はよりいっそう重いものとなっているといえます。家族介護者の負担については、約7割の人が精神的・肉体的に限界を感じているとする調査結果[10]もあり、いかに家族介護者に対する支援を行うかが大きな課題となっています。

第1節 高齢者保健福祉の動向

### 図4-1 65歳以上の者のいる世帯の世帯構造の年次推移

| 年次 | 単独世帯 | 夫婦のみの世帯 | 親と未婚の子のみの世帯 | 三世代世帯 | その他の世帯 |
|---|---|---|---|---|---|
| 1986（昭和61）年 | 13.1 | 18.2 | 11.1 | 44.8 | 12.7 |
| '89（平成元） | 14.8 | 20.9 | 11.7 | 40.7 | 11.9 |
| '92（ 4） | 15.7 | 22.8 | 12.1 | 36.6 | 12.8 |
| '95（ 7） | 17.3 | 24.2 | 12.9 | 33.3 | 12.2 |
| '98（ 10） | 18.4 | 26.7 | 13.7 | 29.7 | 11.6 |
| 2001（ 13） | 19.4 | 27.8 | 15.7 | 25.5 | 11.6 |
| '04（ 16） | 20.9 | 29.4 | 16.4 | 21.9 | 11.4 |
| '07（ 19） | 22.5 | 29.8 | 17.7 | 18.3 | 11.7 |
| '10（ 22） | 24.2 | 29.9 | 18.5 | 16.2 | 11.2 |
| '13（ 25） | 25.6 | 31.1 | 19.8 | 13.2 | 10.4 |
| '16（ 28） | 27.1 | 31.1 | 20.7 | 11.0 | 10.0 |
| '17（ 29） | 26.4 | 32.5 | 19.9 | 11.0 | 10.2 |
| '18（ 30） | 27.4 | 32.3 | 20.5 | 10.0 | 9.8 |
| '19（令和元） | 28.8 | 32.3 | 20.0 | 9.4 | 9.5 |

注：1）1995（平成7）年の数値は、兵庫県を除いたものである。
　　2）2016（平成28）年の数値は、熊本県を除いたものである。
　　3）「親と未婚の子のみの世帯」とは、「夫婦と未婚の子のみの世帯」及び「ひとり親と未婚の子のみの世帯」をいう。
出典：厚生労働省「令和元年 国民生活基礎調査の概況」p.4

### 表4-1 要介護者等のいる世帯の世帯構造の構成割合の年次推移

（単位：%）

| 年次 | 総数 | 単独世帯 | 核家族世帯 | （再掲）夫婦のみの世帯 | 三世代世帯 | その他の世帯 | （再掲）高齢者世帯 |
|---|---|---|---|---|---|---|---|
| 2001（平成13）年 | 100.0 | 15.7 | 29.3 | 18.3 | 32.5 | 22.4 | 35.3 |
| '04（ 16） | 100.0 | 20.2 | 30.4 | 19.5 | 29.4 | 20.0 | 40.4 |
| '07（ 19） | 100.0 | 24.0 | 32.7 | 20.2 | 23.2 | 20.1 | 45.7 |
| '10（ 22） | 100.0 | 26.1 | 31.4 | 19.3 | 22.5 | 20.1 | 47.0 |
| '13（ 25） | 100.0 | 27.4 | 35.4 | 21.5 | 18.4 | 18.7 | 50.9 |
| '16（ 28） | 100.0 | 29.0 | 37.9 | 21.9 | 14.9 | 18.3 | 54.5 |
| '19（令和元） | 100.0 | 28.3 | 40.3 | 22.2 | 12.8 | 18.6 | 57.1 |

注：2016（平成28）年の数値は、熊本県を除いたものである。
出典：厚生労働省「令和元年 国民生活基礎調査の概況」p.23

図4-2 要介護者等と同居のおもな介護者の年齢組合せ別の割合の年次推移

注：2016（平成28）年の数値は、熊本県を除いたものである。
出典：厚生労働省「令和元年 国民生活基礎調査の概況」p.26を一部改変

# 3 高齢者の健康保持と社会参加

## 1 高齢者の健康

### （1）平均寿命と健康寿命

　日本において長寿化が進み、**平均寿命**が延びていることは広く知られるようになってきています。平均寿命については、2020（令和2）年において男性81.64歳、女性87.74歳となっています[11]。そしてこれを2001（平成13）年のデータと比較してみると、当時の平均寿命は男性78.07歳、女性84.93歳である[12]ことから、男性が3.57歳、女性が2.81歳、平均寿命が延びていることがわかります。

　また一方で、要介護状態や寝たきりの状態となることなく、日常生活を差し障りなく過ごすことのできる期間を**健康寿命**と呼びます。そしてこの健康寿命については、2016（平成28）年において男性72.14歳、女性74.79歳となっており[13]、これを同年における平均寿命と比較すると男性8.84歳、女性12.35歳の差が生じていることがわかります。こうした平均寿命と健康寿命の差については、日常生活に制限が生じる期間といえます。

　つまり、平均寿命を延ばすことだけでなく、これと同時に健康寿命も

延ばしていき、平均寿命と健康寿命の差を縮めることが重要であり、この点については日本における高齢者保健福祉施策の大きな課題となっています。2013（平成25）年度から2022（令和4）年度までの国民における健康づくり運動を推進するために策定されている「21世紀における第二次国民健康づくり運動（健康日本21（第二次））」においても指摘されています。

### （2）高齢者における健康に関する意識

内閣府が2017（平成29）年に行った「高齢者の健康に関する調査」によると、健康状態について「良い」「まあ良い」と答えた者の割合は52.3％と半数を超えます[14]。さらに、これに「普通」と回答した者を合わせると81.9％となります[15]。

また、高齢者の日常生活全般の意識を把握するために内閣府が2014（平成26）年に行った「高齢者の日常生活に関する意識調査」によると、高齢者における「将来の日常生活への不安」として、「自分や配偶者の健康や病気のこと」が67.6％ともっとも多く、次いで「自分や配偶者が寝たきりや身体が不自由になり介護が必要な状態になること」が59.9％、「生活のための収入のこと」が33.7％と続きます[16]。この調査結果からは、高齢者における日常生活において、健康に関する問題は大きな関心事であり、これを保持することが高齢者の生活にとっていかに重要であるかがわかります。

さらに、健康という概念については、WHO（World Health Organization：世界保健機関）が「身体的、精神的及び社会的に良好な状態であり、単に疾病又は病弱ではないということではない」[17]と定義しているように、ただ単に病気でないということではなく、精神的側面や社会的側面も含めて判断していくことが重要です。

## 2 高齢者の社会参加

内閣府が2013（平成25）年に行った「高齢者の地域社会への参加に関する意識調査」より、高齢者の社会参加の状況についてみると、2013（平成25）年度においては61.0％の高齢者が何らかのグループ活動に参加していることが報告されています[18]。また、1993（平成5）年度に行われた同調査結果では、当時の高齢者におけるグループ活動への参加が

42.3%であるとされており、この両者を比較してみると、高齢者におけるグループ活動への参加は、20年間で18.7%増加していることがわかります[19]。

また、総務省が行った「社会生活基本調査」より、年齢別におけるボランティア活動を行った人の割合（行動者率）をみると、2006（平成18）年では、65歳から69歳が31.1%、70歳から74歳が30.0%、75歳以上が19.4%となっています[20]。また、2016（平成28）年においては、65歳から69歳が29.8%、70歳から74歳が30.0%、75歳以上が20.0%となっており[21]、2006（平成18）年時点からの10年間では変化が認められないという結果となっています。また、2006（平成18）年におけるすべての年齢を含めたボランティア活動の行動者率の平均値が26.2%[22]、2016（平成28）年では26.0%[23]であることから、高齢者のボランティア参加率は、10年前も現在も、相対的に高いといえます。

さらに、高齢者の就業状況についてみると、65歳以上の者の就業者数は2020（令和2）年時点において906万人となっており、17年連続で前年よりも増加しています[24]。また、高齢者の就業率についても2007（平成19）年において19.7%であったのに対し、2020（令和2）年は25.1%と増加しています[25]。

以上のように、日本において、多くの高齢者が何らかの社会参加の機会をえているわけですが、この社会参加については、高齢者の生きがいをもたらすことや要介護状態におちいるリスクを軽減させるといった介護予防につながることが知られています。平均寿命と健康寿命とのあいだに差が生じていることについては、すでにみてきたところですが、高齢者の社会参加をうながすことは、この両者の差を縮めることにつながっていきます。1人でも多くの高齢者が、それぞれに合った形で社会参加できる社会をつくり上げていくことが、今日の高齢者保健福祉において求められています。

# 4 高齢者保健福祉における今日的課題と展望

## 1 介護離職

　総務省が行った「平成29年就業構造基本調査」によると、働きながら介護をしている雇用者は、約299万9000人となっています[26]。また、過去1年間（2016（平成28）年10月〜2017（平成29）年9月）に介護・看護のため前職を離職した者は約9万9000人であることが報告されています[27]。そして、このような家族の介護もしくは看護を理由に仕事を辞めてしまう状況は**介護離職**と呼ばれ、近年、日本において大きな課題となっています。

　上述した、働きながら介護をしている雇用者の年齢構成をみると、40歳から59歳の割合が6割を占めています[28]。このことから、親の介護に直面することの多い年代である40歳から59歳が相対的に介護離職におちいりやすいリスクが高いことがうかがえます。

　また、2012（平成24）年度に、介護を理由に正社員の仕事を辞めた40歳代から50歳代を対象に行われた「仕事と介護の両立に関する労働者アンケート調査」では、介護を理由として離職したあとの変化として、肉体面の負担、精神面の負担、経済面の負担の3つを取り上げ、それぞれの負担の変化をみています[29]。その結果、肉体面の負担については56.6％、精神面の負担は64.9％、経済面の負担は74.9％の者が負担が増えたと回答していることが報告されています。

　このように介護離職の問題は、介護に対する身体面の負担や精神面の負担の問題だけでなく、その影響は経済面にまで派生し、介護が長引くことで、貧困状態におちいってしまうことが心配されます。さらに中高年が多いことから、介護が一段落したあとも年齢の問題により、再就職がむずかしくなる点や、社会全体からみて労働力の減少につながる点などが課題とされています。

## 2 介護離職問題の解決に向けて

　介護離職問題に対する対応策として、介護休業・介護休暇を取得しや

すくすることや、長時間労働を是正することなど、働きやすい職場環境の整備があげられます。介護と仕事を両立させるための取り組みとしては、**育児休業、介護休業等育児又は家族介護を行う労働者の福祉に関する法律（育児・介護休業法）**が設けられています。この制度により、介護のためにまとまった休みをとることができる（93日間が上限）**介護休業**❾や、長期間休むのではなく、1時間単位で休暇の取得ができる**介護休暇**❿といったしくみが定められています。また、所定外労働の免除制度も設けられており、労働者が勤務先に残業の免除を求めることのできる権利なども定められています。

さらに介護離職の問題を解消するためには、働きやすい職場環境を整えるだけでなく、介護サービスを必要なときに受けることのできる環境を整備することも必要です。しかし、介護サービスの量を確保するためには、同時に介護のにない手である人材の確保も重要な問題となってきます。介護の人材については、厚生労働省は2025（令和7）年に243万人が必要であるとしており、2019（令和元）年度の介護職員数と比べると、32万人不足しており、年に5.3万人ずつ増やす必要があるとしています[30]。介護人材を確保するための方策としては、新たな人材を介護の現場に呼びこむことも重要ですが、介護の現場での定着率を高め、離職率を下げていくことが必要です。そのために処遇改善として介護福祉職の賃金アップをはかる取り組みや、将来展望をもって働きつづけることができるようにするためにキャリアパスを構築・普及させる取り組みが進められています。また、介護の負担を減らし、効率性を高めるために、介護ロボットやICT（Information and Communication Technology：情報通信技術）を活用する取り組みも進められています。

質の高い介護人材を育てつつ、だれもが働きやすい職場環境を整備していくために、こうした取り組みをよりいっそう推進していくことが、今後も求められます。

---

❾**介護休業**
労働者が、要介護状態（負傷、疾病または身体上もしくは精神上の障害により、2週間以上にわたり常時介護を必要とする状態）にある対象家族を介護するための休業をいう。

❿**介護休暇**
労働者が、要介護状態にある対象家族の介護その他の世話を行うための休暇をいう。ここでいう「その他の世話」とは、対象家族の通院等のつきそい、対象家族が介護サービスの提供を受けるために必要な手続きの代行、その他の対象家族にとって必要な世話をいう。

◆ 引用文献

1) 高齢者介護研究会「2015年の高齢者介護──高齢者の尊厳を支えるケアの確立に向けて」2003年
2) 厚生労働省ほか「認知症施策推進総合戦略（新オレンジプラン）──認知症高齢者等にやさしい地域づくりに向けて」p.1、2015年
3) 総務省統計局「人口推計」（我が国の推計人口（大正9年～平成12年））
4) 総務省統計局「人口推計」（長期時系列データ（平成12年～27年））
5) 同上
6) 総務省統計局「人口推計」（令和元年10月1日現在）
7) 国立社会保障・人口問題研究所「日本の将来推計人口（平成29年推計）」（出生中位・死亡中位推計）2017年
8) 前出6)
9) 前出6)
10)「本紙全国アンケート　在宅介護2割が『殺意』疲れ果て『一緒に死のう』　7割『限界感じた』」『毎日新聞』2016年4月4日付朝刊
11) 厚生労働省「令和2年簡易生命表」
12) 厚生労働省「平成13年簡易生命表」
13) 厚生労働省編『厚生労働白書　令和2年版』p.17、2020年
14) 内閣府「平成29年　高齢者の健康に関する調査結果」
15) 同上
16) 内閣府「平成26年度　高齢者の日常生活に関する意識調査結果」
17) 島内憲夫編訳・解説、鈴木美奈子訳書評『ヘルスプロモーション──WHO：オタワ憲章』垣内出版、pp.112-113、2013年
18) 内閣府「平成25年度　高齢者の地域社会への参加に関する意識調査結果」
19) 同上
20) 総務省「平成18年社会生活基本調査の結果」
21) 総務省「平成28年社会生活基本調査の結果」
22) 前出20)
23) 前出21)
24) 総務省統計局「労働力調査」（長期時系列データ）
25) 同上
26) 総務省「平成29年就業構造基本調査」
27) 同上
28) 同上
29) 三菱UFJリサーチ＆コンサルティング「平成24年度仕事と介護の両立に関する実態把握のための調査研究事業報告書」（平成24年度厚生労働省委託調査）、2013年
30) 厚生労働省「第8期介護保険事業計画に基づく介護職員の必要数について」2021年

# 第2節 高齢者保健福祉に関連する法体系

## 学習のポイント
- 高齢者保健福祉に関連する法体系の概要について学ぶ
- 高齢者保健福祉に関連する各法律の役割について学ぶ

**関連項目** ③『介護の基本Ⅰ』▶第1章「介護福祉の基本となる理念」

## 1 高齢社会対策基本法

### 1 高齢者保健福祉に関連する法体系と高齢社会対策基本法

　日本の高齢化については、諸外国と比較して、3つの「S」を特徴とすることが指摘されています[1]。1つ目は、スピード（Speed）が速いということです。高齢化率7％の高齢化社会の状態から14％の高齢社会にいたるまでの所要年数についてみると、日本は24年で到達していますが、フランスは115年、スウェーデンは85年、オーストラリアは73年、アメリカは72年です。2つ目は、高齢化のスケール（Scale）が大きいということです。わが国における高齢化率については本章第1節で、2060年代に30％台後半まで到達すると予想されていることを示しましたが、これは諸外国と比べてもトップクラスの高い水準となっています。3つ目は、シニア（Senior）が多いということです。ここで示すシニアとは後期高齢者をさします。後期高齢者の人口は、2020（令和2）年において1872万人ですが、2055（令和37）年には2446万人に増加することが予測されています[2]。また、日本の平均寿命は、男性、女性ともに国際的にみてトップクラスであることが知られています。

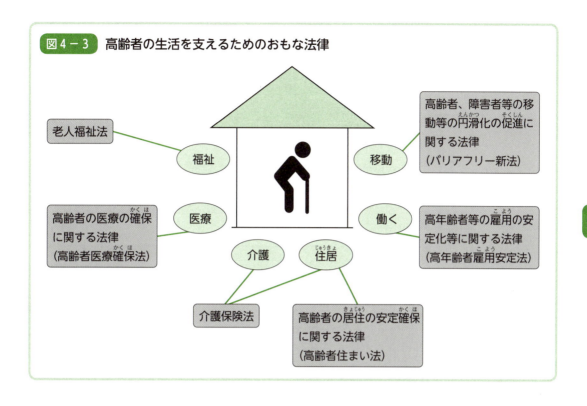

図4-3 高齢者の生活を支えるためのおもな法律

　このように、日本の高齢化は急速に進んでおり、国際的に類をみない水準の高齢化率の高い社会が到来することが予想されています。そうした高齢化への対応をはかり、高齢者が安心して暮らすことのできる社会を実現するためには、医療や福祉といった対応だけでなく、就労なども含む高齢者の社会参加をうながすことや、よりよい生活環境を整備していくことなどが求められます。今日では、高齢者の生活を支えるために種々の法律が定められています。その代表的なものを取り上げてみると、図4-3のようなものがあります。

　1995（平成7）年に成立した高齢社会対策基本法は、高齢社会対策における基本理念を示すことや、高齢社会対策の基本的施策を定めることにより、図4-3の法制度を含む高齢社会対策を総合的に推進していく役割をになっています。

## 2 高齢社会対策基本法の概要

　高齢社会対策基本法では、日本において展開されるさまざまな高齢社会対策がふまえるべき基本理念を第2条で示しています。

> **高齢社会対策基本法**
>
> （基本理念）
> **第2条** 高齢社会対策は、次の各号に掲げる社会が構築されることを基本理念として、行われなければならない。
> 一 国民が生涯にわたって就業その他の多様な社会的活動に参加する機会が確保される公正で活力ある社会
> 二 国民が生涯にわたって社会を構成する重要な一員として尊重され、地域社会が自立と連帯の精神に立脚して形成される社会
> 三 国民が生涯にわたって健やかで充実した生活を営むことができる豊かな社会

同法第3条では、国は基本理念にのっとり、高齢社会対策を総合的に策定し、実施する責務があることを定めるとともに、第4条では地方公共団体に対しても、基本理念にのっとったうえで国と協力しつつ、高齢社会対策を実施する責務があることを定めています。さらに第5条では、国民に対してもみずからの高齢期において健やかで充実した生活を営めるよう努めることを求めるなどの努力すべき事項を定めています。

同法第6条では、政府が推進すべき基本的かつ総合的な高齢社会対策の指針を示す「高齢社会対策大綱」を定めなければならない旨が規定されています。この「高齢社会対策大綱」は、1996（平成8）年に定められ、その後2001（平成13）年、2012（平成24）年、2018（平成30）年に改定されています。

2018（平成30）年に改定された「高齢社会対策大綱」では、高齢社会対策基本法が示す第2条の基本理念が示す社会の構築に向け、①「年齢による画一化を見直し、全ての年代の人々が希望に応じて意欲・能力をいかして活躍できるエイジレス社会を目指す」、②「地域における生活基盤を整備し、人生のどの段階でも高齢期の暮らしを具体的に描ける地域コミュニティを作る」、③「技術革新の成果が可能にする新しい高齢社会対策を志向する」、といった3つの基本的考え方を示したうえで、就業・所得、健康・福祉、学習・社会参加、生活環境などの6つの分野での指針を示しています。

次項では、高齢者保健福祉においてとくに重要な法律として、老人福祉法と高齢者の医療の確保に関する法律（高齢者医療確保法）についてみていきます。介護保険法については本章第3節を、バリアフリー新

法・高年齢者雇用安定法・高齢者住まい法については第6章第4節を参照してください。

## 2 老人福祉法

### 1 老人福祉法に規定される2つの性格

**老人福祉法**は、本章第1節でみたように、1963（昭和38）年に制定されました。この法律は、第1条において「この法律は、老人の福祉に関する原理を明らかにするとともに、老人に対し、その心身の健康の保持及び生活の安定のために必要な措置を講じ、もって老人の福祉を図ることを目的とする」と定められています。

ここからわかるように、老人福祉法は、①高齢者の福祉に関する原理を明らかにすること、②高齢者に対し、その心身の健康の保持および生活の安定のために必要な措置を講じること、の2つの性格をもち合わせた法律となっています。

### 2 老人福祉法における事業および施設

老人福祉法において規定される事業として、**老人居宅生活支援事業**が定められています（法第5条の2）。この事業には、老人居宅介護等事業、小規模多機能型居宅介護事業、認知症対応型老人共同生活援助事業、複合型サービス福祉事業、老人デイサービス事業、老人短期入所事業の6つが含まれます（表4-2）。

また、老人福祉法において規定される施設として、**老人福祉施設**が定められています（法第5条の3）。この施設は、老人デイサービスセンター、老人短期入所施設、養護老人ホーム、特別養護老人ホーム、軽費老人ホーム、老人福祉センター、老人介護支援センターの7施設が含まれます（表4-2）。

さらに法第29条第1項では、**有料老人ホーム**についても規定されています（表4-2）。

このように老人福祉法では、措置の対象となる老人居宅生活支援事業、

## 表4-2 老人福祉法における事業および施設

| 事業および施設 | | 内容 | 老人福祉法にもとづく措置 |
|---|---|---|---|
| 老人居宅生活支援事業 | 老人居宅介護等事業 | 居宅において入浴、排泄、食事等の介護その他の日常生活を営むのに必要な便宜であって厚生労働省令で定めるものを供与する事業を行う | ○ |
| | 小規模多機能型居宅介護事業 | 心身の状況、置かれている環境等に応じて、「居宅」において、または「サービスの拠点に通わせ」、もしくは「短期間宿泊」させ、入浴、排泄、食事等の介護、機能訓練等を供与する事業を行う | ○ |
| | 認知症対応型老人共同生活援助事業 | グループホーム等、共同生活を営むべき住居において入浴、排泄、食事等の介護その他の日常生活上の援助を行う事業を行う | ○ |
| | 複合型サービス福祉事業 | 「小規模多機能型居宅介護事業」と「訪問看護」等の複数のサービスを組み合わせて提供する事業 | ○ |
| 老人福祉施設 7施設 | 老人デイサービス事業（老人デイサービスセンター） | 特別養護老人ホームその他の厚生労働省令で定める施設等に通わせ、入浴、排泄、食事等の介護、機能訓練、介護方法の指導その他の厚生労働省令で定める便宜を供与する事業を行う | ○ |
| | 老人短期入所事業（老人短期入所施設） | 特別養護老人ホームその他の厚生労働省令で定める施設に短期間入所させ、養護する事業を行う | ○ |
| | 養護老人ホーム | 65歳以上で、環境上の理由および経済的理由により居宅において養護を受けることが困難な人を入所させ、養護するとともに、必要な援助を行う施設 | ○ |
| | 特別養護老人ホーム | 65歳以上で、身体上または精神上著しい障害があるために常時の介護を必要とし、かつ居宅において介護を受けることが困難な人を入所させ、養護する施設 | ○ |
| | 軽費老人ホーム | 60歳以上の人に、無料または低額な料金で、食事の提供その他日常生活上必要な便宜を提供する施設 | |
| | 老人福祉センター | 無料または低額な料金で、老人に関する各種の相談に応ずるとともに、老人に対して、健康の増進、教養の向上およびレクリエーションのための便宜を総合的に提供する施設 | |
| | 老人介護支援センター | 老人・介護者・地域住民等からの相談に応じ、必要な助言を行うとともに、関係機関との連絡調整その他の援助を総合的に行う施設 | |
| その他 | 有料老人ホーム | 老人を入居させ、入浴、排泄もしくは食事の介護、食事の提供またはその他の日常生活上必要な便宜を提供する施設（老人福祉施設、認知症対応型老人共同生活援助事業を行う住居等ではないもの） | |

出典：いとう総研資格取得支援センター編『見て覚える！社会福祉士国試ナビ2022』中央法規出版、pp.86-87、2021年を一部改変

養護老人ホーム、特別養護老人ホーム以外の施設も設けられています。

## 3 老人福祉計画

老人福祉法では、市町村および都道府県に対して、老人福祉計画を定めるよう求めています（法第20条の8、法第20条の9）。このうち、市町村が定める計画を**市町村老人福祉計画**、都道府県が定める計画を**都道府県老人福祉計画**と呼びます。

市町村老人福祉計画については、老人居宅生活支援事業と老人福祉施設による事業をあわせた「老人福祉事業」の供給体制を確保することを内容とする計画であり、老人福祉事業における量の目標を定めるとともに、これを確保するための方策についても定めるよう努めなければならないとされています（法第20条の8第1項～第3項）。

また、都道府県老人福祉計画については、市町村老人福祉計画の達成を支援するために、各市町村に共通する広域的な観点から老人福祉事業の供給体制を確保することを内容とする計画となっています（法第20条の9第1項）。具体的な内容としては、養護老人ホームと特別養護老人ホームの必要入所定員総数その他の老人福祉事業の量の目標を定めることのほか、老人福祉施設の整備および相互連携のための措置に関する事項や老人福祉事業に従事する者の確保および資質向上のための措置に関する事項を定めるよう努めなければならないとされています（法第20条の9第2項・第3項）。

## 3 高齢者の医療の確保に関する法律

### 1 高齢者の医療の確保に関する法律の概要

従来、日本における高齢者の医療は、1982（昭和57）年に制定された**老人保健法**によってになわれてきました。しかし、高齢化が進行するなかで、国民皆保険体制を堅持し、医療制度を持続可能なものにするために、2008（平成20）年4月から老人保健法は**高齢者の医療の確保に関する法律（高齢者医療確保法）**に全面的に改められました。

高齢者医療確保法は、その目的について、次のように定められています。

> **高齢者医療確保法**
> （目的）
> **第1条** この法律は、国民の高齢期における適切な医療の確保を図るため、医療費の適正化を推進するための計画の作成及び保険者による健康診査等の実施に関する措置を講ずるとともに、高齢者の医療について、国民の共同連帯の理念等に基づき、前期高齢者に係る保険者間の費用負担の調整、後期高齢者に対する適切な医療の給付等を行うために必要な制度を設け、もって国民保健の向上及び高齢者の福祉の増進を図ることを目的とする。

つまり、この制度は高齢期における医療制度に関する規定だけでなく、高齢期における適切な医療の確保を図るための医療費の適正化に関する規定も定めているのです。

医療費の適正化に関する具体的な内容としては、厚生労働大臣が**全国医療費適正化計画**を定め（法第8条第1項）、都道府県が**都道府県医療費適正化計画**を定めることを規定しています（法第9条第1項）。また、**全国健康保険協会**❶や**健康保険組合**❷、都道府県および市町村などの保険者に対し、40歳以上の加入者を対象にメタボリックシンドロームの予防と改善を目的とした**特定健康診査**の実施およびその結果にもとづく**特定保健指導**を行うことを義務づけることが定められています（法第20条、法第24条）。

高齢期における医療制度については、75歳以上の**後期高齢者**を対象とする規定と65歳以上75歳未満の**前期高齢者**を対象とする規定の2つが定められています。前者については、詳しくは後述することになりますが、75歳以上の高齢者（65歳以上75歳未満の一定の障害の状態にある人を含む）を対象とする独立した保険制度である**後期高齢者医療制度**を設けています。また、後者については、後期高齢者医療制度のように独立した保険制度を設けるのではなく、退職者の多くが**国民健康保険**❸に加入することで、国民健康保険と被用者保険との間で医療費の負担に不均衡が生じることから、これを解消するための負担調整をはかるしくみとして前期高齢者医療制度が定められています。

❶全国健康保険協会
p.93参照

❷健康保険組合
p.93参照

❸国民健康保険
p.93参照

## 2 後期高齢者医療制度の概要

**後期高齢者医療制度**は、都道府県単位ですべての市町村が加入する**後期高齢者医療広域連合（広域連合）**を運営主体としており、①広域連合内に住所がある75歳以上の者、②65歳以上75歳未満の者で一定の障害の状態にあると広域連合から認定を受けた者を対象としています。

そして、この制度における窓口負担割合は、原則として1割負担となっていますが、所得に応じて**2割負担**❹もしくは**3割**負担となっています。さらに、後期高齢者医療制度の財源は、高齢者の保険料が約1割となっており、現役世代からの支援金（後期高齢者支援金）が約4割、公費が約5割（国：都道府県：市町村＝4：1：1）で構成されています（図4－4）。

❹ 2割負担
2022（令和4）年10月1日から2023（令和5）年3月1日までのあいだにおいて政令で定める日から窓口負担割合として2割負担が導入される予定である。

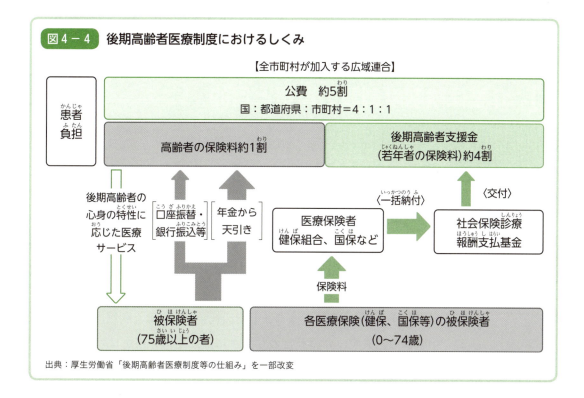

図4－4 後期高齢者医療制度におけるしくみ

出典：厚生労働省「後期高齢者医療制度等の仕組み」を一部改変

---

◆ 引用文献

1) 岡村清子「エイジング社会学」岡村清子・長谷川倫子編『テキストブック エイジングの社会学』日本評論社、pp.12-43、1997年
2) 内閣府編『高齢社会白書 令和3年版』p.4、2021年

第 3 節

# 介護保険制度

**学習のポイント**
- 介護保険制度がなぜつくられたのか背景と目的を理解する
- 介護保険制度を運営するしくみや現在の動向を理解する
- 介護保険制度を支える組織や団体、専門職を理解する

| 関連項目 | | |
|---|---|---|
| | ③『介護の基本Ⅰ』 | ▶第1章第2節「介護福祉の歴史」 |
| | ④『介護の基本Ⅱ』 | ▶第2章第2節「生活を支えるフォーマルサービス（社会的サービス）とは」 |
| | ⑩『介護総合演習・介護実習』 | ▶第4章「実習先の特徴、実習先での学び」 |

## 1 介護保険制度創設の背景と目的

### 1 介護保険制度はなぜつくられたのか

　**介護保険制度**とは、介護が必要となる状態になっても安心して生活を送ることができるよう、**社会保険**❶のしくみを用いて、社会全体で介護が必要な人を支える制度です。日本では、2000（平成12）年4月に医療保険、年金保険、労働者災害補償保険（労災保険）、雇用保険に続く5番目の社会保険として始まりました。社会保険とは、病気、老齢、仕事中の事故、失業、介護などのリスクに備えて、あらかじめ保険料を支払っておき、自分がリスクを受けた際には給付を受けるしくみです。

　このような社会保険のしくみを用いた介護保険制度がつくられた背景には、次のようなことがあげられます。

　まず、介護を受ける側からみると、総人口に占める高齢者の割合が高くなる高齢化が進んだことにともなう①介護が必要な高齢者の増加や、平均寿命が延びたことによる長寿化にともなう②介護を必要とする期間の長期化など、介護ニーズの増大が理由としてあげられます。

❶社会保険
p.84参照

第 3 節　介護保険制度

表 4 − 3　65歳以上の高齢者における要介護・要支援認定者数の年次推移

(千人)

| 年度 | 2003<br>(平成15) | 2004<br>(平成16) | 2005<br>(平成17) | 2006<br>(平成18) | 2007<br>(平成19) | 2008<br>(平成20) | 2009<br>(平成21) | 2010<br>(平成22) | 2011<br>(平成23) |
|---|---|---|---|---|---|---|---|---|---|
| 認定者数 | 3,704 | 3,943 | 4,175 | 4,251 | 4,378 | 4,524 | 4,696 | 4,907 | 5,150 |

| 年度 | 2012<br>(平成24) | 2013<br>(平成25) | 2014<br>(平成26) | 2015<br>(平成27) | 2016<br>(平成28) | 2017<br>(平成29) | 2018<br>(平成30) | 2019<br>(令和元) |
|---|---|---|---|---|---|---|---|---|
| 認定者数 | 5,457 | 5,691 | 5,918 | 6,068 | 6,187 | 6,282 | 6,453 | 6,558 |

資料：厚生労働省「介護保険事業状況報告（年報）」より筆者作成

　その一方で、介護を行う側からみると、介護が必要な人を支える家族の状況の変化が理由としてあげられます。たとえば、③**核家族化**❷の進行により、それまで介護を支えてきた家族がいっしょに暮らさなくなったこと、④介護する家族の高齢化、などです。

　以下では、これらのことについて現在の状況と照らし合わせてみてみましょう。

❷**核家族化**
核家族（夫婦のみ、夫婦と未婚の子のみまたはひとり親と未婚の子のみからなる家族）が増えること。

## （1）介護が必要な高齢者の増加

　高齢者が増えていくと、それにともなって介護が必要な人も増加していきます。表 4 − 3 は、介護が必要な65歳以上の高齢者の数（要介護・要支援認定者数）の年次推移です。介護保険制度が始まったばかりの2003（平成15）年度末は介護が必要な人が370万4000人だったものが、2019（令和元）年度末で655万8000人となっており、16年間で285万4000人も増えたことになります。このように、当時の段階で、ますます介護が必要な人が増加していくことが予測されたことから、介護保険制度はつくられました。これが、介護保険制度がつくられた背景の 1 つ目です。

## （2）介護を必要とする期間の長期化

　高齢者の長寿化により、介護を必要とする期間も長くなりました。そのことを示したのが図 4 − 5 です。65歳以上の高齢者の介護を必要とする期間は、 1 年以上 3 年未満が22.3％ともっとも多く、次いで 3 年以上 5 年未満が16.2％、 5 年以上10年未満が13.8％となっています。さら

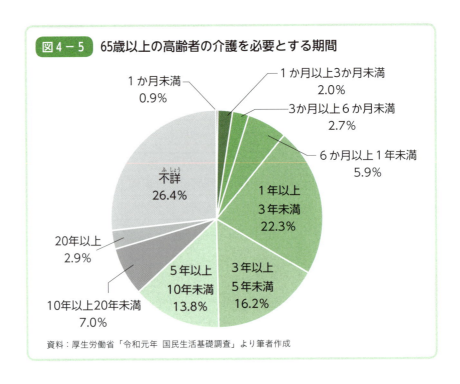

に、10年以上になる高齢者も9.9％いることがわかります。介護を必要とする期間が1年以上にわたる高齢者が半数以上となり、なかには10年以上になる高齢者もいることから介護を必要とする期間が長期化していることがわかります。このように、当時の段階で、介護を必要とする期間が長くなっていくことが予測されたことから、介護保険制度はつくられました。これが、介護保険制度がつくられた背景の2つ目です。

### （3）核家族化の進行

　核家族化の進行により、それまで介護を支えてきた子どもの家族がいっしょに暮らす世帯が少なくなりました。**表4－4**は、65歳以上の者のいる世帯のうち、子どもといっしょに暮らさない世帯の割合、つまり、単独世帯と夫婦のみの世帯を合わせた割合を示したものです。1980（昭和55）年には26.9％だったものが、1995（平成7）年には41.5％と40％を超え、2005（平成17）年には51.2％と50％を超えました。そして、2015（平成27）年には57.8％となっています。このように、以前は子どもがいっしょに暮らして介護を支えていましたが、現在では、65歳以上の者のいる世帯のうち、半数以上の世帯が、子どもといっしょに暮らさなくなっていることがわかります。つまり、今まで介護を支えてき

### 表4-4 65歳以上の者のいる世帯のうち子どもといっしょに暮らさない世帯の割合

| 1980<br>(昭和55)年 | 1985<br>(昭和60)年 | 1990<br>(平成2)年 | 1995<br>(平成7)年 | 2000<br>(平成12)年 | 2005<br>(平成17)年 | 2010<br>(平成22)年 | 2015<br>(平成27)年 |
|---|---|---|---|---|---|---|---|
| 26.9% | 31.1% | 36.3% | 41.5% | 46.8% | 51.2% | 54.1% | 57.8% |

資料：厚生労働省「国民生活基礎調査」より筆者作成

た家族に期待ができなくなったということです。これが、介護保険制度がつくられた背景の3つ目です。

### （4）介護する家族の高齢化

　たとえ介護する家族がいたとしても、その家族自体が高齢化してきています。図4-6は、おもに介護を行っている人（主介護者）の年齢階級を割合でみたものです。もっとも多いのは、60～69歳で30.6％、次いで70～79歳で26.5％、50～59歳で19.6％と続きます。さらに80歳以上も16.2％となっています。このように、介護する家族自体が高齢化してきていることがわかります。当時の段階で、このような介護者自体の高齢化が予測されたことから、介護保険制度はつくられました。これが、介護保険制度がつくられた背景の4つ目です。

　このように、介護が必要な高齢者の増加、介護を必要とする期間の長期化、核家族化の進行、介護する家族の高齢化などを背景に介護保険制度はつくられました。

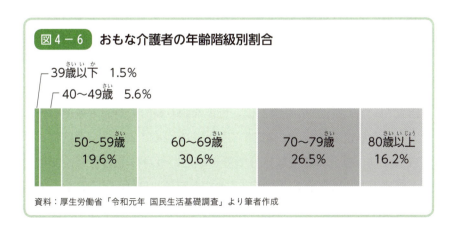

### 図4-6 おもな介護者の年齢階級別割合

- 39歳以下　1.5%
- 40～49歳　5.6%
- 50～59歳　19.6%
- 60～69歳　30.6%
- 70～79歳　26.5%
- 80歳以上　16.2%

資料：厚生労働省「令和元年 国民生活基礎調査」より筆者作成

## 2 介護保険制度の目的

介護保険制度にはどのような目的があるのでしょうか。その目的については、1997（平成9）年に成立し、2000（平成12）年から施行された介護保険法に示されています。

> **介護保険法**
> （目的）
> **第1条** この法律は、加齢に伴って生ずる心身の変化に起因する疾病等により要介護状態となり、入浴、排せつ、食事等の介護、機能訓練並びに看護及び療養上の管理その他の医療を要する者等について、これらの者が尊厳を保持し、その有する能力に応じ自立した日常生活を営むことができるよう、必要な保健医療サービス及び福祉サービスに係る給付を行うため、国民の共同連帯の理念に基づき介護保険制度を設け、その行う保険給付等に関して必要な事項を定め、もって国民の保健医療の向上及び福祉の増進を図ることを目的とする。

この条文から、介護保険制度の目的は、①個人の尊厳の保持、②自立した日常生活の保障、③国民の共同連帯であるということがわかります。では、具体的にどのようなことなのかみていきましょう。

### （1）個人の尊厳の保持

個人の尊厳とは、年齢や障害の有無にかかわらず、だれもが人として個人の価値が尊重される存在であるということです。それは、介護が必要になったとしても変わりません。たとえ介護が必要になったとしても、個人としての価値を失うことなく、その人らしい生活を続けられるようにしていくことが必要です。つまり、介護保険制度は、介護が必要な人でも、1人の個人として尊重されるようにしていくことを目的としています。

### （2）自立した日常生活の保障

❸自立
p.64、p.210参照

自立[❸]した日常生活の保障とは、可能な限り自分の意思で生活の仕方や人生のあり方を選択して決定する生活を支えることです。介護における自立には、自分のことは自分でできるという身体的自立だけではなく、自分のことは自分で決めていくという精神的自立、社会において他者との関係性を築いていくという社会的自立などもあります。介護保険

制度は、介護が必要な人でも、このような自立が行えるようにしていくことを目的としています。

### (3) 国民の共同連帯

　**国民の共同連帯**とは、これまでおもに家族がになってきた介護を社会全体でになっていこうとするものです。これを**介護の社会化**といいます。介護の社会化とは、高齢期に介護が必要となることはだれにでも起こりうることであり、家族のみに介護の負担を負わせるのではなく、社会全体の共通課題として、社会全体でになっていこうとするものです。介護保険制度は、国民全員が介護保険料としてお金を出し合い、介護が必要な人については、介護サービスを受けられるようにし、社会全体で支え合うことを目的としています。

## 2　介護保険制度のしくみの基本的理解

### 1　介護保険制度における保険者と被保険者

#### (1) 介護保険制度を運営する保険者は市町村

　社会保険では、保険のしくみを運営する組織を**保険者**❹といいます。では、介護保険制度における保険者はどこでしょうか。それは**市町村**または東京都の**特別区**（以下、市町村）です。みなさんが住んでいる市町村が保険者として介護保険制度を運営しているのです。

　市町村が保険者となった理由は、介護の課題は地域ごとで異なるため、地域ごとの特徴を反映できるしくみが求められたからです。ただし、小規模な市町村では安定した運営ができないことから、**広域連合**❺や**一部事務組合**❻という近隣の市町村で共同して運営することもあります（一部事務組合は、同一の事務をもち寄って共同処理するのに対して、広域連合は、異なる事務（多角的な事務）の処理を通じて広域的な行政目的を達成することができる点が異なります）。

#### (2) 介護保険制度に加入する人は被保険者

　社会保険では、保険に加入する人のことを**被保険者**❼といいます。被

---

❹**保険者**
一般的には、保険契約により保険金を支払う義務を負い、保険料を受ける権利を有する者をいう。

❺**広域連合**
多様化した広域行政需要に対応するとともに、国等からの権限や事務の受け皿を整備する目的で、1995（平成7）年6月から施行されている制度のこと。都道府県、市町村および特別区で構成される。

❻**一部事務組合**
都道府県、市町村および特別区が、同一の事務をもち寄って共同で処理するもの。

❼**被保険者**
保険料を支払い、保険事故が生じたときに保険給付の対象となる者をいう。

**表4-5　介護保険制度における被保険者**

|  | 第1号被保険者 | 第2号被保険者 |
|---|---|---|
| 加入対象者 | 65歳以上 | 40歳以上65歳未満 |
| 加入条件 | 市町村内に住所があること | 市町村内に住所があること<br>医療保険に加入していること |

　保険者は保険に加入することで、社会保険料という費用を支払うことになります。では、どのような人が被保険者になるのでしょうか。介護保険制度における被保険者を示したのが表4-5です。介護保険制度では、65歳以上を第1号被保険者、40歳以上65歳未満を第2号被保険者としています。つまり、原則として、40歳以上の人は被保険者として介護保険制度に加入することになります。

　このように40歳以上を被保険者とした理由は、介護が必要となる可能性が40歳くらいから高くなるのはもちろん、そのほかに、40歳以上になると自分の親も高齢者となり、介護を必要とする可能性が高くなると考えられたからです。つまり、自分の介護のほかに、自分の親の介護のためにも保険料を支払うということになります。

### （3）被保険者になるための条件

　被保険者になるための条件は、市町村内に住所があることです（表4-5）。そのほかに、第2号被保険者については、医療保険に加入していることも条件となります（表4-5）。基本的には住所がある市町村の被保険者となりますが、施設に入所または入居している人については、施設がある市町村に住所を変更しても、変更前の住所があった市町村の被保険者となります。これを住所地特例といい、対象となる施設を住所地特例対象施設[8]といいます。

❽住所地特例対象施設
介護保険施設（p.181参照）、特定施設（p.160参照）、老人福祉法の措置で入所する養護老人ホーム（p.132参照）のこと。

❾保険給付
保険事故が発生した場合に、被保険者に支給される金銭や提供されるサービス・物品をいう。介護保険制度では介護サービスをさす。

## 2　介護保険制度の介護保険料

### （1）介護保険料の決め方

　介護保険制度の被保険者は、介護保険料を支払うことで介護保険の保険給付[9]を受けることができます。保険料を滞納すると、滞納した期間に

よって保険給付が**償還払い**[10]になったり、一時差止めになったりします。

では、被保険者が支払う介護保険料はどのようにして決められるのでしょうか。介護保険制度において介護保険料は、第1号被保険者と第2号被保険者で決め方が異なります。

第1号被保険者の場合は、保険者（市町村）ごとに介護保険料が決められます。各保険者は介護保険料の基準額を示し、前年度の所得に応じて**表4－6**のとおり原則9段階で設定します。所得が高い人は基準額より高くなり、所得が低い人は基準額より低くなります。これに対して、第2号被保険者の場合は、まず厚生労働省が全国平均の1人あたりの負担額を計算します。この1人あたりの負担額にもとづいて、医療保険の保険者が介護保険料を決定します。第2号被保険者の保険料については、2017（平成29）年の介護保険制度の改正により、各医療保険者の加

[10] 償還払い
利用者がサービスの費用をいったん全額支払い、あとから自己負担分を除いた額について保険者から払戻しを受けること。

### 表4－6 第1号被保険者の保険料率

| 段階 | 対象者 | 保険料 |
|---|---|---|
| 第1段階 | ・生活保護受給者<br>・市町村民税世帯非課税かつ老齢福祉年金受給者<br>・市町村民税世帯非課税かつ本人年金収入等80万円以下 | 基準額×0.5 |
| 第2段階 | 市町村民税世帯非課税かつ本人年金収入等80万円超120万円以下 | 基準額×0.75 |
| 第3段階 | 市町村民税世帯非課税かつ本人年金収入等120万円超 | 基準額×0.75 |
| 第4段階 | 本人が市町村民税非課税（世帯に課税者がいる）かつ本人年金収入等80万円以下 | 基準額×0.9 |
| 第5段階 | 本人が市町村民税非課税（世帯に課税者がいる）かつ本人年金収入等80万円超 | 基準額×1.0 |
| 第6段階 | 本人が市町村民税課税かつ合計所得金額120万円未満 | 基準額×1.2 |
| 第7段階 | 本人が市町村民税課税かつ合計所得金額120万円以上210万円未満 | 基準額×1.3 |
| 第8段階 | 本人が市町村民税課税かつ合計所得金額210万円以上320万円未満 | 基準額×1.5 |
| 第9段階 | 本人が市町村民税課税かつ合計所得金額320万円以上 | 基準額×1.7 |

※上記表は標準的な段階。市町村が条例により課税層についての区分数を弾力的に設定できる。なお、保険料率はどの段階においても市町村が設定できる。
※公費の投入により平成27年4月から、第1段階について基準額×0.05の範囲内で軽減強化を行い、更に令和元年10月から第1段階について基準額×0.15、第2段階について基準額×0.25、第3段階について基準額×0.05の範囲内での軽減強化を実施。

出典：厚生労働省「厚生労働白書 令和3年版」（資料編）、p.231、2021年を一部改変

入者数に応じた負担から、報酬額に比例した負担に移行しています。

## (2) 介護保険料の徴収

次に、このように決められた介護保険料はどのようにして集められるのでしょうか。介護保険料の集め方も、第1号被保険者と第2号被保険者で異なります。第1号被保険者の場合は、年金額が一定額（年額18万円）以上の人は、介護保険制度の保険者によって年金から天引きされます。このように年金から天引きされることを**特別徴収**といいます。それ以外の人については、介護保険の保険者が納入通知書を送付し、市役所や金融機関などで納付する**普通徴収**となります。

これに対して、第2号被保険者の場合は、介護保険制度の保険者が直接集めるのではなく、医療保険制度の保険者が医療保険料とあわせて徴収します。医療保険制度の保険者は、医療保険料といっしょに徴収した介護保険料（介護給付費・地域支援事業支援納付金という）を**社会保険診療報酬支払基金**[11]に納めて、社会保険診療報酬支払基金が介護保険制度の保険者に介護給付費交付金を交付します。このように、第2号被保険者の介護保険料は、医療保険制度を通じて介護保険制度の保険者に渡ります。

## 3 介護保険制度の財源

### (1) 介護保険制度の運営に必要な費用

保険者が制度を運営するのに必要な費用を財源といいます。では、介護保険制度の財源はどのようになっているのでしょうか。介護保険制度の財源は、**公費（税金）**と**介護保険料**で支えられています。介護保険制度の財源の特徴は、前述の介護保険料だけではなく、公費が投入されていることです。

介護保険制度の保険給付の財源は、公費が50％、介護保険料が50％と2分の1ずつ負担します。さらに、公費は、国、都道府県、市町村で負担の割合が異なり、介護保険料は3年ごとに第1号被保険者と第2号被保険者の人口比率で負担割合が変わります。では、具体的にどのような割合で負担しているのかみていきましょう。

---

[11] **社会保険診療報酬支払基金**
社会保険診療報酬支払基金法にもとづき、健康保険法等の規定による療養の給付およびこれに相当する給付の費用について、診療担当者から提出された診療報酬請求書を審査し、診療報酬の迅速適正な支払いを行うことを目的に設立された法人。各都道府県に1か所ずつ事務所をもつ。

## （2）介護保険制度の財源の負担割合

　まず、介護保険制度の保険給付の財源のうち、公費50％の内訳は、**居宅サービス**⑫などの費用にあたる**居宅給付費**と施設サービス⑬などの費用にあたる**施設等給付費**で異なります。

　居宅給付費については、国が25％、都道府県が12.5％、市町村が12.5％を負担しています（**図4-7**）。一方で、施設等給付費については、国が20％、都道府県が17.5％、市町村が12.5％を負担しています（国が5％低く、都道府県が5％高くなっています）（**図4-7**）。

　国の負担分のうち5％については、保険者ごとに介護保険制度の財源を調整する費用となる調整交付金となっています。この5％の調整交付金は、財源が厳しい保険者には多めに給付され、財源に余裕のある保険者には少なめに給付されます。

　介護保険料50％の内訳は、2021（令和3）年度からの3年間は、第1号被保険者が23％、第2号被保険者が27％となっています（**図4-7**）。介護保険料は、**表4-7**のとおり、3年ごとに第1号被保険者と第2号被保険者の人口比率で負担する割合が決められます。介護保険制度が始まった2000（平成12）年度からの3年間は、第1号被保険者が17％、第2号被保険者が33％の負担割合でしたが、3年ごとに第1号被保険者の保険料は1％ずつ上がり、第2号被保険者の保険料は1％ずつ下がって

⑫居宅サービス
　p.159参照

⑬施設サービス
　p.162参照

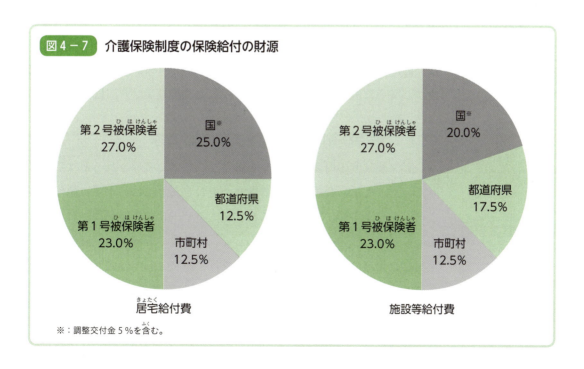

図4-7　介護保険制度の保険給付の財源

居宅給付費
- 第2号被保険者 27.0％
- 国※ 25.0％
- 都道府県 12.5％
- 市町村 12.5％
- 第1号被保険者 23.0％

施設等給付費
- 第2号被保険者 27.0％
- 国※ 20.0％
- 都道府県 17.5％
- 市町村 12.5％
- 第1号被保険者 23.0％

※：調整交付金5％を含む。

表4-7 公費と保険料の負担割合

| | 公費 | 保険料 | |
|---|---|---|---|
| | | 第1号被保険者 | 第2号被保険者 |
| 2000（平成12）年度～ | 50% | 17% | 33% |
| 2003（平成15）年度～ | 50% | 18% | 32% |
| 2006（平成18）年度～ | 50% | 19% | 31% |
| 2009（平成21）年度～ | 50% | 20% | 30% |
| 2012（平成24）年度～ | 50% | 21% | 29% |
| 2015（平成27）年度～ | 50% | 22% | 28% |
| 2018（平成30）年度～ | 50% | 23% | 27% |
| 2021（令和3）年度～ | 50% | 23% | 27% |

います（2021（令和3）年度からの3年間は、2018（平成30）年度からの3年間から変更ありません）。

また、介護保険制度では保険給付以外に、**地域支援事業**[14]が行われます。この地域支援事業のうち、**介護予防・日常生活支援総合事業**[15]（総合事業）については、国が25%、都道府県が12.5%、市町村が12.5%、第1号被保険者が23%、第2号被保険者が27%を負担しています（図4-8）。地域支援事業のうち、**包括的支援事業**[16]と**任意事業**[17]については、国が38.5%、都道府県が19.25%、市町村が19.25%、第1号被保険者が23%を負担し、第2号被保険者の負担はありません（図4-8）。

### （3）介護保険制度の財源を支えるしくみ

介護保険制度の財源は、必ずしもバランスよく確保されるとは限りません。たとえば、介護保険料の徴収が思いどおりにはいかずに悪化することもありますし、予想をはるかに超えるサービス量が利用されることもあります。このような事態によって、保険者の介護保険制度の財源が不足した場合に、資金の交付や貸付を行う基金として**財政安定化基金**があります。財政安定化基金は、都道府県が設置することになっており、財源は、国、都道府県、市町村が3分の1ずつ出し合っています。このように、介護保険制度では、保険者の介護保険の財政が悪化しないよう

[14] **地域支援事業**
p.166参照

[15] **介護予防・日常生活支援総合事業**
p.168参照

[16] **包括的支援事業**
p.169参照

[17] **任意事業**
p.170参照

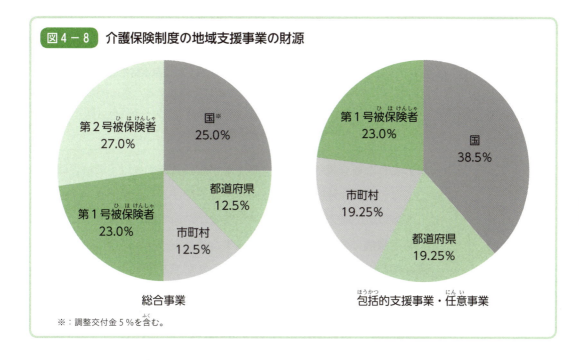

図4-8 介護保険制度の地域支援事業の財源

※：調整交付金5％を含む。

に支えるしくみが整っています。

## 4 介護保険制度における保険給付

### （1）介護保険制度におけるリスクの発生と保険給付の関係

　社会保険では、リスクの発生に対して給付を行います。これを**保険給付**といいます。介護保険制度におけるリスクの発生とは、**要介護状態**または**要支援状態**になることです。では、要介護状態または要支援状態とは、どのような状態のことをいうのでしょうか。介護保険法では、次のように示されています。

> **介護保険法**
> （定義）
> **第7条**　この法律において「要介護状態」とは、身体上又は精神上の障害があるために、入浴、排せつ、食事等の日常生活における基本的な動作の全部又は一部について、**厚生労働省令で定める期間**[18]にわたり継続して、常時介護を要すると見込まれる状態であって、その介護の必要の程度に応じて厚生労働省令で定める区分（以下「要介護状態区分」という。）のいずれかに該当するもの（要支援状態に該当するものを除く。）をいう。
> 2　この法律において「要支援状態」とは、身体上若しくは精神上の障害があるために入浴、排せつ、食事等の日常生活における基本的な動作の全部若し

[18] **厚生労働省令で定める期間**

6か月である。ただし、第2号被保険者については、要介護状態の原因である障害ががんによって生じたもので余命が6か月に満たないと判断される場合は、死亡までのあいだ。

⑲ 厚生労働省令で定める期間

6か月である。ただし、第2号被保険者については、要支援状態の原因である障害ががんによって生じたもので余命が6か月に満たないと判断される場合は、死亡までのあいだ。

くは一部について**厚生労働省令で定める期間**⑲にわたり継続して常時介護を要する状態の軽減若しくは悪化の防止に特に資する支援を要すると見込まれ、又は身体上若しくは精神上の障害があるために**厚生労働省令で定める期間**⑲にわたり継続して日常生活を営むのに支障があると見込まれる状態であって、支援の必要の程度に応じて厚生労働省令で定める区分（以下「要支援状態区分」という。）のいずれかに該当するものをいう。

このような要介護状態または要支援状態にある40歳以上の被保険者については、介護保険制度による保険給付を受けることができます。ただし、40歳以上65歳未満の第2号被保険者については、表4－8に示した16の特定疾病によって、要介護状態または要支援状態になった場合のみ介護保険制度による保険給付を受けることができます。

### 表4－8 介護保険制度における特定疾病

1. がん（医師が一般的に認められている医学的知見に基づき回復の見込みがない状態に至ったと判断したものに限る）
2. 関節リウマチ
3. 筋萎縮性側索硬化症
4. 後縦靱帯骨化症
5. 骨折を伴う骨粗鬆症
6. 初老期における認知症（法第5条の2第1項に規定する認知症※をいう）
7. 進行性核上性麻痺、大脳皮質基底核変性症及びパーキンソン病
8. 脊髄小脳変性症
9. 脊柱管狭窄症
10. 早老症
11. 多系統萎縮症
12. 糖尿病性神経障害、糖尿病性腎症及び糖尿病性網膜症
13. 脳血管疾患
14. 閉塞性動脈硬化症
15. 慢性閉塞性肺疾患
16. 両側の膝関節又は股関節に著しい変形を伴う変形性関節症

※：「法第5条の2第1項に規定する認知症」とは、アルツハイマー病その他の神経変性疾患、脳血管疾患その他の疾患（特定の疾患に分類されないものを含み、せん妄、鬱病その他の厚生労働省令で定める精神疾患を除く）により日常生活に支障が生じる程度にまで認知機能が低下した状態のことである。

## （2）要介護状態・要支援状態を決める要介護認定・要支援認定

　介護保険制度では、保険給付を受けるためには要介護状態あるいは要支援状態であるかの判定を受ける必要があります。これを**要介護認定・要支援認定**といいます。要介護認定・要支援認定では、要介護状態あるいは要支援状態であるかどうかについて、要介護1から要介護5までの

#### 表4-9　要介護状態区分・要支援状態区分ごとの状態の目安

| 状態区分 | | 区分別状態像 |
|---|---|---|
| 要支援状態区分 | 要支援1 | 居室の掃除や身のまわりの世話の一部に何らかの介助（見守りや手助け）を必要とする。立ち上がりや片足での立位保持などの複雑な動作に何らかの支えを必要とすることがある。排泄や食事はほとんど自分1人でできる。 |
| | 要支援2 | 要介護1相当の人のうち、以下の状態像に該当しない人<br>①疾病や外傷等により、心身の状態が安定していない状態<br>②認知機能や思考・感情等の障害により、十分な説明を行っても、予防給付の利用にかかる適切な理解が困難である状態<br>③その他、心身の状態は安定しているが、予防給付の利用が困難な身体の状況にある状態 |
| 要介護状態区分 | 要介護1 | 身だしなみや居室の掃除などの身のまわりの世話に何らかの介助（見守りや手助け）を必要とする。立ち上がりや片足での立位保持などの複雑な動作に何らかの支えを必要とする。歩行や両足での立位保持などの移動の動作に何らかの支えを必要とすることがある。排泄や食事はほとんど自分1人でできる。問題行動や理解の低下がみられる。 |
| | 要介護2 | 身だしなみや居室の掃除などの身のまわりの世話の全般に何らかの介助（見守りや手助け）を必要とする。立ち上がりや片足での立位保持などの複雑な動作に何らかの支えを必要とする。歩行や両足での立位保持などの移動の動作に何らかの支えを必要とする。排泄や食事に何らかの介助（見守りや手助け）を必要とすることがある。問題行動や理解の低下がみられることがある。 |
| | 要介護3 | 身だしなみや居室の掃除などの身のまわりの世話が自分1人でできない。立ち上がりや片足での立位保持などの複雑な動作が自分1人でできない。歩行や両足での立位保持などの移動の動作が自分でできないことがある。排泄が自分1人でできない。いくつかの問題行動や全般的な理解の低下がみられることがある。 |
| | 要介護4 | 身だしなみや居室の掃除などの身のまわりの世話がほとんどできない。立ち上がりや片足での立位保持などの複雑な動作がほとんどできない。歩行や両足での立位保持などの移動の動作が自分1人ではできない。排泄がほとんどできない。多くの問題行動や全般的な理解の低下がみられることがある。 |
| | 要介護5 | 身だしなみや居室の掃除などの身のまわりの世話がほとんどできない。立ち上がりや片足での立位保持などの複雑な動作がほとんどできない。歩行や両足での立位保持などの移動の動作がほとんどできない。排泄や食事がほとんどできない。多くの問題行動や全般的な理解の低下がみられることがある。 |

5区分、要支援1と要支援2の2区分の7区分で判定されます。要介護状態あるいは要支援状態にあてはまらない場合には、非該当と判定されます。

要介護1から要介護5までの5区分を**要介護状態区分**（要介護度）と、要支援1と要支援2の2区分を**要支援状態区分**（要支援度）といいます。それぞれの区分の状態についてまとめたものが**表4-9**となります。

### （3）介護保険制度における保険給付の種類

では、介護保険制度における保険給付には、どのような種類があるのでしょうか。介護保険制度の保険給付には、要介護状態区分の被保険者に給付される**介護給付**と、要支援状態区分の被保険者に給付される**予防給付**の2つがあります。さらに、市町村が独自で行う保険給付として**市町村特別給付**[20]があります。市町村特別給付には、**支給限度額**[21]に市町村が独自で上乗せを行う「上乗せサービス」と、介護給付や予防給付のほかに独自のサービスを設ける「横出しサービス」があります。

また、介護保険制度の保険給付は、サービス内容によって、①**居宅**[22]の利用者に給付される**居宅サービスと介護予防サービス**、②居宅の利用者に給付される①以外のサービス、③**介護保険施設**[23]に入所した利用者に給付される**施設サービス**、④原則としてサービスを提供する事業所の

---

[20] **市町村特別給付**
要介護状態・要支援状態の被保険者に対し、市町村が条例により独自に定める保険給付。財源は原則として第1号被保険者の保険料によりまかなわれる。例として、移送サービス、給食配達サービス、寝具乾燥サービスなどがあげられる。

[21] **支給限度額**
介護保険制度の保険給付として1か月に利用できる介護サービスの限度額のこと。要介護状態区分・要支援状態区分の区分ごとに異なる。

[22] **居宅**
自宅以外に、養護老人ホーム、軽費老人ホーム、有料老人ホームにおける居室を含む。

[23] **介護保険施設**
p.181参照

---

**表4-10　居宅の利用者に給付されるサービス**

| 介護給付 | | 予防給付 | |
|---|---|---|---|
| 居宅サービス | ①訪問介護<br>②訪問入浴介護<br>③訪問看護<br>④訪問リハビリテーション<br>⑤居宅療養管理指導<br>⑥通所介護<br>⑦通所リハビリテーション<br>⑧短期入所生活介護<br>⑨短期入所療養介護<br>⑩特定施設入居者生活介護<br>⑪福祉用具貸与<br>⑫特定福祉用具販売 | 介護予防サービス | ①介護予防訪問入浴介護<br>②介護予防訪問看護<br>③介護予防訪問リハビリテーション<br>④介護予防居宅療養管理指導<br>⑤介護予防通所リハビリテーション<br>⑥介護予防短期入所生活介護<br>⑦介護予防短期入所療養介護<br>⑧介護予防特定施設入居者生活介護<br>⑨介護予防福祉用具貸与<br>⑩特定介護予防福祉用具販売 |

ある市町村に住む利用者に利用が限られる地域密着型サービスと地域密着型介護予防サービスに分けられます。

介護給付と予防給付ごとに、サービスの種類で分類したサービス一覧が表4－10～表4－13です。

**表4－11　居宅の利用者に給付されるその他のサービス**

| 介護給付 | 予防給付 |
|---|---|
| ①居宅介護住宅改修<br>②居宅介護支援 | ①介護予防住宅改修<br>②介護予防支援 |

**表4－12　介護保険施設に入所した利用者に給付されるサービス**

| | 介護給付 | 予防給付 |
|---|---|---|
| 施設サービス | ①介護老人福祉施設<br>②介護老人保健施設<br>③介護医療院<br>④介護療養型医療施設※ | |

※：介護療養型医療施設は、2024（令和6）年3月31日に廃止される予定である。

**表4－13　事業所のある市町村に住む利用者に利用が限られるサービス**

| | 介護給付 | | 予防給付 |
|---|---|---|---|
| 地域密着型サービス | ①定期巡回・随時対応型訪問介護看護<br>②夜間対応型訪問介護<br>③地域密着型通所介護<br>④認知症対応型通所介護<br>⑤小規模多機能型居宅介護<br>⑥認知症対応型共同生活介護<br>⑦地域密着型特定施設入居者生活介護<br>⑧地域密着型介護老人福祉施設入所者生活介護<br>⑨看護小規模多機能型居宅介護（複合型サービス） | 地域密着型介護予防サービス | ①介護予防認知症対応型通所介護<br>②介護予防小規模多機能型居宅介護<br>③介護予防認知症対応型共同生活介護 |

## 5 介護保険制度における利用者負担

　介護保険制度における保険給付は、無料で受けられるわけではありません。保険給付を利用した場合、利用者は介護保険サービスの利用にかかった費用の1割を原則として自己負担します。ただし、前年度の所得が一定以上ある場合は、2割もしくは3割の自己負担となります。このように保険給付に対して、自己負担がある理由は、サービスを利用する人とサービスを利用しない人の公平性をはかるためやサービスには費用がかかることを利用者に意識してもらうためです。

　また、介護保険制度では、利用者が無制限にサービスを利用して保険給付を受けることがないように、保険給付の費用の上限となる支給限度額を設けています。支給限度額は要介護度ごとで異なり、表4-14のとおりとなっています。この要介護度に応じた支給限度額内で1割（2割もしくは3割）を利用者が自己負担します。ただし、この支給限度額は、居宅サービスや地域密着型サービス（居宅療養管理指導や入居・入所して利用するサービスを除く）を利用する場合に適用されるものであり、施設サービスの利用については適用されません。また、利用者負担の軽減として、同一世帯の1か月の自己負担の合計額が一定の額を超えた場合、超えた分の額が申請により戻ってくる高額介護サービス費や、

### 表4-14　介護保険制度の区分支給限度基準額

| 要介護度 | 限度額 |
|---|---|
| 要支援1 | 5,032単位 |
| 要支援2 | 10,531単位 |
| 要介護1 | 16,765単位 |
| 要介護2 | 19,705単位 |
| 要介護3 | 27,048単位 |
| 要介護4 | 30,938単位 |
| 要介護5 | 36,217単位 |

注1：1単位は基本10円で計算される。
　2：1単位の単価は、事業所や施設のある地域区分やサービスの種類によって異なる。

世帯内で1年間の介護保険と医療保険の自己負担の合計額が一定の額を超えた場合、超えた分の額が申請により戻ってくる**高額医療合算介護サービス費**などが設けられています。なお、支給限度額を超えて利用した場合は、全額自己負担となります。

## 6 介護保険サービスの利用手続き

保険給付による介護保険サービスの利用手続きは、どのようになるのでしょうか。介護保険サービスの利用手続きは、**図4-9**のとおりとなり、①市町村に申請する、②認定調査を受ける、③要介護認定・要支援認定を受ける、④要介護認定・要支援認定の結果の通知を受ける、⑤**ケアプラン（介護サービス計画）**[24]を作成するというおもに5つの過程から成ります。では、具体的にみていきましょう。

### （1）市町村に申請する

介護保険サービスを利用するには、まず市町村に要介護認定・要支援認定の申請をする必要があります。この申請は、申請書に必要事項を記入し被保険者証をそえて、担当する課の窓口に提出します。本人に代わって、家族や親族、**居宅介護支援事業者**[25]、**地域密着型介護老人福祉施設**[26]、介護保険施設、**地域包括支援センター**[27]などが申請することも可能です。

### （2）認定調査を受ける

申請が受理されると、市町村から認定調査員が派遣されて**認定調査**が行われます。新規の認定調査の場合は、市町村の職員が行います。しかし、要介護認定・要支援認定を更新する場合や要介護度の変更の認定を受ける場合などについては、ケアプランを作成する指定居宅介護支援事業者や介護保険施設などに市町村が調査を委託することもできます。認定調査は、原則として1名の認定調査員が日ごろの状況を把握できる場所に訪問して実施します。

認定調査は、全国共通の調査票を用いて行われます。調査票の内容は、「概況調査」「基本調査」「特記事項」の3つで構成されています。このうち基本調査については、次の要介護認定・要支援認定における一次判定に直接影響するものとなります。基本調査は、「身体機能・起居

---

[24] **ケアプラン（介護サービス計画）**
居宅サービスや地域密着型サービスを利用する場合に作成する「居宅サービス計画」、施設サービスを利用する場合に作成する「施設サービス計画」、介護予防サービスや地域密着型介護予防サービスを利用する場合に作成する「介護予防サービス計画」をいう。

[25] **居宅介護支援事業者**
p.181参照

[26] **地域密着型介護老人福祉施設**
入所定員が29人以下の特別養護老人ホームであって、地域密着型介護老人福祉施設入所者生活介護（p.163参照）を提供する施設。

[27] **地域包括支援センター**
p.173参照

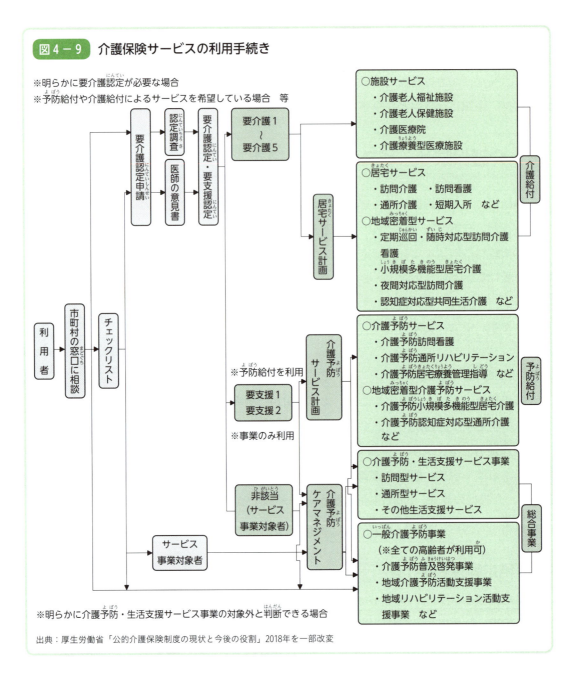

図4-9 介護保険サービスの利用手続き

出典：厚生労働省「公的介護保険制度の現状と今後の役割」2018年を一部改変

動作」「生活機能」「認知機能」「精神・行動障害」「社会生活への適応」「特別な医療」「日常生活自立度」に関連する項目の7群から構成されています（表4-15）。また、各群には**特記事項**を記入する欄があり、特別に記載することがあれば記入できるようになっています。さらに、認定調査と並行して、市町村は、申請者の主治医から**主治医意見書**の提出を求めます。もし、主治医がいない場合は、市町村が指定する医師の診察を受けなくてはなりません。

## 表4-15 要介護認定における認定調査の基本調査項目

| | 個別調査項目 | | 個別調査項目 |
|---|---|---|---|
| 1 身体機能・起居動作に関連する項目 | 1-1 麻痺等の有無 | 3 認知機能に関連する項目 | 3-7 場所の理解 |
| | 1-2 拘縮の有無 | | 3-8 徘徊 |
| | 1-3 寝返り | | 3-9 外出して戻れない |
| | 1-4 起き上がり | 4 精神・行動障害に関連する項目 | 4-1 被害的 |
| | 1-5 座位保持 | | 4-2 作話 |
| | 1-6 両足での立位 | | 4-3 感情が不安定 |
| | 1-7 歩行 | | 4-4 昼夜逆転 |
| | 1-8 立ち上がり | | 4-5 同じ話をする |
| | 1-9 片足での立位 | | 4-6 大声を出す |
| | 1-10 洗身 | | 4-7 介護に抵抗 |
| | 1-11 つめ切り | | 4-8 落ち着きなし |
| | 1-12 視力 | | 4-9 一人で出たがる |
| | 1-13 聴力 | | 4-10 収集癖 |
| 2 生活機能に関連する項目 | 2-1 移乗 | | 4-11 物や衣類を壊す |
| | 2-2 移動 | | 4-12 ひどい物忘れ |
| | 2-3 えん下 | | 4-13 独り言・独り笑い |
| | 2-4 食事摂取 | | 4-14 自分勝手に行動する |
| | 2-5 排尿 | | 4-15 話がまとまらない |
| | 2-6 排便 | 5 社会生活への適応に関連する項目 | 5-1 薬の内服 |
| | 2-7 口腔清潔 | | 5-2 金銭の管理 |
| | 2-8 洗顔 | | 5-3 日常の意思決定 |
| | 2-9 整髪 | | 5-4 集団への不適応 |
| | 2-10 上衣の着脱 | | 5-5 買い物 |
| | 2-11 ズボン等の着脱 | | 5-6 簡単な調理 |
| | 2-12 外出頻度 | 6 特別な医療に関連する項目 | 6 過去14日間に受けた特別な医療 |
| 3 認知機能に関連する項目 | 3-1 意思の伝達 | | |
| | 3-2 毎日の日課を理解 | 7 日常生活自立度に関連する項目 | 7-1 障害高齢者の日常生活自立度（寝たきり度） |
| | 3-3 生年月日を言う | | |
| | 3-4 短期記憶 | | 7-2 認知症高齢者の日常生活自立度 |
| | 3-5 自分の名前を言う | | |
| | 3-6 今の季節を理解する | | |

個別調査項目については、さらに細項目に区分されている。

## （3）要介護認定・要支援認定を受ける

　認定調査の結果は、要介護認定・要支援認定を行うためにコンピューターに入力されます。コンピューターに入力されたデータから要介護認定等基準時間が計算され、要介護認定等基準時間をもとに要介護認定・要支援認定が行われます。これを一次判定といいます。要介護認定等基準時間とは、介護に要する1日の時間として予測される基準となる時間であり、表4-16のとおりとなっています。

　要介護認定・要支援認定は、一次判定だけでは終わりません。この一次判定の結果に、特記事項と主治医意見書をあわせて介護認定審査会に審査判定を求めることになります。これを二次判定といいます。介護認定審査会とは、保険者である市町村に設置され、最終的な要介護認定・要支援認定について審査判定を行う組織です。委員は、保健、医療、福祉に関する学識経験をもった者のなかから市町村長が任命します。介護認定審査会の委員は、要介護状態あるいは要支援状態に該当するかどうか、該当するときには、どの程度の介護が必要であるのか審査判定を行います。

表4-16　一次判定における要介護認定等基準時間

| 要介護度 | 要介護認定等基準時間 |
| --- | --- |
| 自立 | 25分未満 |
| 要支援1 | 25分以上32分未満 |
| 要支援2 | 32分以上50分未満 |
| 要介護1 | |
| 要介護2 | 50分以上70分未満 |
| 要介護3 | 70分以上90分未満 |
| 要介護4 | 90分以上110分未満 |
| 要介護5 | 110分以上 |

## （4）要介護認定・要支援認定の結果の通知を受ける

　市町村は、介護認定審査会の審査判定の結果を受けて、認定あるいは不認定の決定を行います。この決定の通知は、申請日から原則30日以内に行うことになっています。もし、30日を超えてしまう場合は、あらかじめ文書で通知しなくてはなりません。また、この要介護認定・要支援認定の結果については、申請日にさかのぼって有効となります。そのため、原則は、認定を受けてケアプランを作成してからサービス利用となりますが、突然の退院や介護者の急病などで、認定の結果を待つことができない場合は、認定の申請後すぐに暫定的なケアプラン（暫定ケアプラン）を作成し、サービス利用を開始することも可能です。

　なお、要介護認定・要支援認定の有効期間については、**表4-17**のようになります。

　もし、要介護認定・要支援認定の結果に不服がある場合は、都道府県に設置されている**介護保険審査会**[28]に審査請求すること（不服を申し立てること）ができます。審査請求することができるのは、原則として処分があった日の翌日から数えて3か月以内です。

## （5）ケアプランを作成する

　介護保険サービスの利用のためには、利用の前にケアプランを作成する必要があります。では、ケアプランは何のためにだれが作成するのでしょうか。

　ケアプランを作成する目的は、利用者1人ひとりのニーズにあわせた適切な保健・医療・福祉サービスを提供することです。そのために、ケアプランは①利用者のニーズの把握、②援助目標の明確化、③具体的な

[28] **介護保険審査会**
介護保険における保険給付に関する処分（被保険者証の交付の請求に関する処分、要介護認定・要支援認定に関する処分を含む）または保険料等の徴収金に関する処分への不服申立てについて審査する機関。委員は、①被保険者代表委員3人、②市町村代表委員3人、③公益代表委員3人以上で構成され、都道府県知事が任命する。

### 表4-17　要介護認定・要支援認定の有効期間

| 申請区分等 | 原則の認定有効期間 | 設定可能な認定有効期間の範囲 |
|---|---|---|
| 新規申請 | 6か月 | 3〜12か月 |
| 区分変更申請 | 6か月 | 3〜12か月 |
| 更新申請 | 12か月 | 3〜36か月<br>（要介護状態区分・要支援状態区分が変わらない場合は3〜48か月） |

サービスの種類と役割分担の決定、という過程を経て作成されます。

　ケアプランの作成は、自分で行うこともできますが、ケアプランを作成する専門職に作成を依頼することが多いです。ケアプランをだれが作成するのかは、利用する介護保険サービスによって異なります。

　要介護状態にある利用者（以下、要介護者）に給付される介護給付では、①居宅サービスや地域密着型サービスなどを利用する場合には、居宅介護支援事業所の介護支援専門員（ケアマネジャー）によってケアプラン（居宅サービス計画）が、②施設サービスを利用する場合には、介護保険施設の介護支援専門員によってケアプラン（施設サービス計画）が作成されます。ただし、表4－18のように扱われるサービスもあります。

　要支援状態にある利用者（以下、要支援者）に給付される予防給付で

### 表4-18　居宅介護支援事業所の介護支援専門員がケアプランを作成しないサービス

| | |
|---|---|
| 特定施設入居者生活介護 | 事業所の計画作成担当者（専らその職務に従事する介護支援専門員）が特定施設サービス計画を作成する。 |
| 小規模多機能型居宅介護 | 事業所の介護支援専門員が居宅サービス計画を作成する。 |
| 認知症対応型共同生活介護 | 事業所の計画作成担当者（うち1人以上は介護支援専門員）が認知症対応型共同生活介護計画を作成する。 |
| 地域密着型特定施設入居者生活介護 | 施設の計画作成担当者（専らその職務に従事する介護支援専門員）が地域密着型特定施設サービス計画を作成する。 |
| 地域密着型介護老人福祉施設入所者生活介護 | 施設の介護支援専門員が地域密着型施設サービス計画を作成する。 |
| 看護小規模多機能型居宅介護 | 事業所の介護支援専門員が居宅サービス計画を作成する。 |

### 表4-19　地域包括支援センターの職員がケアプランを作成しないサービス

| | |
|---|---|
| 介護予防特定施設入居者生活介護 | 事業所の計画作成担当者（専らその職務に従事する介護支援専門員）が介護予防特定施設サービス計画を作成する。 |
| 介護予防小規模多機能型居宅介護 | 事業所の介護支援専門員が指定介護予防サービス等の利用に係る計画を作成する。 |
| 介護予防認知症対応型共同生活介護 | 事業所の計画作成担当者（うち1人以上は介護支援専門員）が介護予防認知症対応型共同生活介護計画を作成する。 |

は、介護予防サービスや地域密着型介護予防サービスなどを利用する場合に、地域包括支援センターの保健師など介護予防支援に関する知識をもつ者によってケアプラン（介護予防サービス計画）が作成されます。介護予防サービス計画は、地域包括支援センターから委託されている居宅介護支援事業者の介護支援専門員が作成することもあります。ただし、表4-19のように扱われるサービスもあります。

このように、ケアプランを作成して介護保険サービス事業者に利用の申込みを行い、はじめて介護保険サービスを利用することができます。

なお、ケアプランの作成については利用者負担はなく、全額が保険給付されます。

このように介護保険サービスを利用するまでには、おもに5つの過程を経なくてはなりません。しかし、まだ介護が必要ない人でも、介護予防・日常生活支援総合事業（総合事業）については、要介護認定・要支援認定を受けずに、サービスを利用することが可能です。地域包括支援センターなどが実施する「基本チェックリスト」の質問に答えて、一定の基準に該当した人（**事業対象者**[29]）はサービスを利用することができます。

## 7 介護保険サービスの種類と内容

利用者が利用する介護保険サービスには、どのようなものがあるのでしょうか。前掲の表4-10～表4-13のとおり、介護保険サービスは、①居宅の利用者に給付される居宅サービスと介護予防サービス、②居宅の利用者に給付される①以外のサービス、③介護保険施設に入所した利用者に給付される施設サービス、④原則としてサービスを提供する事業所のある市町村に住む利用者に利用が限られる地域密着型サービスと地域密着型介護予防サービス、に分けられます。では、実際にサービスの種類と具体的な内容についてみていきましょう。

### （1）居宅サービス・介護予防サービス

居宅サービスと介護予防サービスは、居宅で生活を送る人を対象とした介護保険サービスです。居宅サービスは12種類のサービスから、介護予防サービスは10種類のサービスから成り立ちます（表4-20）。

[29] 事業対象者
基本チェックリスト該当者ともいう。要介護認定・要支援認定を受けていないが介護が必要になる可能性が高いと見こまれる人のこと。介護予防が必要である65歳以上の高齢者を早期に発見し、介護を必要とする生活を未然に防ぐために25項目のチェックを行う。

## 表4-20 居宅サービス・介護予防サービス一覧

| 介護給付<br>（居宅サービス） | 予防給付<br>（介護予防サービス） | 内容 |
|---|---|---|
| 訪問介護<br>（ホームヘルプサービス）※1 | — | 介護福祉士や訪問介護員（ホームヘルパー）が居宅を訪問して行うサービス。具体的には、入浴・排泄・食事などの直接身体に触れて介助を行う「身体介護」、掃除・洗濯・調理などの家事援助を行う「生活援助」などがある。 |
| 訪問入浴介護 | 介護予防訪問入浴介護 | 看護職員と介護職員が居宅で入浴が困難な利用者の居宅を訪問し、訪問入浴車などで持参した浴槽によって、入浴の介護を行うサービス。 |
| 訪問看護 | 介護予防訪問看護 | 看護師などが疾患のある利用者の居宅を訪問し、主治医の指示にもとづいて療養上の世話や診療の補助を行うサービス。 |
| 訪問リハビリテーション | 介護予防訪問リハビリテーション | 理学療法士、作業療法士、言語聴覚士などが利用者の居宅を訪問し、心身機能の維持回復や日常生活の自立に向けたリハビリテーションを行うサービス。 |
| 居宅療養管理指導 | 介護予防居宅療養管理指導 | 居宅で療養している通院が困難な利用者に対して、医師、歯科医師、看護師、薬剤師、管理栄養士、歯科衛生士などが家庭を訪問し療養上の管理や指導などを行うサービス。 |
| 通所介護<br>（デイサービス）※2 | — | 特別養護老人ホームや老人デイサービスセンターなどに通わせ、入浴・排泄・食事などの介護や日常生活上の世話、機能訓練を日帰りで提供するサービス。利用定員は19人以上。 |
| 通所リハビリテーション | 介護予防通所リハビリテーション | 介護老人保健施設、介護医療院、病院、診療所などに通わせ、日常生活の自立を助けるために理学療法、作業療法などの必要なリハビリテーションを行うサービス。 |
| 短期入所生活介護<br>（ショートステイ） | 介護予防短期入所生活介護 | 特別養護老人ホームや老人短期入所施設などに短期間入所させ、入浴・排泄・食事などの介護や日常生活上の世話、機能訓練を行うサービス。 |
| 短期入所療養介護<br>（ショートステイ） | 介護予防短期入所療養介護 | 介護老人保健施設、介護医療院、病院、診療所などに短期間入所させ、医学的な管理のもとで、介護や機能訓練、医療、日常生活上の世話などを行うサービス。 |
| 特定施設入居者生活介護 | 介護予防特定施設入居者生活介護 | 特定施設（有料老人ホーム、養護老人ホーム、軽費老人ホームであって、地域密着型特定施設でないもの）に入居している利用者に対して、入浴・排泄・食事などの介護や日常生活上の世話、機能訓練、療養上の世話を行うサービス。 |
| 福祉用具貸与 | 介護予防福祉用具貸与 | 福祉用具貸与とは、居宅の利用者に対して、表4-21に示した厚生労働大臣が定める13種類の福祉用具のなかから、必要な福祉用具の貸与（レンタル）を行うサービス。 |
| 特定福祉用具販売 | 特定介護予防福祉用具販売 | 特定福祉用具販売とは、表4-22に示した福祉用具の貸与（レンタル）になじまないものを特定福祉用具として購入費用を保険給付するサービス。 |

※1：介護予防サービスには、訪問介護（ホームヘルプサービス）はない。2014（平成26）年の介護保険制度の改正により、2015（平成27）年度から地域支援事業の介護予防・生活支援サービス事業による訪問型サービスとなった。

※2：介護予防サービスには、通所介護（デイサービス）はない。2014（平成26）年の介護保険制度の改正により、2015（平成27）年度から地域支援事業の介護予防・生活支援サービス事業による通所型サービスとなった。

### 表4-21　福祉用具貸与の種目

1. 車いす
2. 車いす付属品
3. 特殊寝台
4. 特殊寝台付属品
5. 床ずれ防止用具
6. 体位変換器
7. 手すり
8. スロープ
9. 歩行器
10. 歩行補助つえ
11. 認知症老人徘徊感知機器
12. 移動用リフト（つり具の部分を除く）
13. 自動排泄処理装置

### 表4-22　特定福祉用具販売の種目

1. 腰掛便座
2. 自動排泄処理装置の交換可能部品
3. 入浴補助用具
4. 簡易浴槽
5. 移動用リフトのつり具の部分

## （2）その他の居宅で利用できるサービス

居宅サービスと介護予防サービス以外に居宅で利用できるサービスには、居宅介護住宅改修・介護予防住宅改修、居宅介護支援・介護予防支援があります（**表4-23**）。

### 表4-23　その他の居宅で利用できるサービス一覧

| 介護給付 | 予防給付 | 内容 |
| --- | --- | --- |
| 居宅介護住宅改修 | 介護予防住宅改修 | 介護が必要となったことで住宅の改修が必要となった場合に保険給付が支給される。ただし、すべての住宅改修が対象となるわけではなく、表4-24のとおり手すりの取付け、段差の解消、すべりの防止などが対象となる。また、支給限度額があり一律20万円までとなっている。住宅改修は、原則として、要介護状態あるいは要支援状態になって1回しか保険給付を受けることができない。ただし、「転居した場合」「介護の必要の程度が3段階上がった場合」には、再度給付を受けることができる。 |
| 居宅介護支援 | 介護予防支援 | 介護保険サービスなどを適切に利用することができるよう、利用者の心身の状況やおかれている環境などに応じてケアプランを作成するサービス。サービスの提供が確保されるよう、サービス事業者などとの連絡調整などを行う。 |

**表4-24 住宅改修の種類**

1. 手すりの取付け
2. 段差の解消
3. すべりの防止および移動の円滑化等のための床または通路面の材料の変更
4. 引き戸等への扉の取替え
5. 洋式便器等への便器の取替え
6. その他1〜5の住宅改修に付帯して必要となる住宅改修

**表4-25 施設サービス一覧**

| 介護給付 | 内容 |
|---|---|
| 介護老人福祉施設 | 入所定員が30人以上の特別養護老人ホームに入所する要介護者に対し、施設サービス計画にもとづいて、入浴・排泄・食事などの介護や日常生活上の世話、機能訓練、健康管理、療養上の世話を行う施設。原則として、新規で入所できるのは要介護3以上となる。 |
| 介護老人保健施設 | 施設サービス計画にもとづいて、看護、医学的管理のもとでの介護や機能訓練、その他の必要な医療や日常生活上の世話を行い、在宅生活への復帰をめざす施設。病院からの退院と在宅生活の復帰を結ぶ中間にある施設であることから中間施設とも呼ばれている。 |
| 介護医療院 | 2018（平成30）年4月に、長期的な療養を重視した介護療養型医療施設のおもな移行先として創設された施設。おもに長期にわたり療養が必要な要介護者を対象とし、施設サービス計画にもとづいて、療養上の管理、看護、医学的管理のもとでの介護や機能訓練、その他必要な医療や日常生活上の世話を行う。 |
| 介護療養型医療施設 | 療養病床または老人性認知症疾患療養病棟を有する病院または診療所であって、それらの病床に入院しており病状が安定期にある要介護者に対して、施設サービス計画にもとづき、療養上の管理、看護、医学的管理のもとにおける介護などの世話、機能訓練その他の必要な医療を行うことを目的とした施設。施設利用者のなかでも医療重視の長期療養者への対応を行うことが基本となり、心身の状態にふさわしいケア、療養環境、医学的管理を提供することが求められる。2024（令和6）年3月31日までに廃止される予定となっており、移行先としては介護医療院や介護老人保健施設などがある。 |

## （3）施設サービス

施設サービスとは、施設に入所して表4-25の4つの介護保険施設から提供される介護保険サービスです。居宅での生活を継続することがむずかしい要介護者のみを対象とすることから、介護給付のみとなります。

## （4）地域密着型サービス・地域密着型介護予防サービス

地域密着型サービスと地域密着型介護予防サービスとは、住民がより

身近なところでサービスが受けられるよう、市町村が事業者の指定、指導、監督を行うサービスです。利用については、サービスを提供する事業所のある市町村に住む利用者に限られています。地域密着型サービスは9種類のサービス、地域密着型介護予防サービスは3種類のサービスから成り立ちます（表4-26）。

表4-26 地域密着型サービス・地域密着型介護予防サービス一覧

| 介護給付<br>（地域密着型サービス） | 予防給付<br>（地域密着型介護予防サービス） | 内容 |
|---|---|---|
| 定期巡回・随時対応型訪問介護看護 | | 日中・夜間を通じて、訪問介護と訪問看護を24時間365日必要なタイミングで柔軟に提供するサービス。定期的な巡回訪問と随時通報を受けての対応を行う（図4-10）。 |
| 夜間対応型訪問介護 | | 夜間の時間帯において訪問介護を行うサービス。定期的な巡回訪問と随時通報を受けての対応を行う。 |
| 地域密着型通所介護 | | 利用定員18人以下で行う通所介護。 |
| 認知症対応型通所介護 | 介護予防認知症対応型通所介護 | 認知症の利用者を対象とした専門的な介護を提供する通所介護。 |
| 小規模多機能型居宅介護 | 介護予防小規模多機能型居宅介護 | 「通い」によるサービスを中心にして、利用者の希望などに応じて、利用者の居宅への「訪問」や短期間の「泊まり」を組み合わせて、入浴・排泄・食事などの介護、調理・洗濯・掃除などの家事、生活などに関する相談や助言、健康状態の確認、必要な日常生活上の世話、機能訓練を行うサービス（図4-11）。 |
| 認知症対応型共同生活介護（グループホーム） | 介護予防認知症対応型共同生活介護（介護予防グループホーム） | グループホーム（5人以上9人以下の共同生活住居）に入居する認知症の利用者に対し、家庭的な環境と地域住民との交流のもとで入浴・排泄・食事などの介護や日常生活上の世話、機能訓練を行うサービス。 |
| 地域密着型特定施設入居者生活介護 | | 入居定員が29人以下の特定施設に入居している利用者に対して、地域密着型特定施設サービス計画にもとづき、入浴・排泄・食事等の介護、洗濯・掃除などの家事、生活などに関する相談や助言、必要な日常生活上の世話を行うサービス。 |
| 地域密着型介護老人福祉施設入所者生活介護 | | 入所定員が29人以下の介護老人福祉施設に入所する利用者に対して、地域密着型施設サービス計画にもとづき、入浴・排泄・食事などの介護や日常生活上の世話、機能訓練、健康管理、療養上の世話を行うサービス。 |
| 看護小規模多機能型居宅介護（複合型サービス） | | 訪問看護と小規模多機能型居宅介護を組み合わせて提供するサービス。つまり、小規模多機能型居宅介護の「通い」「訪問」「泊まり」のほか「看護」も組み合わせたサービスとなる（図4-11）。 |

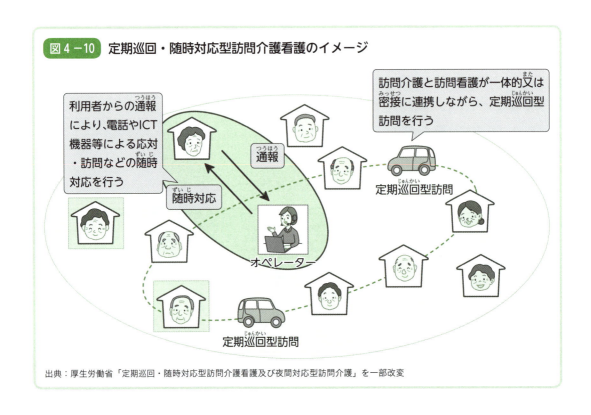

図4-10 定期巡回・随時対応型訪問介護看護のイメージ

出典：厚生労働省「定期巡回・随時対応型訪問介護看護及び夜間対応型訪問介護」を一部改変

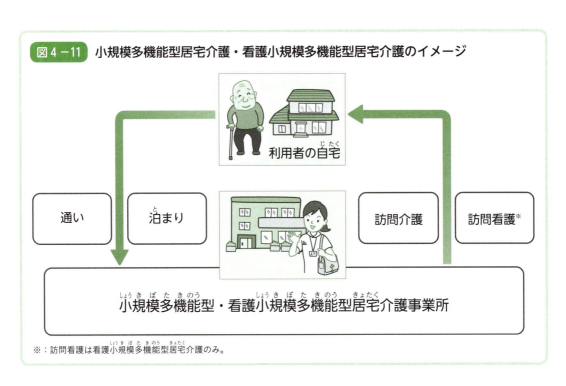

図4-11 小規模多機能型居宅介護・看護小規模多機能型居宅介護のイメージ

※：訪問看護は看護小規模多機能型居宅介護のみ。

## 8 介護保険サービスの利用者の権利を守るしくみ

　介護保険制度が始まったことにより、それまで行政が判断してサービスを決めていた**措置制度**[30]から利用者自身がサービスを選択して介護サービス事業者と契約を結ぶ**利用契約制度**[31]へと変わりました。しかし、実際には、介護保険サービスの利用者の多くは、心身機能がおとろえていることから自分で判断することがむずかしいため、介護サービス事業者と対等な関係で契約を結ぶことがむずかしい場合があります。また、対等な関係で契約を結ぶためには、介護サービス事業者を判断するための情報も必要となります。そのため、介護保険サービスを利用するにあたっては、利用者の権利を守るしくみが設けられています。そのしくみについてみていきましょう。

[30] 措置制度
p.77参照

[31] 利用契約制度
p.77参照

### (1) 介護保険サービスに対する苦情処理

　利用者が、介護サービス事業者が提供するサービスに対して**苦情**がある場合は、どのようにすればよいのでしょうか。介護サービス事業者が提供するサービスに対する苦情については、保険者である市町村や地域包括支援センターでも受け付けていますが、各都道府県に設置されている**国民健康保険団体連合会（国保連）**でも受け付けています。国保連への苦情の申し立ては、原則として書面によることになっていますが、必要に応じて口頭による申し立てもできるようになっています。

### (2) 介護保険サービスの情報提供

　利用者は、介護サービス事業者が事業所をどのように運営し、どのようなサービス提供を行っているのかを、どのように知るのでしょうか。介護保険制度では、2006（平成18）年度から**介護サービス情報の公表制度**という制度を設けています。この制度によって、介護サービス事業者は、サービスの提供を開始するときと年1回程度、決められた介護サービス情報を**都道府県知事**に報告しなければならないことになりました。
　この報告を受けた都道府県知事は、報告された介護サービス情報について、おもにインターネットを通じて公表を行います。もし、報告された介護サービス情報の内容に調査が必要であると判断した場合は、介護サービス事業者に対して調査を行うことも可能となっています（図4－12）。

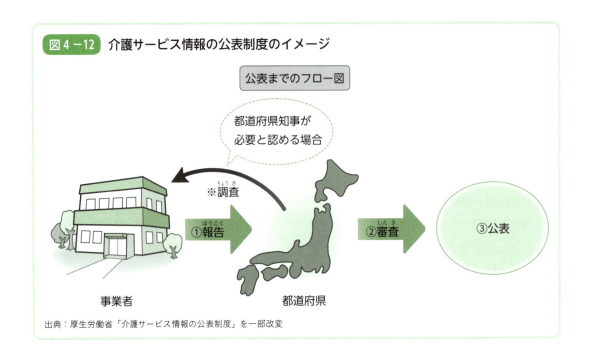

図4-12 介護サービス情報の公表制度のイメージ

出典：厚生労働省「介護サービス情報の公表制度」を一部改変

## 9　介護保険サービスにかかる費用

　介護保険制度において、介護サービス事業者が利用者にサービスを提供すると、サービス費用の1割（2割もしくは3割）が利用者負担となります。では、残りのサービス費用はどのように支払われるのでしょうか。残りのサービス費用については、介護保険制度を運営する保険者から支払われることになります（実際に支払業務を行っているのは国保連です）。そして、この保険者から支払われるお金を介護報酬といいます。
　介護報酬は、「単位」によって計算されます。1単位は10円が基本となりますが、サービスの種類や介護サービス事業所の所在地によって割り増しされます。また、介護報酬の単位数については、サービスの種類ごとに厚生労働省が定めており、3年ごとに見直しが行われることになっています。

## 10　介護保険制度における地域支援事業

　介護保険制度では、保険給付とは別に、もう1つのサービスとして市町村が行う地域支援事業があります。地域支援事業とは、2005（平成17）年の介護保険法の改正により2006（平成18）年度から創設された事

業で、要支援状態や要介護状態となる前から介護予防を進めることや地域における包括的・継続的なマネジメント機能を強化することを目的として開始されました。地域支援事業には、①**介護予防・日常生活支援総合事業（総合事業）**、②**包括的支援事業**、③**任意事業**の3つの事業があります。このうち、保険給付とは別のもう1つのサービスにあたるのが、総合事業です（**図4−13**）。

### 図4−13　地域支援事業の全体像

**介護給付**
【対象者：要介護1〜要介護5】

**予防給付**
【対象者：要支援1・要支援2】

**地域支援事業**

①介護予防・日常生活支援総合事業（総合事業）
○介護予防・生活支援サービス事業
【対象者：要支援1・要支援2・事業対象者・継続利用要介護者※】
・訪問型サービス
・通所型サービス
・その他生活支援サービス
・介護予防ケアマネジメント
○一般介護予防事業
【対象者：市町村の第1号被保険者すべてとその支援のための活動にかかわる者】

②包括的支援事業
○介護予防ケアマネジメント
○総合相談支援業務
○権利擁護業務
○包括的・継続的ケアマネジメント支援業務
 〔地域包括支援センターの運営として行われる事業〕
○在宅医療・介護連携推進事業
○生活支援体制整備事業
○認知症総合支援事業
○地域ケア会議推進事業
 〔社会保障を充実させるための事業〕

③任意事業
○介護給付等費用適正化事業
○家族介護支援事業
○その他の事業

※①は介護保険サービス

資料：厚生労働省「介護保険制度の改正案について」より筆者作成
※：2021（令和3）年度からは、要支援者もしくは事業対象者として介護予防・生活支援サービス事業のサービスを受けていたもののうち、要介護認定によるサービスを受けた日以後も継続的に同事業のサービスを受けることを市町村が必要と認める場合には、要介護者も対象となっている。

また、2021（令和3）年4月に施行された社会福祉法の改正により、地域共生社会の実現を推進するために新たに創設された**重層的支援体制整備事業**[32]として地域支援事業を実施することができるようになりました。

## （1）介護予防・日常生活支援総合事業（総合事業）

総合事業は、市町村が中心となって、地域の実情に応じて行うサービスです。おもに、次の2つの事業から構成されています。

### 1 介護予防・生活支援サービス事業（第1号事業）

介護予防・生活支援サービス事業とは、要支援者と事業対象者、**継続利用要介護者**[33]に、要介護状態等の予防、軽減、悪化の防止や地域における自立した日常生活の支援を行うことにより、生きがいのある生活や人生を送ることができるように支援することを目的とするものです。具体的には次の①〜④の事業があります。

① 訪問型サービス（第1号訪問事業）

訪問型サービスは、掃除、洗濯等の日常生活の支援を提供するサービスが中心となります。旧・介護予防訪問介護に相当するものと、それ以外の多様なサービスから成ります。それ以外の多様なサービスとしては、雇用労働者による生活援助等のサービス、住民ボランティアによる生活援助等の多様な支援、保健師などによる居宅での相談や指導などがあります。

② 通所型サービス（第1号通所事業）

通所型サービスは、機能訓練や自主的な通いの場づくりなど日常的な社会交流のためのサービスが中心となります。旧・介護予防通所介護に相当するものと、それ以外の多様なサービスから成ります。それ以外の多様なサービスとしては、雇用労働者や住民ボランティアが行うミニデイサービスや運動・レクリエーション活動、住民ボランティアが主体的な通いの場を設けて体操・運動等の活動を行うサービス、保健師などが生活機能を改善するための運動器の機能向上や栄養改善などのプログラムを行うサービスなどがあります。

③ その他生活支援サービス（第1号生活支援事業）

その他生活支援サービスは、栄養改善を目的とした配食、住民ボランティアなどが行う訪問による見守り、訪問型サービスや通所型サービスと一体的に行われる場合に効果がある生活支援サービスとなりま

---

[32] **重層的支援体制整備事業**
地域共生社会の実現に向けて、地域住民の複合化・複雑化した支援ニーズに対応する包括的な支援体制を整備するために、「属性を問わない相談支援」、「参加支援」、「地域づくりに向けた支援」の3つの支援を一体的に実施するための事業である。重層的支援体制整備事業として実施することができる地域支援事業は、総合事業の一般介護予防事業における地域介護予防活動支援事業、包括的支援事業における地域包括支援センターの運営として行われる事業（第1号介護予防支援事業を除く）、生活支援体制整備事業である。

[33] **継続利用要介護者**
2021（令和3）年度からは、要支援者もしくは事業対象者として介護予防・生活支援サービス事業のサービスを受けていたもののうち、要介護認定によるサービスを受けた日以後も継続的に同事業のサービスを受けることを市町村が必要と認める場合には、要介護者も対象となっている。

す。
④ 介護予防ケアマネジメント（第1号介護予防支援事業）

介護予防ケアマネジメントは、要支援者や事業対象者に対して、訪問型サービス、通所型サービス、その他生活支援サービスなどの介護予防・生活支援サービス事業のサービスが適切に提供されるようにケアマネジメントを行うものです。

### 2 一般介護予防事業

一般介護予防事業とは、介護が必要であるかどうかにかかわらずすべての第1号被保険者を対象とした事業です。事業の内容として、地域の実情に応じて収集した情報等の活用により、閉じこもり等の何らかの支援を要する者を把握し、介護予防活動へつなげる「介護予防把握事業」、介護予防の取り組みを広く知らせる「介護予防普及啓発事業」、地域における住民の介護予防活動の育成・支援を行う「地域介護予防活動支援事業」などがあります。

## （2）包括的支援事業

包括的支援事業とは、地域包括支援センターの運営として行われる事業と社会保障を充実させるための事業の2つの事業から構成されています。

### 1 地域包括支援センターの運営として行われる事業

① 介護予防ケアマネジメント（第1号介護予防支援事業）

総合事業においても介護予防ケアマネジメントは行われますが、総合事業では要支援者と事業対象者を対象とするのに対して、包括的支援事業の介護予防ケアマネジメントでは事業対象者に対して、自立支援を目的として要支援や要介護状態などになることを予防するために、介護予防・生活支援サービス事業のケアマネジメントを行います。

② 総合相談支援業務

高齢者やその家族から、介護の問題だけではなく、生活上のさまざまな相談に応じて、地域の適切なサービスや機関または制度の利用につなげていく事業です。

③ 権利擁護業務

高齢者の権利を守るために、成年後見制度の活用促進、高齢者虐待への対応、消費者被害の防止などを行う事業です。

④ 包括的・継続的ケアマネジメント支援業務

地域の介護支援専門員の業務の支援や、支援が困難な事例などに対する介護支援専門員への助言・指導を行う事業です。また、介護支援専門員同士のネットワークの構築なども行います。

### 2 社会保障を充実させるための事業

① 在宅医療・介護連携推進事業

医療と介護の両方を必要とする高齢者が、住み慣れた地域で自分らしい暮らしを人生の最期まで続けることができるよう、切れ目のない在宅医療と介護の提供体制を構築するため、住民や地域の医療・介護関係者と地域のめざすべき姿を共有しつつ、医療機関と介護事業所等の関係者の連携を推進する事業です。

② 生活支援体制整備事業

多様な日常生活上の支援体制の充実・強化および高齢者の社会参加の推進を一体的にはかるために、地域の支え合いを推進する**生活支援コーディネーター**㉞の配置や地域で高齢者を支援するさまざまな関係者が集まる**協議体**㉟を設置する事業です。

③ 認知症総合支援事業

認知症になっても本人の意思が尊重され、できる限り住み慣れた地域のよい環境で暮らしつづけられるために、**認知症初期集中支援チーム**㊱を配置し、早期診断・早期対応に向けた支援体制を構築するための「認知症初期集中支援事業」や、**認知症地域支援推進員**㊲を配置し、地域における支援体制の構築と認知症ケアの向上をはかるための「認知症地域支援・ケア向上事業」などを行う事業です。

④ 地域ケア会議推進事業

高齢者個人に対する支援の充実と、それを支える地域の基盤の整備を同時に進めていく**地域ケア会議**を推進する事業です。医療や介護などの地域で高齢者を支援するさまざまな関係者が集まり会議を開催して個別のケースの検討を行うとともに、検討により共有された地域課題を地域づくりや政策の形成に結びつけていくことで地域包括ケアシステムの構築につなげていきます。地域ケア会議は、地域包括支援センターが中心となって推進していきます。

## (3) 任意事業

任意事業とは、市町村の判断で行うことができる地域支援事業です。次のような事業があります。

---

㉞ **生活支援コーディネーター**
地域支え合い推進員ともいい、高齢者の生活支援・介護予防サービスの体制整備を推進していくために、地域のさまざまな支え合いをつなげ、組み合わせる調整役のこと。

㉟ **協議体**
地域において高齢者を支援する関係者のネットワークであり、関係者間で定期的な情報共有と連携の強化を行うもの。

㊱ **認知症初期集中支援チーム**
認知症の医療や介護における専門的知識と経験があると市町村が認める医師や看護師、介護福祉士などの専門職2名以上と専門医1名にて編成されるチーム。

㊲ **認知症地域支援推進員**
認知症の医療や介護における専門的知識と経験がある医師や看護師、介護福祉士などの専門職など。

① 介護給付等費用適正化事業

　不要なサービスが提供されていないかの検証などを行うことにより、利用者に適切なサービスが提供できる環境の整備をはかる（保険給付が増えることや介護保険料が高くなることを防ぐ）とともに、介護給付等の費用の適正化を行う事業です。

② 家族介護支援事業

　適切な介護知識・技術の習得などを内容とした介護教室の開催や、認知症高齢者の見守り体制の構築、家族の負担の軽減を目的とした事業などを行います。

③ その他の事業

　成年後見制度の利用を支援する事業や福祉用具・住宅改修を支援する事業などがあります。

## 11 地域包括ケアシステムの実現に向けて

### （1）地域支援事業の始まりと地域包括ケアシステム

　前述したように地域支援事業の目的としてあげられるのが、**地域包括ケアシステム**の実現です。地域包括ケアシステムとは、多くの子どもが生まれた1947（昭和22）年から1949（昭和24）年生まれの**団塊の世代**が75歳以上の後期高齢者となる2025（令和7）年をめどに構築する、地域の実情に応じて**住まい・医療・介護・予防・生活支援**が一体的に提供されるシステムです（図4-14）。

　地域包括ケアシステムの構想は、2003（平成15）年に厚生労働省の高齢者介護研究会が公表した**「2015年の高齢者介護──高齢者の尊厳を支えるケアの確立に向けて」**という報告書のなかで示されたのが始まりです。同報告書では、地域包括ケアシステムについて「介護サービスを提供するには、介護保険のサービスを中核としつつ、保健・福祉・医療の専門職相互の連携、さらにはボランティアなどの住民活動も含めた連携によって、地域の様々な資源を統合した包括的なケア（地域包括ケア）を提供することが必要である」と述べています。これを受けて2005（平成17）年の介護保険法の改正では、すべての市町村で地域支援事業が行われることとなり、さらに地域包括ケアシステムを実現するための中心となる機関として**地域包括支援センター**が創設されました。

### 図4-14 地域包括ケアシステム

○団塊の世代が75歳以上となる2025年をめどに、重度な要介護状態となっても住み慣れた地域で自分らしい暮らしを人生の最後まで続けることができるよう、**住まい・医療・介護・予防・生活支援が一体的に提供される地域包括ケアシステムの構築を実現**していきます。

○今後、認知症高齢者の増加が見込まれることから、認知症高齢者の地域での生活を支えるためにも、地域包括ケアシステムの構築が重要です。

○人口が横ばいで75歳以上人口が急増する大都市部、75歳以上人口の増加は緩やかだが人口は減少する町村部等、**高齢化の進展状況には大きな地域差**が生じています。
地域包括ケアシステムは、**保険者である市町村や都道府県が、地域の自主性や主体性に基づき、地域の特性に応じてつくり上げていく**ことが必要です。

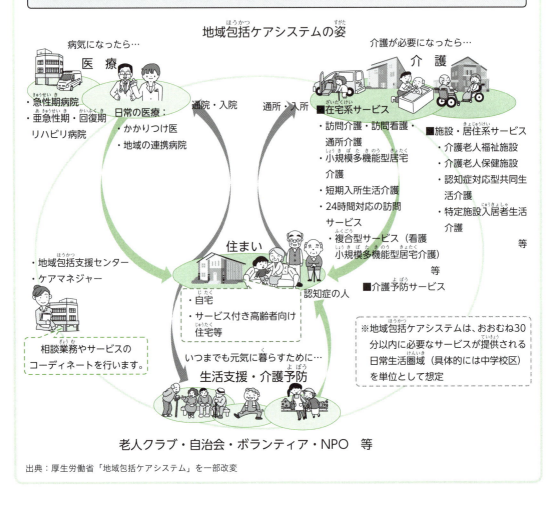

出典:厚生労働省「地域包括ケアシステム」を一部改変

## （2）地域包括ケアシステムを実現するための地域包括支援センター

### 1 地域包括支援センターの設置

　地域包括支援センターとは、地域において保健、福祉、医療などさまざまな分野から総合的に高齢者の生活を支援する拠点となる機関です。地域包括支援センターは、保険者である市町村が、人口2万人から3万人に1か所を目安に設置することになっています。市町村が設置することが原則ですが、社会福祉法人、医療法人、特定非営利活動法人（NPO法人）などに業務を委託することも可能です。

### 2 地域包括支援センターの職員

　地域包括支援センターには、**保健師、社会福祉士、主任介護支援専門員**の3専門職を配置することが原則となっています。この3専門職によって、地域支援事業のところでみてきた包括的支援事業の「介護予防ケアマネジメント（第1号介護予防支援事業）」「総合相談支援業務」「権利擁護業務」「包括的・継続的ケアマネジメント支援業務」が行われています。なお、3専門職に対しては、それぞれが有する専門知識や技術をいかしつつ、相互に連携、協働していく体制づくりやチームアプローチを行うことが求められています（図4－15）。

### 3 地域包括支援センターの運営に対する協議

　地域包括支援センターの運営にあたっては、地域包括支援センターにおける各業務の評価などを行うことで、適切、公正かつ中立な運営の確保を目的とする**地域包括支援センター運営協議会**を設置することになっています。この協議会の構成員は、介護サービス事業者、被保険者、地域ケアに関する学識経験者などとなっています。地域包括支援センターの運営は、この協議会で話し合われた意見や提案にもとづいて、行わなくてはならないことになっています。

## （3）地域包括ケアシステムの実現に有効な地域ケア会議

　地域包括ケアシステムの実現に有効な方法として、**地域ケア会議**の開催があげられます。地域ケア会議は、2012（平成24）年に地域包括支援センターの業務となりました。地域ケア会議とは、介護支援専門員がかかえる個別ケースに対して、医療や介護などの関係者が協力して検討するとともに、個別ケースの検討を積み重ねることで地域に共通した課題を明らかにしていく会議です。高齢者個人に対する支援を充実させると

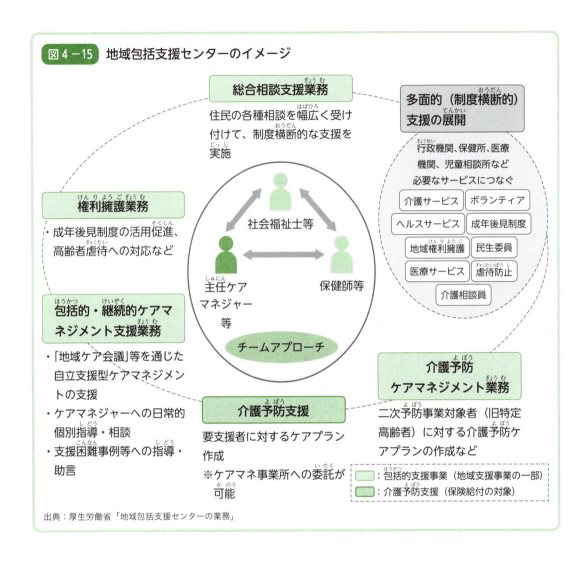

図4-15 地域包括支援センターのイメージ

出典：厚生労働省「地域包括支援センターの業務」

ともに、それを支える地域の基盤の強化を同時に進めていくことが目的です。

地域ケア会議は、2012（平成24）年に地域包括支援センターの業務となりましたが、実施していない市町村が2割程度あったことから、2014（平成26）年の介護保険制度の改正により、2015（平成27）年度から前述のとおり地域支援事業の包括的支援事業となる「地域ケア会議推進事業」として位置づけられました。地域ケア会議の開催は、地域の医療や介護などの関係者の連携を強化し、個別のケースから地域課題へとつなげていけることから、地域包括ケアシステムの実現に有効な方法であるとされています（図4-16）。

第 3 節　介護保険制度

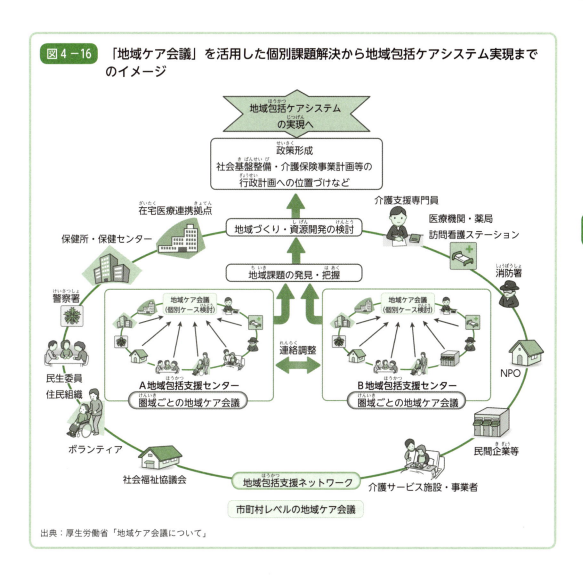

図 4-16　「地域ケア会議」を活用した個別課題解決から地域包括ケアシステム実現までのイメージ

出典：厚生労働省「地域ケア会議について」

## 3　介護保険制度における組織、団体の役割

　介護保険制度を運営する保険者は市町村ですが、介護保険制度は市町村のみで運営しているわけではありません。国や都道府県は、市町村の介護保険制度の運営がよりよく進むよう重層的に支援していますし、介護保険サービスの費用の請求に関する審査と支払い、サービスに関する苦情については**国民健康保険団体連合会（国保連）**が対応しています。

　また、地域で生活を送る高齢者の課題については地域包括支援センターが対応し、サービスの提供については、介護サービス事業者などが対応しています。このように介護保険制度は、さまざまな組織や団体に

図4-17 介護保険制度を支える組織、団体のイメージ

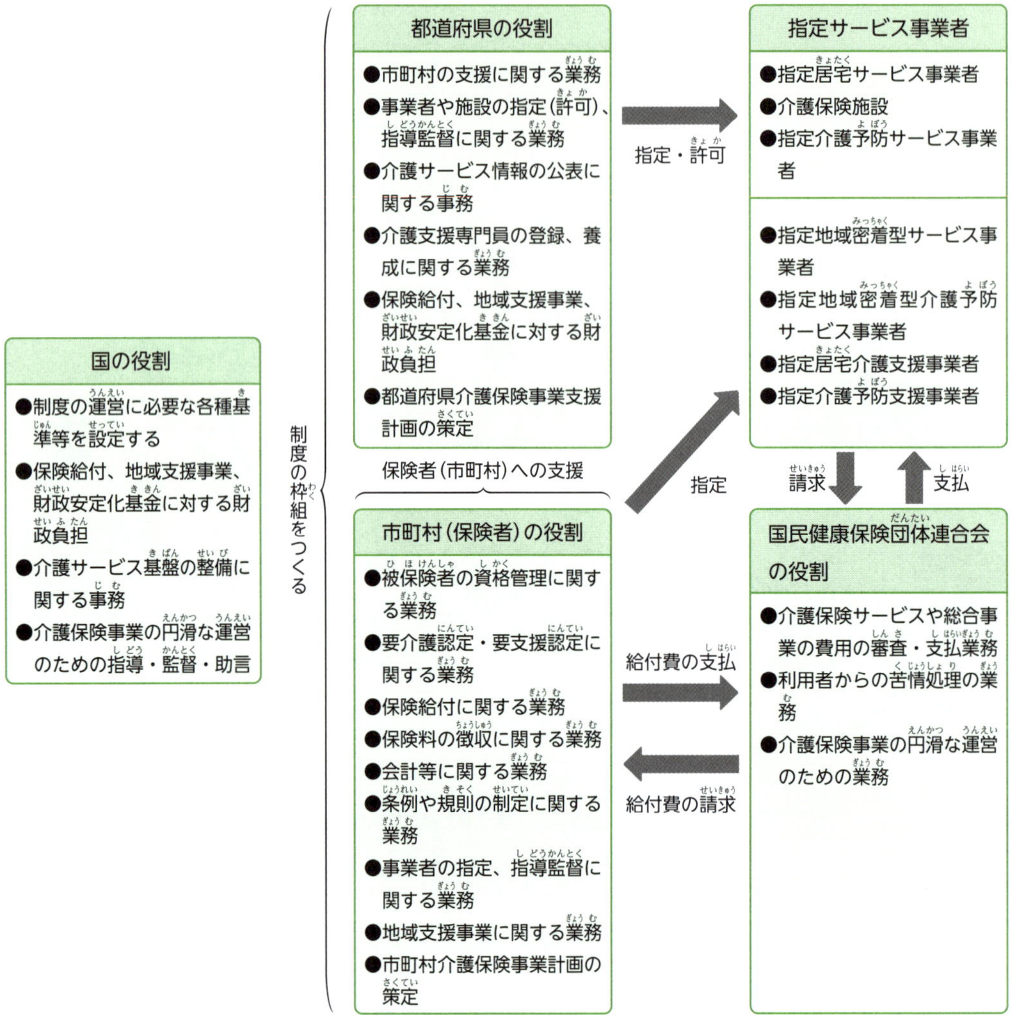

**都道府県の役割**
- 市町村の支援に関する業務
- 事業者や施設の指定(許可)、指導監督に関する業務
- 介護サービス情報の公表に関する事務
- 介護支援専門員の登録、養成に関する業務
- 保険給付、地域支援事業、財政安定化基金に対する財政負担
- 都道府県介護保険事業支援計画の策定

**指定サービス事業者**
- 指定居宅サービス事業者
- 介護保険施設
- 指定介護予防サービス事業者

- 指定地域密着型サービス事業者
- 指定地域密着型介護予防サービス事業者
- 指定居宅介護支援事業者
- 指定介護予防支援事業者

指定・許可

**国の役割**
- 制度の運営に必要な各種基準等を設定する
- 保険給付、地域支援事業、財政安定化基金に対する財政負担
- 介護サービス基盤の整備に関する事務
- 介護保険事業の円滑な運営のための指導・監督・助言

制度の枠組をつくる

保険者(市町村)への支援

**市町村(保険者)の役割**
- 被保険者の資格管理に関する業務
- 要介護認定・要支援認定に関する業務
- 保険給付に関する業務
- 保険料の徴収に関する業務
- 会計等に関する業務
- 条例や規則の制定に関する業務
- 事業者の指定、指導監督に関する業務
- 地域支援事業に関する業務
- 市町村介護保険事業計画の策定

指定

給付費の支払
給付費の請求

請求 / 支払

**国民健康保険団体連合会の役割**
- 介護保険サービスや総合事業の費用の審査・支払業務
- 利用者からの苦情処理の業務
- 介護保険事業の円滑な運営のための業務

よって重層的に保険者を支えることにより、運営されています。そこで、それぞれの組織や団体が、介護保険制度においてどのような役割をになっているのかをみていきましょう（図4-17）。

## 1 国の役割

介護保険制度における国の役割は、介護保険制度の枠組みをつくることです。たとえば、介護保険制度の運営に関する基準をつくることや介護保険サービスの基盤の整備のための方針を出すことなどを行っていま

す。介護保険制度における国の役割をみると、次のとおりとなります。

### ❶ 制度の運営に必要な各種基準等を設定する

要介護認定・要支援認定基準、介護報酬の基準、区分支給限度基準額の設定、介護サービス事業者や介護保険施設の人員・設備・運営等の基準を都道府県や市町村が条例で定めるにあたって従う基準・標準とする基準・参酌する基準、第2号被保険者の負担割合などを設定しています。

### ❷ 保険給付、地域支援事業、財政安定化基金に対する財政負担

保険給付、地域支援事業、財政安定化基金に対する国の負担分に対して財政負担を行います。

### ❸ 介護サービス基盤の整備に関する事務

介護保険サービスを整備するために作成する市町村介護保険事業計画や都道府県介護保険事業支援計画の方向性を示す、介護保険事業にかかる保険給付の円滑な実施を確保するための基本的な指針(以下、基本指針)を策定します。

### ❹ 介護保険事業の円滑な運営のための指導・監督・助言

組織的な不正が疑われる介護サービス事業者の本部への立入検査、市町村に対する介護保険事業の実施状況の報告請求、国保連が行う介護保険事業に関する指導監督などを行います。

## 2 都道府県の役割

介護保険制度における都道府県の役割は、おもに介護保険制度の保険者である市町村の支援を行うことです。また、広域的なサービス基盤の整備、介護サービス事業者や介護保険施設の指定(許可)なども行っています。介護保険制度における都道府県の役割をみると、次のとおりとなります。

### ❶ 市町村の支援に関する業務

市町村単独で**介護認定審査会**を設置することがむずかしい場合の共同設置の支援や市町村が作成する市町村介護保険事業計画に対する助言等を行います。また、要介護認定・要支援認定や保険料への不服を受け付ける**介護保険審査会**を設置します。

### ❷ 事業者や施設の指定(許可)、指導監督に関する業務

居宅サービス事業者や介護予防サービス事業者、介護老人福祉施設の指定、介護老人保健施設や介護医療院の開設の許可等を行います。

### 3 介護サービス情報の公表に関する事務

介護サービス情報の公表制度によってえられた介護サービス事業者の情報を、インターネットなどを通じて公表します。

### 4 介護支援専門員の登録、養成に関する業務

介護支援専門員の登録・登録更新、介護支援専門員証の交付、介護支援専門員の試験、介護支援専門員の研修などを行います。

### 5 保険給付、地域支援事業、財政安定化基金に対する財政負担

保険給付、地域支援事業、財政安定化基金に対する都道府県の負担分に対して財政負担を行います。また、保険者の介護保険制度の財源が不足した場合に対応する財政安定化基金を設置して運営します。

### 6 都道府県介護保険事業支援計画の策定

都道府県は、国の基本指針に従い、3年を1期として**都道府県介護保険事業支援計画**を策定します。策定する内容は、市町村の介護保険事業計画の内容をふまえた、介護サービス量の見こみや介護保険施設の種類ごとの入所定員総数の見こみなどです。

## 3 市町村の役割

介護保険制度における市町村の役割は、おもに保険者として介護保険制度を運営することです。被保険者の管理から地域支援事業の実施まで幅広く業務を行います。介護保険制度における市町村の役割をみていくと、次のとおりとなります。

### 1 被保険者の資格管理に関する業務

市町村に住んでいる被保険者が、介護保険制度の加入要件を満たしているかの確認や被保険者証の発行を行います。

### 2 要介護認定・要支援認定に関する業務

要介護認定・要支援認定にかかわる認定調査の実施や要介護認定・要支援認定にかかわる審査・判定を行う**介護認定審査会**を設置します。

### 3 保険給付に関する業務

償還払いの保険給付、市町村特別給付の実施、介護報酬の審査と支払い（実際は国保連に委託）などを行います。

### 4 保険料の徴収に関する業務

第1号被保険者の保険料の決定や第1号被保険者からの保険料の徴収（普通徴収・特別徴収）、保険料を納めない人への督促などを行います。

### 5 会計等に関する業務

介護保険特別会計を設けて、ほかの会計とは別に介護保険の事業に関する金銭の収入と支出を管理します。

### 6 条例や規則の制定に関する業務

介護保険制度の運営のために、市町村などが独自に定める条例・規則などに関する業務を行います。

### 7 事業者の指定、指導監督に関する業務

地域密着型サービス事業者や地域密着型介護予防サービス事業者、居宅介護支援事業者、介護予防支援事業者などの指定、指定の更新、指導監督は市町村が行います。

### 8 地域支援事業に関する業務

介護予防を進めることや介護が必要な状態になってもできる限り自立した日常生活を営めるように支援することを目的とする地域支援事業を行います。また、地域支援事業の1つである包括的支援事業を行うため地域包括支援センターを設置します。

### 9 市町村介護保険事業計画の策定

市町村は、国の基本指針に従い、3年を1期として市町村介護保険事業計画を策定します。策定する内容は、住民が日常の生活を営む範囲となる日常生活圏域ごとの、居宅サービスや地域密着型サービスなどのサービスの種類ごとの量の見こみや地域支援事業の量の見こみなどです。

## 4 国民健康保険団体連合会の役割

国民健康保険団体連合会（国保連）とは、医療保険制度の国民健康保険に関連する事業を行うために設立された機関です。各都道府県に1団体ずつ設立されています。おもに医療機関が提供したサービスに支払われる診療報酬の審査・支払などを業務として行っていますが、介護保険制度が始まってからは、介護報酬の審査・支払の業務も行うようになりました。国保連の役割をみていくと、次のとおりとなります。

### 1 介護保険サービスや総合事業の費用の審査・支払業務

市町村からの委託を受けて、介護報酬や総合事業の費用の審査・支払の業務を行います。介護報酬の場合、介護サービス事業者は、サービス利用料の1割（2割もしくは3割）を利用者に請求し、残りのサービス

利用料を国保連に請求します。国保連は、介護サービス事業者からの請求を審査して、保険給付分を介護サービス事業者に支払うことになります。

### 2 利用者からの苦情処理の業務

介護サービス事業者や介護保険施設で提供されるサービスに対して、利用者や家族からの苦情を受け付け、事実関係の調査を行い、介護サービス事業者や介護保険施設に指導や助言を行っています。ただし、苦情処理は、保険者では取り扱いがむずかしいものに限られています。

### 3 介護保険事業の円滑な運営のための業務

介護保険事業の円滑な運営のために、市町村からの委託を受けて、第三者行為求償事務を行っています。第三者行為求償事務とは、要介護状態あるいは要支援状態になった原因が、交通事故などの他者による行為である場合、介護保険サービスの提供にかかった費用を加害者に請求することです。

## 5 指定サービス事業者の役割

介護サービス事業者は、都道府県知事や市町村長の指定（許可）を受けることで指定サービス事業者となり、介護保険サービスを提供できるようになります。サービスの種類によって指定（許可）する自治体が異なり、居宅サービスと施設サービスについては、都道府県知事が指定（許可）を行い、地域密着型サービスについては、市町村長が指定を行います。

具体的には、指定サービス事業者は、都道府県知事の指定（許可）を受けた指定居宅サービス事業者、介護保険施設、指定介護予防サービス事業者と、市町村長の指定を受けた指定地域密着型サービス事業者、指定地域密着型介護予防サービス事業者、指定居宅介護支援事業者、指定介護予防支援事業者となります。指定サービス事業者の指定の有効期間は6年間となり、有効期間が終わると更新を行います。それぞれの事業者の役割については、次のとおりとなります。

### 1 指定居宅サービス事業者・指定介護予防サービス事業者

指定居宅サービス事業者とは、要介護者に給付される介護給付のなかで居宅サービスを提供する事業者です。一方で、指定介護予防サービス事業者とは、要支援者に給付される予防給付のなかで介護予防サービス

を提供する事業者となります。両方とも、サービスの種類ごと、事業所ごとに都道府県知事が指定します。

### 2 介護保険施設

介護保険施設とは、要介護者に給付される介護給付のなかで施設サービスを提供する事業者です。要介護者を施設に入所させてサービスを提供します。介護保険施設とは、介護老人福祉施設、介護老人保健施設、介護医療院、介護療養型医療施設（2024（令和6）年3月31日までに廃止される予定）の4つをさします。介護老人福祉施設は都道府県知事が指定します。介護老人保健施設と介護医療院については、都道府県知事の指定ではなく許可となります。介護療養型医療施設については、廃止予定であるため新設ができません。

### 3 指定地域密着型サービス事業者・指定地域密着型介護予防サービス事業者

指定地域密着型サービス事業者とは、要介護者に給付される地域密着型サービスを提供する事業者です。一方で、指定地域密着型介護予防サービス事業者とは、要支援者に給付される地域密着型介護予防サービスを提供する事業者です。両方とも、サービスの種類ごと、事業所ごとに市町村長が指定を行います。

### 4 指定居宅介護支援事業者・指定介護予防支援事業者

指定居宅介護支援事業者とは、要介護者に対して、居宅で介護保険サービスを利用するための居宅サービス計画（ケアプラン）を作成する事業者です。一方で、指定介護予防支援事業者とは、要支援者に対して、居宅で介護予防のための介護保険サービスを利用するための介護予防サービス計画（ケアプラン）を作成する事業者です。指定居宅介護支援事業者は、2018（平成30）年度から、指定を行うのが都道府県知事から市町村長に変わりました。指定介護予防支援事業者は、地域包括支援センターが指定を受けることになっています（居宅介護支援事業所に業務委託をしている場合もあります）。そのため、市町村長が地域包括支援センターに対して指定することになります。

# 4 介護保険制度における介護支援専門員の役割

## 1 介護支援専門員が行うケアマネジメント

### (1) ケアマネジメントとは

　介護支援専門員が行うケアマネジメントは、介護保険制度によって新たに導入されたものであり、介護保険制度にもとづいたサービスを提供するうえで重要な役割を果たしています。ケアマネジメントとは、福祉や医療などに関するサービスと介護を必要とする人をつなげるための支援技術です。日本では、2000（平成12）年の介護保険制度の始まりと同時に導入されました。介護保険制度におけるケアマネジメントでは、要介護者や要支援者が介護保険サービスを適切に利用できるよう、本人の心身の状況、本人がおかれている環境、本人の希望などを考慮してケアプランを作成し、そのケアプランにもとづいて介護サービス事業者との連絡調整が行われます。

### (2) 介護支援専門員になるには

　実務経験として、表4-27の国家資格をもち業務に従事した期間や介護老人保健施設や特定施設入居者生活介護などでの相談援助業務に従事した期間が通算して5年以上ある場合には、介護支援専門員実務研修受講試験の受験資格をえることができます。なお、2018（平成30）年に介護支援専門員の受験資格に変更がありました。国家資格をもたない状態での介護業務の経験のみでは受験資格をえることができなくなっています。受験資格をえたら、都道府県知事が行う介護支援専門員実務研修受

> **表4-27 介護支援専門員になるための国家資格一覧**
>
> 医師、歯科医師、薬剤師、保健師、助産師、看護師、准看護師、理学療法士、作業療法士、社会福祉士、介護福祉士、視能訓練士、義肢装具士、歯科衛生士、言語聴覚士、あん摩マッサージ指圧師、はり師、きゅう師、柔道整復師、栄養士、精神保健福祉士

講試験を受験して合格しなければなりません。

さらに、合格したのちに介護支援専門員実務研修の課程を修了することも必要です。すべてを終えて、都道府県から介護支援専門員証の交付を受けることで、介護支援専門員の資格をえることができます。介護支援専門員証の有効期間は5年間で、更新のためには、更新研修を受けなくてはなりません。

## （3）ケアマネジメントによるケアプランの種類

ケアマネジメントによるケアプランは、居宅サービス計画、施設サービス計画、介護予防サービス計画から成ります。

### 1 居宅サービス計画

居宅サービス計画とは、要介護1から要介護5までの要介護者で、居宅で居宅サービスや地域密着型サービスなどを受ける利用者のためのケアプランです。利用者自身が作成することも可能ですが、介護給付の「居宅介護支援」を利用して、居宅介護支援事業所の介護支援専門員にケアプランの作成をお願いすることが一般的です。その際の自己負担はありません。

### 2 施設サービス計画

施設サービス計画とは、介護保険施設に入所している利用者のためのケアプランです。施設に所属する介護支援専門員が作成します。

### 3 介護予防サービス計画

介護予防サービス計画とは、要支援1と要支援2の要支援者で、介護予防サービスや地域密着型介護予防サービス、総合事業の一部などを受ける利用者のためのケアプランです。予防給付の「介護予防支援」を利用して、介護予防支援事業者となる地域包括支援センターの保健師などの介護予防支援の知識をもつ者に作成を依頼します。

## （4）ケアマネジメントのプロセス

ケアマネジメントのプロセスは、図4−18のとおりとなり、「利用者の状態の把握（アセスメント）」→「ケアプランの原案の作成（プランニング）」→「サービス担当者会議の開催」→「利用者・家族に対する説明、文書による同意」→「モニタリング」の順に進みます。

### 1 利用者の状態の把握（アセスメント）

利用者の状態の把握（アセスメント）では、事前に利用者との面接か

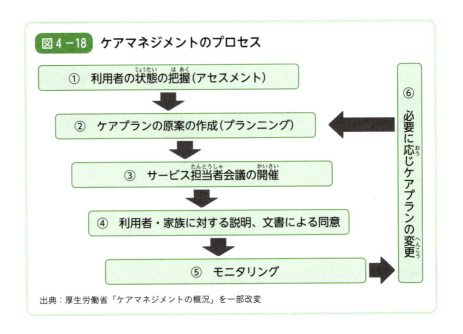

らえておいた支援依頼の状況と利用者の実際の生活状況を照らしあわせ、考えられる必要な支援内容（ニーズ）を把握します。

### 2 ケアプランの原案の作成（プランニング）

ケアプランの原案の作成（プランニング）では、アセスメントでえられたニーズにもとづいて、今後の目標と課題を検討し、必要な支援の方法やサービスを組み入れたケアプランの原案を作成します。

### 3 サービス担当者会議の開催

サービス担当者会議の開催では、利用者から合意をえられたアセスメント結果やケアプランの原案について、実際にサービスを提供する介護サービス事業者と情報を共有し、それぞれ専門的な観点から意見を出し合いケアプランの内容を高め、最終的な合意をしていきます。

### 4 利用者・家族に対する説明、文書による同意

利用者・家族に対する説明、文書による同意では、立案したケアプランについて利用者本人や家族に説明し、文書により利用者本人の同意をえます。サービス事業者との連絡や調整が完了するとケアプランが実施されます。

### 5 モニタリング

モニタリングでは、立案したケアプランが実施されたあとで、サービスが円滑に提供されているのか、利用者のニーズは満たされているのかを定期的に把握します。このようにモニタリングを行って利用者の状況

やニーズに変化がみられる場合は、再アセスメントを行い、必要に応じてケアプランの変更を行います。

このように、介護保険サービスを提供する際には、介護支援専門員によって、ケアマネジメントが行われています。

## 5 介護保険制度の動向

2000（平成12）年に始まった介護保険制度ですが、現在の介護保険制度が当時のままであるというわけではありません。介護保険制度は、3年を1期とする介護保険事業計画にあわせて、制度改正が行われています。これまでに、2005（平成17）年、2008（平成20）年、2011（平成23）年、2014（平成26）年、2017（平成29）年、2020（令和2）年の計6回の制度改正が行われています。なお、制度改正は、翌年度以降に実施されます。たとえば、2005（平成17）年の制度改正であれば2006（平成18）年度以降に実施されます。ここでは、今までの制度改正の内容をふまえながら、介護保険制度の動向についてみていきます（表4-28）。なお、改正の内容は主要なものだけを解説しています。

### 1 2005（平成17）年の制度改正

2000（平成12）年に始まった介護保険制度は、**5年をめど**として制度全般についての検討が行われることになっていました。そのため、2003（平成15）年から社会保障審議会介護保険部会において、制度改正について議論が行われました。そこで明らかになったことが、介護保険制度は、老後の安心を支えるしくみとして定着しましたが、それにともなって要介護認定を受ける高齢者が増加し、保険給付額がいちじるしく増加しているということでした。その要因として、軽度者の増加がいちじるしいこと、介護保険サービスが要介護状態の改善に結びついていないことが明らかになりました。2005（平成17）年は、これらを背景に制度改正が行われました。

表4-28 介護保険制度の改正の内容

| 改正年 | 改正するための法律 | 改正の内容 |
|---|---|---|
| 2005（平成17）年 | 介護保険法等の一部を改正する法律 | ①予防重視型システムへの転換<br>②施設給付の見直し<br>③新たなサービス体系の確立<br>④サービスの質の確保・向上<br>⑤負担のあり方・制度運営の見直し |
| 2008（平成20）年 | 介護保険法及び老人福祉法の一部を改正する法律 | ①事業者の業務管理の体制整備<br>②事業者の本部等への立入検査権の創設<br>③不正事業者の処分逃れ対策<br>④指定・更新の欠格事由の見直し<br>⑤事業廃止時のサービス確保対策 |
| 2011（平成23）年 | 介護サービスの基盤強化のための介護保険法等の一部を改正する法律 | ①地域包括ケアの推進<br>②地域包括ケアを念頭においた介護保険事業計画の策定<br>③24時間対応の定期巡回・随時対応サービスや複合型サービスの創設<br>④介護予防・日常生活支援総合事業（総合事業）の創設<br>⑤介護療養型医療施設の廃止期限の延長<br>⑥介護職員等によるたんの吸引等の実施<br>⑦介護サービス情報公表制度の見直し<br>⑧認知症対策の推進<br>⑨保険料の上昇の緩和<br>⑩保険者による主体的な取り組みの推進<br>⑪高齢者の住まいの整備等 |
| 2014（平成26）年 | 地域における医療及び介護の総合的な確保を推進するための関係法律の整備等に関する法律 | ①地域支援事業の充実<br>②予防給付（訪問介護・通所介護）を地域支援事業へ移行<br>③特別養護老人ホームの新規入所者を原則要介護3以上に<br>④低所得者の保険料軽減を拡充<br>⑤2割負担の導入 |
| 2017（平成29）年 | 地域包括ケアシステムの強化のための介護保険法等の一部を改正する法律 | ①自立支援・重度化防止に向けた保険者機能の強化等の取り組みの推進<br>②医療・介護の連携の推進等<br>③地域共生社会の実現に向けた取り組みの推進等<br>④3割負担の導入<br>⑤介護納付金への総報酬割の導入 |
| 2020（令和2）年 | 地域共生社会の実現のための社会福祉法等の一部を改正する法律 | ①地域住民の複雑化・複合化した支援ニーズに対応する市町村の包括的な支援体制の構築の支援<br>②地域の特性に応じた認知症施策や介護サービス提供体制の整備等の推進<br>③医療・介護のデータ基盤の整備の推進<br>④介護人材確保および業務効率化の取り組みの強化 |

## （1）予防重視型システムへの転換

介護保険制度が始まってから要支援、要介護1の軽度者の増加がいちじるしかったことから、要支援者への予防給付が見直され、介護予防を重視する予防給付が新たに創設されました。これにより、要支援の利用者が要支援1、要介護1の利用者が要支援2と要介護1に分けられ、予防給付の対象となる要支援1と要支援2の区分が新たに設けられました。

## （2）施設給付の見直し

居宅と施設の利用者の負担の公平性という観点から、それまで保険給付で行われていた施設の居住費と食費を保険給付の対象外とし、利用者負担としました。

## （3）新たなサービス体系の確立

住み慣れた地域で生活を継続できるよう、サービス体系の見直しが行われました。具体的には、市町村が主体になって介護予防事業[38]や包括的支援事業を行う地域支援事業が創設されました。

また、地域の特性に応じて多様で柔軟なサービスが可能となるよう、新たなサービス体系として地域密着型サービスが創設され、地域における介護予防ケアマネジメント、総合相談、権利擁護などをになう中核機関として地域包括支援センターが設置されました。

## （4）サービスの質の確保・向上

利用者が適切にサービスを選択できるように、すべての介護サービス事業者に対して、情報開示を徹底させることになりました。また、介護支援専門員に対して更新制を設け、5年ごとに更新のための研修を受けなければならないことになりました。

## 2 2008（平成20）年の制度改正

2007（平成19）年に、当時の介護業界で最大の企業によって不正請求や虚偽の指定申請がくり返されていたこと（コムスン事件[39]）が社会問題となりました。これを受けて、2008（平成20）年の制度改正では、介護サービス事業者の不正を防止し、介護事業運営の適正化をはかるとい

---

[38] **介護予防事業**
介護予防事業とは、介護予防・日常生活支援総合事業（総合事業）の前身となる介護予防を目的とした事業です。65歳以上のすべての高齢者が対象となる「一次予防事業」と要支援状態や要介護状態になる可能性の高い高齢者が対象となる「二次予防事業」の2つの事業がありました。この2つの事業については、総合事業の一般介護予防事業に移行しています。

[39] **コムスン事件**
当時の介護業界で最大の企業であったコムスンが、介護報酬の不正請求や架空のホームヘルパーによる虚偽の指定申請などをくり返し行っていた問題。不正が発覚しても、行政による指定取消処分がくだる前に廃止届を提出して責任を逃れることをくり返していた。

う観点から制度改革が行われました。

### （1）事業者の業務管理の体制整備

　介護サービス事業者に業務管理の体制整備を義務づけ、事業者の規模によってその内容を厚生労働大臣、都道府県知事または市町村長に届け出なければならなくなりました。

### （2）事業者の本部等への立入検査権の創設

　事業者の不正行為への組織的な関与が疑われる場合の、国、都道府県、市町村による事業者の本部等への立入検査権が創設されました。

### （3）不正事業者の処分逃れ対策

　事業者の処分逃れを防ぐために、事業所の廃止、休止届の提出について、それまでの事後届出制から、廃止、休止の1か月前までに届け出る事前届出制に変更しました。

### （4）指定・更新の欠格事由の見直し

　1つの事業所が指定取り消しを受けた場合、関連するほかの事業所も指定の更新が受けられなくなる連座制を見直し、連座制は維持しながらも、関連するほかの事業所については各自治体の判断にまかせることにしました。

### （5）事業廃止時のサービス確保対策

　事業を廃止する場合、事業者は、利用者のサービス確保対策をしなければならないことにしました。

## 3　2011（平成23）年の制度改正

　2010（平成22）年から社会保障審議会介護保険部会において制度改正の議論が行われました。そこで明らかになったことが、介護保険制度の現状として、家族の介護の負担は軽減されてきたが地域全体で支える体制が不十分であるということ、給付と負担のバランスを確保する必要があるということでした。これを受けて、2011（平成23）年の制度改正では、地域包括ケアシステムの実現に向けた取り組みが始められました。

## （1）地域包括ケアの推進

　介護が必要な人が住み慣れた地域で安心して暮らしつづけることができるようにするため、**住まい・医療・介護・予防・生活支援**のサービスが切れ目なく、一体的に提供される地域包括ケアシステムを利用者の日常生活圏域に構築していくことが進められました。

## （2）24時間対応の定期巡回・随時対応サービスや複合型サービスの創設

　24時間対応の定期巡回・随時対応サービス（介護保険法上の正式名称は、**定期巡回・随時対応型訪問介護看護**）は、重度者をはじめとした介護が必要な人の在宅生活を支えるため、日中・夜間を通じて、訪問介護と訪問看護を一体的、またはそれぞれが連携してサービス提供を行うサービスとして、地域密着型サービスに位置づけられました。
　**複合型サービス**（現・**看護小規模多機能型居宅介護**）は、従来の地域密着型サービスにあった小規模多機能型居宅介護に訪問看護も提供できるようにし、複数の在宅サービスを組み合わせて提供することができるサービスとして、地域密着型サービスに位置づけられました。

## （3）介護予防・日常生活支援総合事業（総合事業）の創設

　これまでは市町村の判断により、要支援者や**二次予防事業対象者**❹⓪を対象とした介護予防事業が行われていましたが、これが見直され、介護予防サービスや生活支援サービスを総合的に実施できる**介護予防・日常生活支援総合事業（総合事業）**を創設しました。

## （4）介護職員等によるたんの吸引等の実施

　介護福祉職が提供する介護サービスの質の向上のために、介護福祉士や一定の教育を受けた介護福祉職によるたんの吸引等の実施が可能となりました。

## （5）高齢者の住まいの整備等

　2011（平成23）年に高齢者の居住の安定確保に関する法律（高齢者住まい法）が改正され、居室の広さが原則25㎡以上で、バリアフリー化等が施された住宅に、安否確認・生活相談サービス等がついた**サービス付き高齢者向け住宅**❹①が創設されました。

---

❹⓪**二次予防事業対象者**
要介護認定・要支援認定を受けていないが、生活機能の低下があるため、要介護状態・要支援状態になるおそれがあると認定された高齢者のこと。特定高齢者ともいう。

❹①**サービス付き高齢者向け住宅**
p.308参照

#  2014（平成26）年の制度改正

　2014（平成26）年の制度改正は、2012（平成24）年から始まった**社会保障と税の一体改革**にもとづいて行われました。社会保障と税の一体改革とは、消費税の増税などの税制改革と国民生活を守る社会保障制度の機能の強化を同時に行うものです。この改革により、介護分野については、「地域包括ケアシステムの構築」と「費用負担の公平化」を柱として改正が行われました。

## （1）地域包括ケアシステムの構築

### ❶ 地域支援事業の充実

　地域包括ケアシステムの構築に向けて地域支援事業を充実させるために、新たな包括的支援事業として「在宅医療・介護連携推進事業」「生活支援体制整備事業」「認知症総合支援事業」「地域ケア会議推進事業」が設けられました。

### ❷ 予防給付（訪問介護・通所介護）を地域支援事業へ移行

　予防給付の見直しと新しい総合事業の創設が行われました。

① 予防給付の見直し

　要支援者の予防給付のうち訪問介護と通所介護を、市町村が地域の実情に応じて取り組むことができる地域支援事業へ移行しました。

② 新しい介護予防・日常生活支援総合事業（新総合事業）の創設

　2011（平成23）年の改正で創設された総合事業を、それまで市町村の判断にまかせていた任意事業から、すべての市町村で実施する事業（**新総合事業**）としました。また、前述の要支援者の訪問介護と通所介護は、この新総合事業において対応することになりました。

## （2）費用負担の公平化

### ❶ 低所得者の保険料軽減を拡充

　第1号被保険者の保険料について、低所得者の保険料を軽減する割合をより広くして充実することになりました（表4-6参照）。

### ❷ 2割負担の導入

　一定以上の所得がある高齢者については、サービス利用料の自己負担割合が1割から**2割**に引き上げられました。

## 5　2017（平成29）年の制度改正

　2016（平成28）年から社会保障審議会介護保険部会において制度改正の議論が行われました。この議論から、2017（平成29）年の制度改正では、保険者の取り組みを推進して地域包括ケアシステムの強化をはかるとともに、介護保険制度の持続可能性を高めることが求められました。これを受けて、2017（平成29）年の制度改正では、「地域包括ケアシステムの深化・推進」と「介護保険制度の持続可能性の確保」を柱として改正が行われました。

### （1）地域包括ケアシステムの深化・推進

#### 1 自立支援・重度化防止に向けた保険者機能の強化等の取り組みの推進

　この制度改正では、介護保険制度の課題として、自立支援や重度化防止のあり方が取り上げられました。そのため、保険者が策定する市町村介護保険事業計画では、高齢者の自立支援・重度化防止等に向けた具体的な対策や達成目標を盛りこむことが義務づけられました。

#### 2 医療・介護の連携の推進等

　長期にわたり医療ニーズと介護ニーズをあわせもつ利用者の増加が見こまれたことから、長期療養の機能と生活施設の機能を兼ね備えた新たな介護保険施設として**介護医療院**が創設されました。

#### 3 地域共生社会の実現に向けた取り組みの推進等

　地域共生社会のビジョンにもとづく「**丸ごと**」[41]支援として、高齢者と障害児者が同一事業所でサービスを受けやすくするために、介護保険制度と障害福祉制度にまたがるサービスとして、新たに**共生型サービス**が創設されました。

　共生型サービスとは、介護保険制度または障害者総合支援制度のいずれかの指定を受けている事業所が、もう一方の制度における指定を受けやすくしたものです。サービスの種類は**ホームヘルプサービス、デイサービス、ショートステイ**の3つが対象となります（**表4-29**）。

[41]「丸ごと」
p.46参照

### （2）介護保険制度の持続可能性の確保

#### 1 3割負担の導入

　2014（平成26）年の制度改正では、一定以上の所得がある高齢者に対

表4-29 共生型サービス

| | 介護保険サービス | | 障害福祉サービス等 | |
|---|---|---|---|---|
| ホームヘルプサービス | 訪問介護 | ⇔ | 居宅介護<br>重度訪問介護 | |
| デイサービス | 通所介護<br>（地域密着型を含む） | ⇔ | 生活介護（主として重症心身障害者を通わせる事業所を除く）<br>自立訓練（機能訓練・生活訓練）<br>児童発達支援（主として重症心身障害児を通わせる事業所を除く）<br>放課後等デイサービス（同上） | |
| | 療養通所介護 | ⇔ | 生活介護（主として重症心身障害者を通わせる事業所に限る）<br>児童発達支援（主として重症心身障害児を通わせる事業所に限る）<br>放課後等デイサービス（同上） | |
| ショートステイ | 短期入所生活介護<br>（予防を含む） | ⇔ | 短期入所 | |
| 「通い・訪問・泊まり」といったサービスの組み合わせを一体的に提供するサービス※ | （看護）小規模多機能型居宅介護（予防を含む） | | 生活介護（主として重症心身障害者を通わせる事業所を除く）<br>自立訓練（機能訓練・生活訓練）<br>児童発達支援（主として重症心身障害児を通わせる事業所を除く） | |
| | ・通い | → | 放課後等デイサービス（同上） | （通い） |
| | ・泊まり | → | 短期入所 | （泊まり） |
| | ・訪問 | → | 居宅介護<br>重度訪問介護 | （訪問） |

※ 障害福祉サービスには介護保険の小規模多機能型居宅介護と同様のサービスは無いが、障害福祉制度の現行の基準該当の仕組みにおいて、障害児者が（看護）小規模多機能型居宅介護に通ってサービスを受けた場合等に、障害福祉の給付対象となっている。
出典：厚生労働省「共生型サービス」

して、サービス利用料の自己負担割合が1割から2割に引き上げられました。2017（平成29）年の制度改正では、そのなかでもとくに所得が高い高齢者の自己負担割合が2割から3割に引き上げられました。

### 2 介護納付金への総報酬割の導入

40歳以上65歳未満の第2号被保険者の介護保険料となる介護納付金は、今まで各医療保険の加入者数に応じて負担していましたが、これを各医療保険の加入者の総報酬額に応じた総報酬割としました。

##  2020（令和2）年の制度改正

最後に、直近の介護保険制度の動向として、2020（令和2）年の制度

改正についてみていきます。2020（令和2）年は、「地域共生社会の実現のための社会福祉法等の一部を改正する法律」にもとづいて、社会福祉法を中心とした改正とあわせて制度改正が行われました。この改正では、地域共生社会の実現と高齢者の人数がもっとも多くなると見こまれる2040（令和22）年への備えとして改正の議論が行われました。この議論をふまえた包括的な福祉サービスの提供体制を整備する観点から、①地域住民の複雑化・複合化した支援ニーズに対応する市町村の包括的な支援体制の構築の支援、②地域の特性に応じた認知症施策や介護サービス提供体制の整備等の推進、③医療・介護のデータ基盤の整備の推進、④介護人材確保および業務効率化の取り組みの強化などの改正が行われました。これを受けて次のように介護保険法が改正されています。

## （1）地域の特性に応じた認知症施策や介護サービス提供体制の整備等の推進

### 1 認知症施策の総合的な推進

国および地方公共団体に対して、地域における認知症の人の支援体制の整備、認知症の人を介護する人への支援、認知症の人を支援する人の確保と資質の向上を総合的に推進するよう努めることとしました。

### 2 地域支援事業におけるデータの活用

市町村に対して、地域支援事業を行うにあたり、効果的・効率的に取り組むことができるよう、介護保険や介護に関連する情報の活用に努めることとしました。

### 3 介護サービス提供体制の整備

市町村に対して、市町村介護保険事業計画の作成にあたり、市町村の人口構造の変化をふまえて作成することや、有料老人ホームやサービス付き高齢者向け住宅の入居定員総数を定めるよう努めることとしました。

## （2）医療・介護のデータ基盤の整備の推進

### 1 介護分野のデータ活用の環境整備

厚生労働大臣に対して、市町村介護保険事業計画や都道府県介護保険事業支援計画の作成のために、要介護者等に提供されるサービスの内容や地域支援事業の実施の状況などについて調査や分析を行い、その結果を公表するよう努めることとしました。

### （3）介護人材確保および業務効率化の取り組みの強化

　市町村介護保険事業計画や都道府県介護保険事業支援計画に定める事項について、介護人材の確保や資質の向上、業務の効率化や質の向上については、市町村と都道府県が連携して取り組む事項としました。

　このように、介護保険制度は、今までいくつかの改正を経てきました。現在、多くの子どもが生まれた団塊の世代が75歳以上の後期高齢者となる2025（令和7）年への対応が大きな課題となっています。これを**2025年問題**といいます。2025（令和7）年以降は、国民の医療や介護の需要がさらに増加することが見こまれています。そのため、介護保険制度では、この2025（令和7）年をめどにして地域包括ケアシステムの構築が進められています。今後、このような地域包括ケアシステムの構築が進められていくなかで、介護福祉士については、その中心となって活躍することが期待されています。

---

◆ 参考文献
- 「2021年4月介護保険改正のポイント」『ケアマネジャー』2021年4月号臨時増刊、2021年
- 藤井賢一郎監、東京都社会福祉協議会編『介護保険制度とは…――制度を理解するために』東京都社会福祉協議会、2017年
- 厚生労働統計協会編『国民の福祉と介護の動向 2021/2022』2021年
- 佐藤信人『介護保険――制度としくみ』建帛社、1999年
- 高野龍昭『これならわかるスッキリ図解介護保険』翔泳社、2018年
- 中央法規出版編集部編『七訂 介護福祉用語辞典』中央法規出版、2015年

**演習4-1　介護保険制度の動向**

　介護保険制度の改正の動向について調べ、これからの方向性と介護福祉士の役割について考えてみよう。

1 介護保険制度が施行されてから今日にいたるまでの制度改正の動向について、調べてみよう。
2 1をふまえて、これからの介護保険制度はどのような方向をめざすことが望ましいだろうか。介護福祉士としての立場を意識し、グループに分かれて話し合ってみよう。
3 1と2をふまえて、介護福祉士は社会からどのような役割を期待されていると考えられるか、グループに分かれて話し合い、発表してみよう。

 **演習4-2　自分の住んでいる地域の高齢者ケアの課題と方策**

　地域包括ケアシステムの考え方をふまえて、自分の住んでいる地域において、どういう課題があるか、また、その課題に対してどういう方策が考えられるか、調べたうえでレポートにまとめ、グループや全体で発表し、意見交換をしてみよう（地域を、隣近所・自治会・小学校区・中学校区と区分して、それぞれの課題と方策を考えてみるとよい）。

# 第5章 障害者保健福祉と障害者総合支援制度

第 1 節　**障害者保健福祉の動向**
第 2 節　**障害者の定義**
第 3 節　**障害者保健福祉に関する制度**
第 4 節　**障害者総合支援制度**

第1節

# 障害者保健福祉の動向

## 学習のポイント

- 障害者福祉制度における障害概念について学ぶ
- 障害者福祉における理念について、その背景をふまえて学ぶ
- 障害者福祉の動向を理解する

**関連項目**
① 『人間の理解』▶第1章「人間の尊厳と自立」
⑭ 『障害の理解』▶第1章「障害の概念と障害者福祉の基本理念」

## 1 障害者福祉の現状

### 1 障害とは

　社会福祉では、障害を社会の問題として考えます。たとえば足が不自由になり、車いすを使用して生活を営んでいこうとすると、トイレに行ったり、服を着替えたり、ご飯を準備して食べたりするときはもちろ

ん、学校に行って勉強すること、仕事に行って従事すること、週末の余暇を楽しむこと、結婚して子育てをすることなど、いろいろな場面で困難に遭遇します。その困難を解消していくことが社会福祉の役割です。

したがって、障害者福祉の現場における介護福祉士は、本人に寄り添い、どんな困難に遭遇しているのかを共に理解しながら、生活の場面で遭遇する1つひとつの障害をいっしょに取り除いていくことが大きな役割になります。

社会にある大きな障害が、障害者への偏見や差別です。障害を理由に店に入ることを断られたり、学校への入学が断られたり、あるいは就職で不利に立たされたりすることはもちろん、障害者は「社会にとってお荷物だ」「かわいそうな人だ」「不幸な存在だ」といったものから、「不幸を乗り越えてがんばっている人だ」といった決めつけなども偏見や差別に含まれます。

## 2 障害者をめぐる現状

障害者差別の問題はたくさんあります。たとえば、障害者のための福祉施設や事業所をつくろうとしても、「障害者は危険だ」「障害者は地域社会にとってコストがかさむ存在だ」として、地域住民から反対されることがあります。こうした住民から起こる反対運動による施設側と地域のあいだの紛争は**施設コンフリクト**と呼ばれています。なぜ障害者差別はなくならないのでしょうか。

### (1) 障害者基本法の目的

障害者施策の基本理念を定めた障害者基本法第1条では、その目的が次のように定められています。

> **障害者基本法**
> （目的）
> 第1条　この法律は、全ての国民が、障害の有無にかかわらず、等しく基本的人権を享有するかけがえのない個人として尊重されるものであるとの理念にのっとり、全ての国民が、障害の有無によって分け隔てられることなく、相互に人格と個性を尊重し合いながら共生する社会を実現するため、障害者の自立及び社会参加の支援等のための施策に関し、基本原則を定め、及び国、地方公共団体等の責務を明らかにするとともに、障害者の自立及び社会参加

の支援等のための施策の基本となる事項を定めること等により、障害者の自立及び社会参加の支援等のための施策を総合的かつ計画的に推進することを目的とする。

　障害者基本法では、障害者は個人として尊重され、障害の有無によって分け隔てられることなく、障害者と障害のない人が相互に人格と個性を尊重し合いながら共生する社会の実現が目的に定められています。裏返せば、障害者が一般社会から分け隔てられている状況があるからこそ、法律で理念を明記し、その実現をめざしているともいえます。

## (2) 共生社会とは

　みなさんは、「障害者」と聞いて、少し縁のない話のように聞こえたりするかもしれません。あるいは、小学校や中学校で同じクラスに障害のある友達がいたことや、障害児が通う学級があったことを思い出す人もいるかもしれません。このように、多くの人にとって障害者の存在は身近に感じることがなく、障害者や家族がかかえる介護問題もまた、どこか他人事のように思ってしまうことがほとんどです。それはなぜなのでしょうか。

　その要因の1つが、障害者と障害のない人とが分け隔てられて人生を送るしくみがつくられてきたことにあります。子どものときに障害があることがわかると、多くの障害児は地域社会にある小学校・中学校ではなく、特別支援学校という障害児だけが通う学校に通学したり、放課後は、放課後等デイサービスという障害児に利用が限定された学童保育に通ったりしています。

　卒業後は大学などへの進学率がきわめて低く、一般企業に勤めたとしても特例子会社という障害者だけの働く場が準備されていたり、一般就労がむずかしい場合には、障害者に就労の機会を提供したり就労に必要な訓練などを行ったりする就労継続支援という障害福祉サービスを利用したりしています。さらには、自宅での生活がむずかしい場合は入所施設で生活を送ることになりますが、入所施設は地域社会から隔絶された場所に立地していることがよくあります。

　つまり、障害者は障害のない人と物理的に分けられてしまい、日常的な交流やふれあいが自然とできなくなるしくみになってしまっているのです。日常的なふれあいがなくなると、引き起こされてしまうのが障害

者に対する偏見や差別です。**共生社会**を実現するということは、このような分け隔てをなくすことで、偏見や差別を解消していくことでもあるのです。

## 2 障害者福祉の動向

　ここでは、障害者福祉の動向として、障害者の生活実態と、障害者福祉施策の動向について述べていきます。

### 1 障害者の生活実態

#### （1）障害者統計

　障害者数は、統計上はずっと増えつづけており、これからも増えていくことが予測されます。あくまで推計値ですが、障害者数は**表5-1**のようになっています。

　**表5-1**のポイントをあげると、①身体障害者の場合は高齢者が多いこと、②知的障害者は施設入所者の割合が高いこと、③精神障害者は入院率が高いことの3つがあります。

#### （2）福祉サービスの利用状況

　障害者すべてが障害者福祉の制度を利用しているわけではありません。家庭や地域社会での孤立、障害受容、あるいは**スティグマ**（福祉サービス利用への劣等感）など、いろいろな事情をかかえて制度を利用できていない人が数多くいます。その実態を考えるために参考になるのが、**表5-1**の障害者の総数と、障害者手帳所持者数との比較です。

　障害者手帳は障害者福祉施策を受けるうえでパスポートのようなはたらきをしているため、どの程度の人が福祉サービスにつながっているかを把握する目安になります。**表5-1**によると、身体障害者や知的障害者の場合はほとんどの人が手帳を所持しているのに対し、精神障害者は2割程度の人しか所持していません。

　また、厚生労働省が2018（平成30）年に発表した「平成28年生活のしづらさなどに関する調査（全国在宅障害児・者等実態調査）」では、生活のしづらさをかかえているのに、障害者手帳をもたず、障害福祉サー

表5-1 障害者数

| 障害の種類 | 総数 | 障害者手帳所持者数 | 65歳以上の割合 |
|---|---|---|---|
| 身体障害児・者 | 436万人（うち施設入所者7万人） | 429万人 | 73％※1 |
| 知的障害児・者 | 109万人（うち施設入所者13万人） | 96万人 | 16％※1 |
| 精神障害者 | 419万人（うち入院者30万人） | 84万人 | 37％※2 |

資料：内閣府編『令和3年版 障害者白書』pp.245-250、2021年より筆者作成
※1：「在宅」の数値である。
※2：「外来」の数値である。
注1：精神障害者の数は、ICD-10の「Ⅴ精神及び行動の障害」から知的障害（精神遅滞）を除いた数に、てんかんとアルツハイマーの数を加えた患者数に対応している。
　2：身体障害児・者の施設入所者数には、高齢者関係施設入所者は含まれていない。

ビスを受けることができていない人が138万人いると推計されています。支援が必要なのに孤立してしまっている人に、どのように福祉サービスを届けていくのかが問われています。

## 2 障害者福祉施策の動向

障害者福祉施策は、いま、どのような方向に動いているのでしょうか。

2000年代に入って、障害者福祉施策は飛躍的に発展してきました。厚生労働省の「障害保健福祉部予算案の概要」をみると、2008（平成20）年は9700億円だったものが、2021（令和3）年には2兆2351億円に倍増しています。2021（令和3）年では、この予算のうちの大半（約77％）を障害福祉サービス関係費が占めています。

そして、近年の動向として特筆すべきが、障害者差別の解消への取り組みです。

国連は**障害者の権利に関する条約（障害者権利条約）**❶を採択しました。その影響を受けて、日本でも障害を理由とする差別の解消の推進に関する法律（障害者差別解消法）が制定され、障害を理由にした不当な取り扱いが禁止されています。

障害者差別解消法では、障害を理由に障害者でない人との不当な差別的取り扱いをすることを禁止しており、行政機関や事業者に対して障害者への**合理的配慮**の提供が義務づけられています（これまで事業者は、

❶障害者の権利に関する条約（障害者権利条約）
2006年に国連総会で採択された条約で、日本は2014（平成26）年に批准した。条約の作成では「私たち抜きに私たちのことを決めないで」という原則のもと、障害当事者が議論に参加した。条約で重視されたのが「合理的配慮」の考え方で、合理的配慮の不提供が差別として位置づけられた。

合理的配慮の提供が努力義務とされていましたが、2021（令和3）年に法改正があり、2024（令和6）年6月までに義務化される予定となっています）。

　たとえば車いすを使う障害者が鉄道を利用するとき、駅舎にエレベーターやスロープの確保などを行うことで、障害のない人と比べて不利のないように利用できる環境を提供することが求められます。

# 第2節 障害者の定義

## 学習のポイント
- 法律によって障害者の定義が異なることを知る
- 障害者基本法では社会的障壁が定義に用いられていることを理解する

関連項目　⑭『障害の理解』▶第1章「障害の概念と障害者福祉の基本理念」

## 1 障害者の法的定義

　「障害者」とはだれのことなのか、という問いは意外にむずかしく、複雑です。しかし、障害によって支援を必要としている人にとっては、法的な保障を受けられるかどうかが決まるため、大変重要なことです。

　何らかの支援を必要としていたら、すぐに制度的に障害者として認められ、サービスが提供されるわけではありません。それぞれの法律のなかで定義がなされ、判定の基準や手続きが定められています。

### 1 障害者の定義

　障害者施策全体の基本となる障害者基本法では、「障害者」を次のように定義しています。そこでは、**社会的障壁**というキーワードが用いられて説明されています。

> **障害者基本法**
> （定義）
> 第2条　この法律において、次の各号に掲げる用語の意義は、それぞれ当該各号に定めるところによる。
> 　一　障害者　身体障害、知的障害、精神障害（発達障害を含む。）その他の心身の機能の障害（以下「障害」と総称する。）がある者であって、障害

及び社会的障壁により継続的に日常生活又は社会生活に相当な制限を受ける状態にあるものをいう。
二 社会的障壁 障害がある者にとって日常生活又は社会生活を営む上で障壁となるような社会における事物、制度、慣行、観念その他一切のものをいう。

また、障害者へのおもな福祉サービスを規定している障害者の日常生活及び社会生活を総合的に支援するための法律（障害者総合支援法）では、次のように「障害者」を定義しています。

**障害者総合支援法**
（定義）
第4条 この法律において「障害者」とは、身体障害者福祉法第4条に規定する身体障害者、知的障害者福祉法にいう知的障害者のうち18歳以上である者及び精神保健及び精神障害者福祉に関する法律第5条に規定する精神障害者（発達障害者支援法（平成16年法律第167号）第2条第2項に規定する発達障害者を含み、知的障害者福祉法にいう知的障害者を除く。以下「精神障害者」という。）のうち18歳以上である者並びに治療方法が確立していない疾病その他の特殊の疾病であって政令で定めるものによる障害の程度が厚生労働大臣が定める程度である者であって18歳以上であるものをいう。

以上の定義をふまえると、「障害者」はおもに「身体障害者」「知的障害者」「精神障害者」「発達障害者」「難病患者」に分けられます。

## 2 法律等における障害者の定義

「身体障害者」「知的障害者」「精神障害者」「発達障害者」「難病患者」については、それぞれの法律などのなかで詳しく定義されています（表5−2）。

身体障害者は、身体障害者福祉法の別表に規定された障害の一覧に該当しており、都道府県知事から身体障害者手帳の交付を受けた者のことをいいます。身体障害者福祉法施行規則の別表第5では、障害の種類ごとに、もっとも重度に該当する1級から7級までの障害等級が規定されており、6級以上が身体障害者手帳の交付対象となります。なお、7級の場合であっても、7級に該当する障害が2つ以上ある場合は、6級となります。

### 表5-2　法律等における障害者の定義

| | 法律等 | 定義 |
|---|---|---|
| 身体障害者 | 身体障害者福祉法 | 視力や四肢の状況などを示した機能障害の一覧表にかかげる身体上の障害がある18歳以上の者であって、都道府県知事から身体障害者手帳の交付を受けたもの |
| 知的障害者 | 知的障害児（者）基礎調査 | 知的機能の障害が発達期（おおむね18歳まで）にあらわれ、日常生活に支障が生じているため、何らかの特別の援助を必要とする状態にあるもの |
| 精神障害者 | 精神保健福祉法※1 | 統合失調症、精神作用物質による急性中毒またはその依存症、知的障害、精神病質その他の精神疾患を有するもの |
| 発達障害者 | 発達障害者支援法 | 発達障害（自閉症、アスペルガー症候群その他の広汎性発達障害、学習障害、注意欠陥多動性障害その他これに類する脳機能の障害であってその症状が通常低年齢において発現するものとして政令で定めるもの）があるものであって発達障害および社会的障壁により日常生活または社会生活に制限を受けるもの |
| 難病患者 | 難病医療法※2 | 難病（発病の機構が明らかでなく、かつ、治療方法が確立していない希少な疾病であって、当該疾病にかかることにより長期にわたり療養を必要とすることとなるもの）の患者 |

※1：「精神保健福祉法」とは、「精神保健及び精神障害者福祉に関する法律」のことである。
※2：「難病医療法」とは、「難病の患者に対する医療等に関する法律」のことである。

　精神障害者は、精神保健及び精神障害者福祉に関する法律（精神保健福祉法）に規定された精神疾患などがある者のことをいいます。精神保健及び精神障害者福祉に関する法律施行令では、もっとも重度に該当する1級から3級までの障害等級が規定されており、これらの障害等級に該当すると認められた場合には、**精神障害者保健福祉手帳**が交付されます。

　知的障害者は、知的障害者福祉法では定義が規定されていません。法律に根拠はありませんが、実際には、児童相談所や知的障害者更生相談所で知的障害があると判定された場合に、**療育手帳**が交付されます。ただし、自治体によって運用が異なり、手帳の名前や障害の軽重の表記の仕方も変わってきます。

第 **3** 節

# 障害者保健福祉に関する制度

**学習のポイント**
- 障害者保健福祉の法律の全体像を把握する
- 精神障害者福祉が歴史的に取り残されてきたことを知る
- 障害児の支援制度を知る

**関連項目** ⑭『障害の理解』▶ 第1章「障害の概念と障害者福祉の基本理念」

## 1 障害者福祉の歴史

　どうすれば障害者に対する偏見や差別は減っていくのでしょうか。それを考えるためには、歴史を知ることが必要です。

　障害者福祉の歴史は障害種別で積み重ねが大きく異なります。図にすると図5－1のようになります。

　障害者福祉はまずは身体障害者への取り組みから始まり、遅れて知的障害者にも拡大しましたが、精神障害者への対応はそれらよりかなり遅れ、1995（平成7）年からようやく始まりました。障害者福祉の理念はこの歴史の積み重ねのなかで登場していきました。以下では、時系列にそって述べていきます。

### 1 障害者福祉のはじまり

#### （1）身体障害者福祉法の制定

　障害者福祉に関する法律の成り立ちは、1949（昭和24）年の身体障害者福祉法から始まります。この法律により身体障害者の職業復帰のための対策が始まります。戦時中は、身体障害者のなかでも傷痍軍人など限られた対象しか保障を受けることができませんでした。しかし、この法律では先天性の障害者をはじめ、それ以外の身体障害者も保障を受けら

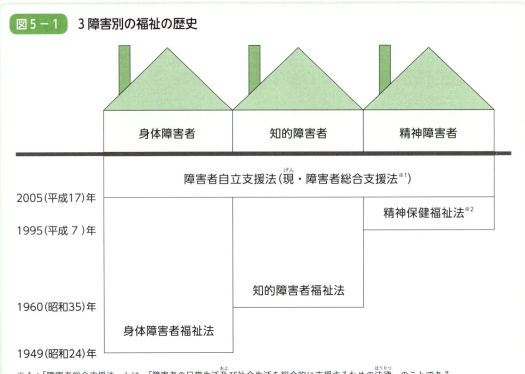

れるようになったことが画期的でした。その社会的背景には社会の民主化や、ヘレン・ケラー（Keller, H.）の来日による世論の喚起などをあげることができます。

ただし、その対象や対策の内容は限定的で、多くの障害者は保障の対象から取り残されていました。障害者福祉はそのまましばらく停滞することになります。

## （2）優生思想のまん延

1950年代、日本の経済は高度経済成長で勢いよく復興していきました。しかし、その発展はあくまで健常者の世界に限ったもので、障害者の存在は取り残され、障害者やその家族は深刻な生活問題をかかえていました。そのため、障害のある子どもの将来を悲観して一家心中をする事件が相次いで起こっていました。その背景には、障害があることを理由に学校教育から一方的に排除されていた事情もありました。

とくにこの時代は、障害者の生を否定する優生思想が広くまん延して

いました。優生思想がまん延するなか、障害者は「遺伝的に劣等だ」「社会にとってコストだ」といった、経済的な観点から命に価値を付ける論議が公然と行われてきました。その陰で実施されてきたのが、旧・優生保護法による強制不妊手術です。1996（平成8）年まで数多くの障害者に傷跡をきざみつづけ、人権を侵害してきました。

こうしたなかでも、1960年代、滋賀県では、知的障害児のための施設「近江学園」を手がけていた**糸賀一雄**❶らにより、重症心身障害児のための施設「びわこ学園」が創設されました。

経済社会にとって役立つことが当然視されていた社会情勢にあって、糸賀はあえて重症心身障害児の発達に目を向け、その存在に向き合っていったことは、今日の福祉思想の形成にも大きな影響を与えました。

### （3）知的障害者福祉法の制定

この時代に、障害児を養う親からの強い要望で成立したのが知的障害者福祉法（1960（昭和35）年）でした。これにより、遅れていた知的障害者への福祉施策がようやくスタートしました。

そこで着手されたのは入所施設の整備でした。全国の山間部などに、コロニーと呼ばれる大規模な知的障害者の入所施設群がつくられていきました。その設置を進めた政策は**コロニー政策**と呼ばれ、知的障害者にとっては地域社会から隔離された入所施設へ移住を強制されてしまうことでもありました。このような処遇はのちにノーマライゼーションの理念に反すると批判され、その後、コロニー政策は大きく見直されていきました。

## 2 障害者福祉の理念の発展

### （1）ノーマライゼーションとは

国連は1981年を国際障害者年と定め、日本では**ノーマライゼーション**の理念が普及するきっかけになりました。

ノーマライゼーションとは、障害者が地域社会の一員として、障害のない人と同じようなふつうの生活が送れるように、環境条件を整えるべきであるとする理念です。これを提唱したデンマークの**バンク-ミケルセン**（Bank-Mikkelsen, N. E.）は、かつてナチス・ドイツによる強制収容所に隔離収容されていた経験がありました。その経験から、障害者

---

❶**糸賀一雄**
当時、重症心身障害児に対して「かわいそうな存在」といった受け止め方が支配的であったなか、糸賀は重症心身障害児こそが輝ける社会があるべき社会だと訴え、人間存在に対する価値変革を迫る言葉として「この子らを世の光に」というメッセージを唱えた。

が入所施設に隔離収容されることを疑問に思い、隔離収容を社会問題としてとらえるために提唱した理念でもあります。

生存権を保障することは、単に生きながらえることを保障するものではありません。ノーマライゼーションの思想は、地域社会でふつうの生活が送れることが本来の姿であるとしたのです。ノーマライゼーションの理念の普及は障害者福祉施策の発展に大きな影響を与えました。

## （2）自立生活運動

1960年代から1970年代にかけてアメリカのカリフォルニア州で始まった**自立生活運動**❷を受けて、日本では1980年代から自立生活運動が広がりました。「自立」と聞くと、みなさんはどうイメージするでしょうか。

当時は「自立」という場合、身辺自立（身のまわりのことを自分で行うこと）であったり職業的自立（仕事に就くこと）であったりと、他人の世話を受けないですむようになることや、福祉制度を利用しないですむようになることが自立であるとする認識が支配的でした。それが、今では自己決定の自立が重視されるようになりました。そのきっかけになったのが障害当事者による自立生活運動でした。

自立生活運動では、自立とは単に他者に依存しない状況をいうのではなく、家族からの独立であったり、自身の生活を主体的に管理できることであったり、自己決定ができるようになったりすることを重視しました。

たとえば、服を1時間かけて自身で着ることができるようになることよりも、ホームヘルパーの援助を受けて5分で着替え、自身の生活を自身なりに自己決定してQOL（Quality of Life：生活の質）を高めたり**自己実現**をしたりしていくことのほうが本来の自立だとしたのです。

なぜ自立生活運動が広がったのでしょうか。それまでの福祉政策では、障害者への介護を家族に丸投げしていました。それが原因で、時として、本人の生活すべてが親の意向に支配されてしまったり、本人の自己主張がせばめられたり、自己決定がないがしろにされたりすることとなりました。障害者にとっては、生きていくためのあらゆることを家族に頼らざるをえない現実がありました。

また、施設に入所すると、今度はプライバシーもなく、入浴、排泄の時間にいたるまで、生活のすべてを職員に管理されてしまい、本来あるはずの本人の主体性や権利意識が奪われてしまった先には、無力化が待

❷**自立生活運動**
アメリカの自立生活運動をルーツとする、障害当事者からの助言をえながら、親元や施設ではなく、自身が決めた地域で暮らすという自立生活をめざす運動。障害当事者による助言活動はピアカウンセリングと呼ばれている。日本では、脳性麻痺者らの「青い芝の会」により、先駆的に推進されてきた。優生思想への抗議や、親による障害児殺害事件に対して、殺される立場からその問題性を告発していくなど、活発な運動がくり広げられた。

ち構えていました。「施設を出て1人暮らしをしたい」という、だれしもがいだくあたりまえの希望ですら、「自立していないからだめだ」と、自立の言葉が不用意にもち出されて一方的に拒絶されてきたのです。それに抗議するために障害当事者らがつどい、新しい自立の概念を提唱しながら、親元や施設から独立した生活を実現するために社会運動がくり広げられてきたのです。

介護を受けること自体は避けるべきことではなく、依存でもありません。自立の観点から障害者に介護を提供する場合は、介護を通して本人が直面している社会的障壁をどうやって取り除いていくのか、本人に福祉制度や介護を提供する人をうまく活用してもらいながら、どう自己決定や自己実現することができるようにしていくのか、そこに目を向けることが重要となります。介護現場では本人の話を聞こうとせず、一方的に家族に意見を求めたり聞いたりするような姿がしばしば見受けられますが、それは誤りです。

## 3 障害者基本法の制度と障害者プランの策定

1995（平成7）年、国によって「障害者プラン——ノーマライゼーション7か年戦略」が示されました。はじめて数値目標を定めた計画を策定する試みがはじまり、障害者福祉施策が大きく整備されるきっかけになりました。

障害者プランは、1993（平成5）年に障害者対策推進本部が示した「障害者対策に関する新長期計画」の具体化をはかるための重点施策実施計画として同年の障害者基本法の改正を受け、策定されたものです。ホームヘルプサービスやデイサービス、ショートステイといった、在宅福祉を支える施策が整備されるきっかけになったことや、省庁の枠を超えた横断的な計画が策定されたことは画期的であり、とりわけ障害者施策の整備に数値目標を明記したことが評価されました。

以降、障害者プランはつくりかえられ、現在、第4次障害者基本計画（2018（平成30）年度から2022（令和4）年度までのプラン）が策定されています。

## 4 取り残されてきた精神障害者福祉

### (1) 精神障害者福祉施策の整備

このような理念の提唱や福祉施策の整備が進むなか、精神障害者の存在が見過ごされてきました。精神障害者への福祉施策が整備されず、精神科病院への入院による処遇が続けられてきた結果、現在、**社会的入院**[3]の問題に直面しています。

精神障害者への福祉施策がスタートするのは、1995（平成7）年に成立した**精神保健及び精神障害者福祉に関する法律（精神保健福祉法）**からです。身体障害者福祉に比べて約半世紀遅れてのスタートとなります。1993（平成5）年の障害者基本法の成立までは、精神障害者は制度的にも障害者として位置づけられていませんでした。

### (2) 社会防衛思想

精神障害者福祉はなぜこれほどに遅れてしまったのでしょうか。精神障害者に対しては、社会福祉の対象というよりは、むしろ「社会を精神障害者から守る」という社会防衛の観点からの対応が根強く残っていました。精神障害は、もともと「癲狂」や「狂病」といった「狂」の言葉で表現されていたことが象徴するように、病気や障害として認識されることに多大な苦労を必要としてきた経緯があります。

精神病者監護法（1900（明治33）年）によって、「私宅監置」と呼ばれる座敷牢への監禁を合法化し、家族にその監護を義務づけた**保護者制度**[4]がはじまります。戦後も、**優生保護法**によって強制不妊手術を受けさせられたり、電気けいれん療法や前頭葉切除術（ロボトミー）といった懲罰的な処置を受けさせられたりして、重大な後遺症を背負わされたりしてきました。

精神障害者を入院させるしくみは早くから整備されてきており、現在の入院のしくみは**表5-3**のようになっています。現在、入院形態のうち多くを占めているのが任意入院と医療保護入院です。医療保護入院は近年も増えつづけています[1]。自由を厳しく制限する保護室への隔離や身体拘束もこの10年間で大幅に増えています[2]。人権が制限されている状況が、改善するどころか、むしろ悪化傾向にあるといえます。

---

[3] **社会的入院**
社会的入院とは、医学的には入院の必要がないにもかかわらず、家庭の事情や地域での受け皿がないために病院で生活をしている状態。

[4] **保護者制度**
監護義務者を定め、その人に監護義務を課すしくみで、精神障害者に医療を受けさせたり財産上の利益を保護したりすることなどを法律上保護者に義務づける113年続いた制度。2013（平成25）年に廃止された。しかし、保護者制度に代わるものとして医療保護入院への「家族等」による同意の要件が引き続き規定され、家族に負担を求めるしくみは変わっていない。

表 5 - 3　精神障害者の入院のしくみ

| 入院の種類 | 内容 |
|---|---|
| 任意入院 | 本人の同意にもとづく入院。本人から退院の申し出があった場合は病院側には退院が義務づけられている。 |
| 医療保護入院 | 精神保健指定医の診察と「家族等」の同意にもとづく強制入院。自傷他害のおそれは要件とされない。「家族等」とは、配偶者、親権者、扶養義務者、後見人、保佐人のことで、「家族等」がない場合は市町村長の同意により入院が可能となる。「家族等」が同意を拒否する場合は市町村長は同意を行うことはできない。精神科病院は退院後生活環境相談員を選任して相談支援を行うことのほか、退院のための体制整備や措置を行うことが義務づけられている。 |
| 応急入院 | 保護者の同意をえることができないが、精神保健指定医の診察ですぐに入院させないと、その人の医療および保護をはかるうえでいちじるしく支障をきたす場合に、精神科病院の管理者が72時間に限って強制入院をさせるもの。 |
| 措置入院 | 「自傷他害のおそれ」を要件に、精神障害者を都道府県知事の権限で強制入院させる制度。2名以上の精神保健指定医により、自傷他害のおそれがあるかどうかで判断される。入院には病状報告や退院請求の書面による告知を義務づけており、自傷他害のおそれがないと認められた場合には、ただちに退院させることが義務づけられている。 |
| 緊急措置入院 | 措置入院の要件を緩和したもので、72時間に限って強制入院をさせるもの。 |

## （3）精神障害者福祉への歩み

精神障害者福祉の法整備[5]は、相次ぐ不祥事や暴行死事件（宇都宮病院事件（1983（昭和58）年）や大和川病院事件（1993（平成5）年）など）を受けて「やむにやまれず」改正してきたというネガティブなきっかけがあり、国際社会からも非難を集めてきた経緯があります。

しかしながら、地域社会への復帰を視野に入れた取り組みも少しずつ進められています。大阪府では市民アドボカシーとして、1985（昭和60）年から認定NPO法人大阪精神医療人権センターによる精神科病院への面会や病棟訪問、電話相談など、障害当事者や家族、医療・福祉・司法関係者らによる市民のオンブズマン活動が行われてきました。

1999（平成11）年の大阪府精神保健福祉審議会答申では社会的入院を人権侵害であると位置づけ、その解消のための事業をスタートさせました。その後、国は社会保障の方向として社会的入院の解消を明確に打ち出し、現在、退院のためのサービスは障害者の日常生活及び社会生活を

[5] **精神障害者福祉の法整備**
精神病者監護法は1950（昭和25）年に精神衛生法となり、1987（昭和62）年からは精神保健法へと改正され、医療や保健の観点が加わってきたものの、福祉の観点が加わるのは1995（平成7）年の精神保健福祉法まで待たなければならなかった。

総合的に支援するための法律（障害者総合支援法）にもとづいて実施されています。

## 5 障害者自立支援法から障害者総合支援法へ

### （1）障害者自立支援法の制定

　2005（平成17）年に成立した障害者自立支援法は、2000（平成12）年に施行された介護保険法との統合を見すえ、障害者福祉の歴史上、大きな変革を行ったものでした。ただし、同時に課題も多く示されてきました。

　そのきっかけとなったのは、**社会福祉基礎構造改革**[6]によって社会福祉行財政の新たな方向性が示されたことや、医療保険改革、**介護保険法**が制定されたことなどがあげられます。

　社会福祉基礎構造改革では、規制緩和によって福祉サービスへの民間団体の参入をうながし、**措置制度**[7]から**利用契約制度**[8]へ転換させ、福祉サービスをある種の「商品」として提供するようなしくみに切り替えられました。同時に、営利企業にも福祉サービスの参入を認め、登場したのが利用契約制度である**支援費制度**でした。しかし、この支援費制度が導入されたことにより、障害者の福祉サービスの利用が急速に伸びたことで、財政的な負担などの課題が生じました。こうした課題を解消するために障害別の法制度で提供してきた福祉サービスを一元化したのが**障害者自立支援法**でした。法のポイントは**表5-4**のとおりです。

　簡単に成立までの流れを整理したのが図5-2です。

### （2）障害者自立支援法違憲訴訟

　障害者自立支援法では、収入にかかわらずサービス利用に一定の費用負担を求める**応益負担**[9]を導入しました。このことは障害者の生活に経

**❻社会福祉基礎構造改革**
p.77参照

**❼措置制度**
p.77参照

**❽利用契約制度**
p.77参照

**❾応益負担**
p.86参照

| 表5-4 | 障害者自立支援法のポイント |

- それまで障害別に提供されていた福祉サービスを一元化した。
- 対象者を判別するための新たな基準である障害程度区分（現・障害支援区分）を設定した。
- 利用者への応益負担（定率負担）を導入した。

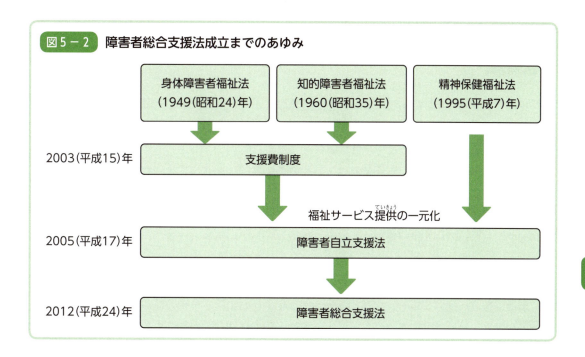

図5-2 障害者総合支援法成立までのあゆみ

済的な重い負担を強いるとして批判が相次ぎました。障害当事者やその関係者らによって、障害者自立支援法の問題を訴えるデモやアピール行動に加え、応益負担によって障害者が制度利用をひかえる実態を明らかにした社会調査が実施されたり、裁判所を舞台にその違憲性を訴えるアクションとして障害者自立支援法違憲訴訟が全国的に行われたりしました。

## (3) 障害者総合支援法への変化

障害者自立支援法違憲訴訟では、訴訟原告団・弁護団と国との間に和解が成立し、「基本合意文書」が取り交わされ、障害者自立支援法の廃止が明記されました。政府は新たな法律を制定するために、数多くの障害当事者や家族が参加した「障がい者制度改革推進会議」を設置し、新たな法案の骨子を示した「骨格提言」を取りまとめました。

ところが、実際に厚生労働省が作成した法案では「骨格提言」のほとんどは反映されませんでした。難病患者を法の対象に加えたり、法の目的の条文が修正されたりはしましたが、結局のところ障害者自立支援法は廃止されず、**障害者の日常生活及び社会生活を総合的に支援するための法律(障害者総合支援法)**として名称を変えて存続し、現在に至っています。

> **コラム** 相模原障害者殺傷事件を乗り越えるには

2016（平成28）年7月26日に、障害者支援施設で、元職員によって入所者19人が刺し殺され、他の入所者や職員26人が重軽傷を負わされた相模原障害者殺傷事件が起こりました。戦後社会福祉の歴史上、もっとも凄惨な事件となりました。

これまで、事件を起こした元職員は、施設での勤務経験を通して差別思想を強めていったことや、その施設現場では虐待や身体拘束があったことが明らかにされてきました。それは単にこの施設固有の問題であるというよりは、たとえば入所施設の閉鎖性であったり、本人が本来もっている権利性が奪われ、暴力を受けたとしても声を上げることができなくなってしまう「無力化」の問題があったりすることなど、入所施設そのものがもっている構造的な欠陥があらためて指摘されてきました。

また、被害を受けつつも、なんとか生き残った入所者には、今後の住む場について、入所施設なのか、地域社会にあるグループホームや一般の住居なのかを決めてもらうための意思決定支援が行われています。その実践を通して、意思決定支援のポイントとして示されてきたのが、日常的な意思決定の積み重ねが住む場を決める大きな意思決定のベースになることや、福祉従事者側にある「障害が重度だから無理」といったあきらめや決めつけから、どう脱却できるかがキーになることでした。

介護福祉士としても、二度とこのような事件が起こらないように、事件後の動向に関心をもちながら、自身は事件にどう向き合っていくべきか、日々の業務からくり返し問い直すことが重要です。

## 2 障害者保健福祉の法律

障害者を支える法律はたくさんあり、複雑です。障害者は、複雑で多種多様な法律をうまく活用しながら生活を成り立たせているのです。

理解の仕方としては、さまざまな障害者施策のあり方や基本理念を定めた障害者基本法をベースに、そのもとで障害者総合支援法をはじめとして障害別に具体的な法規が定められていること、そして、虐待や補助犬といった個別の事柄について定めたものがあると考えるとわかりやすくなります。

# 1 障害者を支える法律

障害者保健福祉に関連する法律を並べると**表5－5**のようになります。

障害者を支える法律をできるだけわかりやすく示したのが**図5－3**です。

障害者を取り巻く法制度は複雑で絶えず変化しています。介護福祉の現場では、本人にとって法制度ができるだけ有効に活用されるよう、さまざまな工夫がなされています。法制度に本人をあてはめていくのではなく、本人の生活にとって役立つ制度とは何かを考えながら、1つの制度にとらわれるのではなく、いろいろな引き出しから知恵をしぼり、積極的に活用していくという視点が重要です。介護福祉士には、制度的なしくみやその限界をつぶさに観察しながら、利用者の思いを実現するための手段や方法をいかに身につけていくかが問われるのです。

### 表5－5 障害者保健福祉の法律

| 法律名<br>（　）は略称 | 対象者 | 内容 |
|---|---|---|
| 障害者基本法 | 障害者 | 障害者施策の基本原則を定め、共生社会の実現のために行われる事項、差別の禁止、障害者週間、障害者基本計画の策定などについて定めている。 |
| 身体障害者福祉法 | 身体障害者 | 身体障害者手帳や身体障害者社会参加支援施設（身体障害者福祉センターや盲導犬訓練施設、点字図書館など）、身体障害者更生相談所の設置などについて定めている。 |
| 知的障害者福祉法 | 知的障害者 | 知的障害者への更生援護や知的障害者更生相談所の設置などについて定めている。 |
| 精神保健及び精神障害者福祉に関する法律<br>（精神保健福祉法） | 精神障害者 | 精神障害者保健福祉手帳や精神保健福祉センターの設置、精神保健指定医、精神障害者の入院制度やその審査を行う精神医療審査会などについて定めている。 |
| 発達障害者支援法 | 発達障害者 | 発達障害者支援センターの設置や、発達障害者への学校教育（大学含む）や就労における支援などについて定めている。 |
| 障害者の日常生活及び社会生活を総合的 | | 障害者への福祉サービスの基本となっている法律で、障害福祉サービスの種類や提供方法、医療費の助成、補装具の貸与、障 |

| | | |
|---|---|---|
| に支援するための法律<br>(障害者総合支援法) | 障害者 | 福祉サービスなどの整備を行う障害福祉計画の策定などについて定めている。 |
| 児童福祉法 | 児童 | 一般の児童だけでなく、障害児に対する支援などについても定めており、障害児通所支援、障害児相談支援、障害児入所支援や療育の指導などがある。 |
| 障害者の雇用の促進等に関する法律<br>(障害者雇用促進法) | 障害者 | 雇用する労働者に占める障害者割合を設定した法定雇用率制度、就労における障害者差別の禁止と合理的配慮の提供義務、ジョブコーチ制度、相談支援機関として障害者職業センター、障害者就業・生活支援センターの設置などについて定めている(法定雇用率については第6章第4節参照)。 |
| 障害を理由とする差別の解消の推進に関する法律<br>(障害者差別解消法) | 障害者 | 障害を理由とした差別の解消を推進するため、行政機関や事業者への不当な差別的取り扱いの禁止、合理的配慮の提供義務について定めている。差別に該当する内容や合理的配慮の措置については国や自治体、主務大臣によって示される。 |
| 障害者虐待の防止、障害者の養護者に対する支援等に関する法律<br>(障害者虐待防止法) | 障害者 | 虐待者や虐待の種類(身体的虐待、性的虐待、心理的虐待、放棄・放置、経済的虐待)を定め、虐待の防止のための施策や虐待発生時の通報義務、通報義務の窓口として市町村障害者虐待防止センター、都道府県障害者権利擁護センターの設置などについて定めている。 |
| 難病の患者に対する医療等に関する法律<br>(難病医療法) | 難病患者 | 医療保険で医療を受けた場合の自己負担分を軽減するための医療費助成などについて定めている。対象となる難病は「指定疾患」のみで、2021(令和3)年11月現在で338疾患となっているが、「軽症」と診断された場合には助成されない。 |
| 心神喪失等の状態で重大な他害行為を行った者の医療及び観察等に関する法律<br>(心神喪失者等医療観察法) | 心神喪失等の状態で重大な他害行為を行った者 | 対象者への円滑な社会復帰促進を目的に、その必要な手続きや鑑定入院など医療の提供、他害行為の再発防止、地域ケア体制の確保、被害者への配慮などについて定めている。 |
| 高齢者、障害者等の移動等の円滑化の促進に関する法律<br>(バリアフリー新法) | 高齢者、障害者等 | 公共交通機関や公園、建築物、道路、駅前広場、通路などのバリアフリー化について定めている。 |
| 身体障害者補助犬法 | 身体障害者 | 介助犬、盲導犬、聴導犬(総称して補助犬)の扱いについて定め、店舗や病院など、不特定多数が利用する施設などでの受け入れについて義務づけている。 |

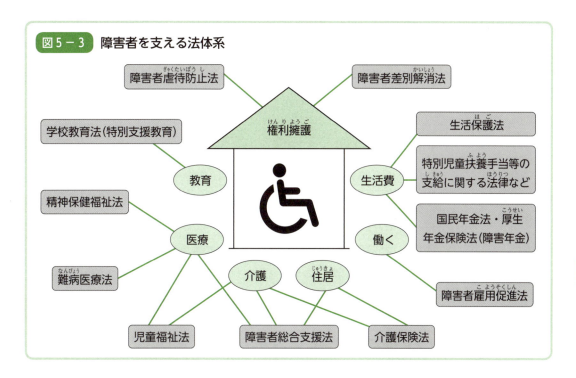

図5-3 障害者を支える法体系

## 3 障害児に対する支援制度

　障害児も障害者も支援の土台は変わりませんが、障害児の場合は少し配慮すべき内容に特徴があり、それに応じて福祉制度も整備されています。

### 1 乳幼児健診

　障害児の場合、障害がまだ流動的で、治療の余地がある場合も少なくありません。早期発見のためのしくみとして、**乳幼児健診**があります。乳幼児健診は**母子保健法**にもとづき市町村が実施するもので、1歳6か月と3歳児健診が保健所などで行われています。なお、自治体によっては独自の健診を実施している場合もあります。

### 2 福祉サービス

　障害児が利用できる福祉サービスには、障害者総合支援法のサービスと児童福祉法のサービスがあります。

障害者総合支援法と児童福祉法の兼ね合いは少し複雑ですが、**図5－4**のように、訪問系サービスなどを利用する場合は障害者総合支援法が、通所系サービス・入所系サービスを利用する場合は児童福祉法が担当していると考えるとわかりやすくなります。

### （1）障害者総合支援法のサービス

　障害児も障害者総合支援法のサービスを一部利用することができます。その利用の判断に、**障害支援区分**❿は設定されていません。たとえば、居宅介護や移動支援などのサービスや、身体障害の場合は自立支援医療（育成医療）などを受けることができます。

　障害者総合支援法のサービスについては本章第4節で詳しく扱います。ここでは、児童福祉法のサービスについてみていきます。

❿**障害支援区分**
p.245参照

### （2）児童福祉法による支援

　児童福祉法のサービスには、**障害児通所支援**と**障害児入所支援**があります（**表5－6**）。

#### ❶ 障害児通所支援

　障害児では、早期のリハビリテーションにより状況を改善させることができる可能性があります。そのための施策として**児童発達支援**があります。児童発達支援では未就学の障害児（6歳未満）を対象にリハビリ

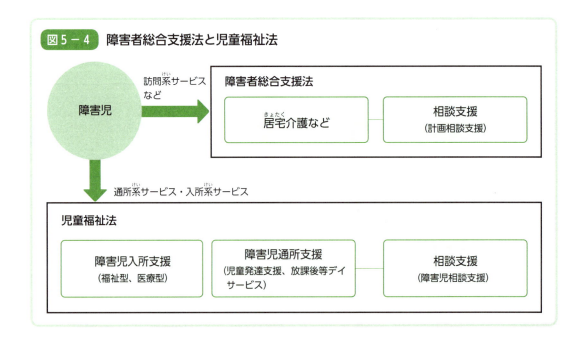

**図5－4　障害者総合支援法と児童福祉法**

表5－6　障害児通所支援・障害児入所支援の体系

| 支援 | | 支援の内容 |
|---|---|---|
| 障害児通所支援 | 児童発達支援 | 日常生活における基本的な動作の指導、知識技能の付与、集団生活への適応訓練、その他の必要な支援を行うもの |
| | 医療型児童発達支援 | 日常生活における基本的な動作の指導、知識技能の付与、集団生活への適応訓練、その他の必要な支援及び治療を行うもの |
| | 放課後等デイサービス | 授業の終了後又は学校の休業日に、生活能力の向上のために必要な訓練、社会との交流の促進その他の必要な支援を行うもの |
| | 居宅訪問型児童発達支援 | 重度の障害等により外出が著しく困難な障害のある児童の居宅を訪問して発達支援を行うもの |
| | 保育所等訪問支援 | 保育所、乳児院・児童養護施設等を訪問し、障害のある児童に対して、集団生活への適応のための専門的な支援その他の必要な支援を行うもの |
| 障害児入所支援 | 福祉型障害児入所施設 | 施設に入所する障害のある児童に対して、保護、日常生活の指導及び独立自活に必要な知識技能の付与を行うもの |
| | 医療型障害児入所施設 | 施設に入所する障害のある児童に対して、保護、日常生活の指導、独立自活に必要な知識技能の付与及び治療を行うもの |

資料：厚生労働省
出典：内閣府編『令和3年版 障害者白書』p.62、2021年

テーションを行い、基本的動作の指導や自活のための知識技能の付与、集団生活への適応訓練が行われます。なお、理学療法などで身体の機能を回復する支援を行うものは医療型児童発達支援となります。

　就学後の通所支援では、**放課後等デイサービス**があります。これは学校の終了後や休日に居場所を提供するもので、障害児のための学童保育といえます。また、障害児を受け入れた保育所や学校で、集団生活に適応するための専門的な支援を行う**保育所等訪問支援**があります。

### 2 障害児入所支援

　障害児のための入所施設は**福祉型障害児入所施設**と**医療型障害児入所施設**の2種類があります。福祉型障害児入所施設は生活の場を提供しながら日常生活の指導やその知識技能の付与などを行います。一方で、医療型障害児入所施設の利用対象は重度の障害児が想定されています。自閉症児や肢体不自由児に加え、重症心身障害児を対象に、日常生活の指導やその知識技能の付与、治療などが行われます。

## 3 相談支援

　障害児が福祉サービスを利用する場合には、障害者総合支援法の障害福祉サービスを利用する場合と、児童福祉法の障害児通所支援・障害児入所支援を利用する場合とで、利用する相談支援サービスが異なります。

　障害者総合支援法の障害福祉サービスを利用する場合には、障害者総合支援法にもとづき、指定特定相談支援事業者が提供する計画相談支援⑪を利用することになります。

　児童福祉法の障害児通所支援を利用する場合には、児童福祉法にもとづき、指定障害児相談支援事業者が提供する障害児相談支援（障害児支援利用援助と継続障害児支援利用援助⑫）を利用することになります。障害児相談支援は、新たに障害児通所支援を利用したい障害児やその保護者に対して、サービスの利用に関する意向などを聞き取り、障害児通所支援の種類や内容が書かれた障害児支援利用計画を作成します。また、障害児が継続して障害児通所支援を利用できるように、障害児支援利用計画が適切であるかの見直しを行います。

　児童福祉法の障害児入所支援を利用する場合には、児童相談所が専門的な判断を行うため、障害児支援利用計画は作成されません。

⑪計画相談支援
　p.248参照

⑫障害児支援利用援助と継続障害児支援利用援助
　指定障害児相談支援事業者は、障害児が通所支援を利用する場合の計画を作成する。これを障害児支援利用援助という。継続障害児支援利用援助は、障害児支援利用計画のモニタリングを行うものである。

## 4 市町村・都道府県・国の役割

### （1）市町村の役割

　児童福祉法に規定されている市町村の役割としては、子どもが心身ともに健やかに育成されるよう、基礎的な地方公共団体として、次の責任と義務があります。ポイントになるのが、障害児通所給付費の支給は市町村の責務となることです。

> ① 児童および妊産婦の福祉に関して、必要な実情の把握や情報の提供、相談や調査、指導を行うこと。
> ② 障害児通所給付費の支給。
> ③ 保育の実施や児童の身近な場所における福祉に関する支援を行うこと。

## （2）都道府県の役割

　都道府県の役割としては、市町村が行う業務が適正かつ円滑に行われるように、市町村に必要な助言や援助を行うことや、各市町村の区域を超えた広域的な対応が必要な業務として、次の責任と義務があります。ポイントになるのが、障害児入所給付費の支給は都道府県の責務となっていることです。

> ① 市町村相互間の連絡調整や市町村への情報の提供、市町村職員の研修などの必要な援助を行うこと。
> ② 小児慢性特定疾病医療費の支給。
> ③ 障害児入所給付費の支給。
> ④ 障害児入所施設や児童心理治療施設などへの入所に関する業務を適切に行うこと。

## （3）国の役割

　国は、市町村や都道府県が行う業務が適正かつ円滑に行われるように、児童が適切に養育される体制の確保に関する施策や、市町村や都道府県への助言、情報の提供などの必要な措置を講じなければなりません。

## 5 障害児支援のポイント

　医師から「あなたの子どもの障害は一生治らない」と告げられたとき、親は強い自責の念にかられ、葛藤をかかえる場合があります。結果的に、子どもにとって必要な福祉サービスにつながっていないことがよく起こっています。そのため、障害児支援では、本人や親が孤立しないように、周囲の専門職が子どもの将来展望をともに考えていくためにていねいに寄り添うことが求められます。

　何よりも、生まれた子どもにとっては、障害のあるなしにかかわらず生まれたことがまず祝福されるべきことであり、そして障害の軽重にかかわらず子どもは子どもなりに成長・発達していくこと、親にとっては、その先には障害のあるなしにかかわらず、子をもつ親として同じような生の喜びが待ちかまえていることを支援する人たちは意識する必要があります。そのためにも、当然のことではありますが、まずは支援する人

たちが、すべての子どもの生を差別することなく肯定的に受け入れ、そして支えていくことが求められます。

◆引用文献
1）国立精神・神経医療研究センター精神保健研究所精神医療政策研究部「精神保健福祉資料」
2）同上

◆参考文献
- 朝霧裕『バリアフリーのその先へ！――車いすの3.11』岩波書店、2014年
- 川村匡由・米山岳廣編著『シリーズ・21世紀の社会福祉4 障害者福祉論』ミネルヴァ書房、2005年
- 佐藤久夫・小澤温『障害者福祉の世界 第5版』有斐閣、2016年
- 障害者自立支援法違憲訴訟弁護団編『障害者自立支援法違憲訴訟――立ち上がった当事者たち』生活書院、2011年
- 高谷清『重い障害を生きるということ』岩波新書、2011年
- 立岩真也・杉田俊介『相模原障害者殺傷事件――優生思想とヘイトクライム』青土社、2017年
- 信田さよ子『依存症』文藝春秋、2000年
- 横塚晃一『母よ！殺すな』生活書院、2007年

# 第4節 障害者総合支援制度

> **学習のポイント**
> - 自立支援給付と地域生活支援事業を学ぶ
> - 障害者総合支援法の利用手続きを学ぶ
> - 障害者の生活を支える相談支援の重要性を学ぶ

**関連項目**
- ④『介護の基本Ⅱ』 ▶ 第2章第2節「生活を支えるフォーマルサービス（社会的サービス）とは」
- ⑩『介護総合演習・介護実習』 ▶ 第4章第10節「障害者支援施設」
- ⑭『障害の理解』 ▶ 第1章「障害の概念と障害者福祉の基本理念」

## 1 障害者総合支援制度の目的

　障害者と呼ばれる人達のかかえている困難は多様です。毎日の生活に介護が欠かせない人もいます。また、働きたくても働くことができない障害者や、外出するときに同行する人がいないと困る障害者もいます。しかし、障害のために困難をかかえている人であっても、その人が望む生活の実現を支援していくことは重要です。それは、障害者が望む地域での生活など、障害者が選ぶ生活を実現することを権利として認めることにつながるからです。

　障害のある人も障害のない人も、基本的人権を生まれつきもっているかけがえのない存在です。1人の人間として自分が望む生活を実現したいと考える障害者を支援することは、人としての権利を守ることにつながります。

　障害者総合支援制度は、障害者が安心して暮らすことができる地域社会の実現を目的として、人としての尊厳にふさわしい日常生活や社会生活を実現していくうえで必要になるさまざまなサービスを整備しています。

# 2 市町村、都道府県、国の役割

## 1 市町村の役割

住民にもっとも身近な市町村は、地域の特性を的確に把握しています。市町村は、障害者総合支援制度の実施について、次の責任と義務があります。

> ① 障害者が自分で選んだ場所に住み、障害者もしくは障害児が自立した日常生活または社会生活をおくることができるよう、障害者や障害児（以下、障害者等）の生活の実態を把握したうえで、雇用や教育などの関係機関と連携し、**自立支援給付**[1]と**地域生活支援事業**[2]を総合的かつ計画的に行うこと。
> ② 障害者等の福祉について、必要な情報の提供を行うこと。
> ③ 障害者等の福祉について、相談に応じ、必要な調査や指導を行うこと。
> ④ 意思疎通について支援が必要な障害者等が、障害福祉サービスを順調に利用できるよう必要なはからいをすること。
> ⑤ 障害者等に対する虐待の防止とその早期発見のために関係機関と連絡調整を行うこと。
> ⑥ 障害者等の権利の擁護に必要な援助を行うこと。
> ⑦ 必要な障害福祉サービス、相談支援や地域生活支援事業の提供体制の確保に努めること。

[1] **自立支援給付**
p.229参照

[2] **地域生活支援事業**
p.233参照

## 2 都道府県の役割

都道府県は、障害者総合支援制度の実施について、次の責任と義務があります。

> ① 市町村が行う自立支援給付と地域生活支援事業が適正かつ円滑に行われるよう、市町村に対する必要な助言、情報の提供などの援助を行うこと。

② 市町村と連携をはかりながら、必要な自立支援医療費の支給と地域生活支援事業を総合的に行うこと。
③ 障害者等に関する相談と指導のうち、専門的な知識と技術を必要とするものを行うこと。
④ 市町村と協力して障害者等の権利の擁護のために必要な援助を行うこと。
⑤ 市町村が行う障害者等の権利の擁護のために必要な援助が適正かつ円滑に行われるよう、市町村に対して必要な助言、情報の提供などの援助を行うこと。
⑥ 必要な障害福祉サービス、相談支援や地域生活支援事業の提供体制の確保に努めること。

## 3 国の役割

国は、自立支援給付や地域生活支援事業などの業務が適正かつ円滑に行われるように、市町村や都道府県に対して必要な助言や情報の提供などの援助を行います。そして、必要な障害福祉サービス、相談支援や地域生活支援事業が提供できる体制を確保するように努めなければなりません。

## 4 障害福祉計画の作成

国は基本的な指針(以下、**基本指針**)を、市町村や都道府県は**障害福祉計画**を作成しなければならないと、障害者の日常生活及び社会生活を総合的に支援するための法律(障害者総合支援法)で定められています。

### (1) 厚生労働大臣が定める基本指針

厚生労働大臣は、障害福祉サービスや相談支援、市町村や都道府県の地域生活支援事業の提供体制を整備し、自立支援給付や地域生活支援事業の順調な実施を確保するための**基本指針**を定めます。この基本指針に則して市町村や都道府県は障害福祉計画を定めます。

### （2）都道府県障害福祉計画

　都道府県は、厚生労働大臣が定めた基本指針に則して、都道府県障害福祉計画を定めます。この計画は、市町村障害福祉計画の達成を助けるため、また各市町村を広域的に把握することで、障害福祉サービスの提供体制の確保や障害者総合支援法にもとづく業務が順調に進むようにするための計画です。

　この計画では、障害福祉サービスや相談支援、地域生活支援事業の提供体制の確保に向けて目標に関することや、指定障害福祉サービスなどの種類ごとの必要な量の見こみを定めます。また、指定障害者支援施設の必要入所定員の総数や、地域生活支援事業の種類ごとの実施に関することも定めます。

### （3）市町村障害福祉計画

　市町村は、厚生労働大臣が定めた基本指針に則して、市町村障害福祉計画を定めます。この計画は、障害福祉サービスや相談支援、地域生活支援事業の提供体制の確保や、障害者総合支援法にもとづく業務が順調に進むようにするための計画です。

　この計画では、障害福祉サービスや相談支援、地域生活支援事業の提供体制の確保に向けて目標に関することや、指定障害福祉サービスなどの種類ごとの必要な量の見こみなどを定めます。

## 3　自立支援給付と地域生活支援事業

　障害者総合支援法の給付・事業には、自立支援給付と地域生活支援事業の2つがあります。自立支援給付には、介護給付、訓練等給付、相談支援、自立支援医療、補装具があります（図5-5）。

　このうちの介護給付と訓練等給付をあわせて、障害福祉サービスといいます。障害福祉サービスは、障害者等の1人ひとりの障害や生活環境等にもとづいて、個別に支給決定されます。

　一方、地域生活支援事業は、利用者の状況に応じて柔軟に実施されます。市町村が実施する事業と都道府県が実施する事業に分かれます。

第 4 節 障害者総合支援制度

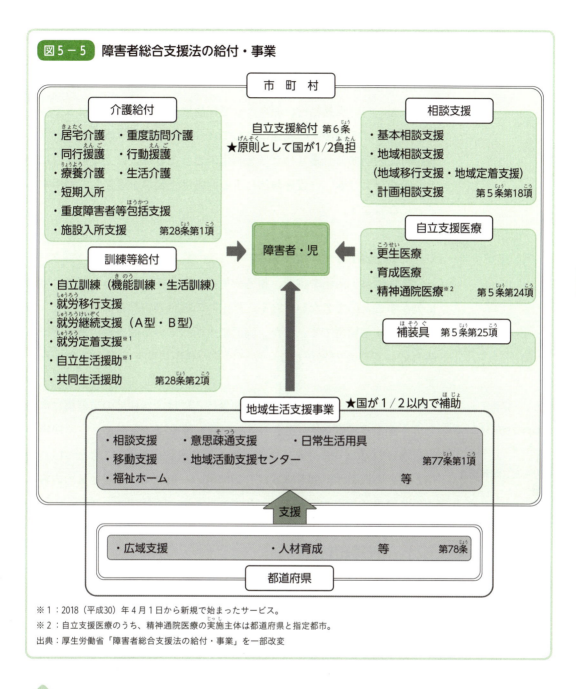

図5-5 障害者総合支援法の給付・事業

※1：2018（平成30）年4月1日から新規で始まったサービス。
※2：自立支援医療のうち、精神通院医療の実施主体は都道府県と指定都市。
出典：厚生労働省「障害者総合支援法の給付・事業」を一部改変

## 1 自立支援給付

**自立支援給付**は、市町村によって障害者等に提供されるサービスに関して支給される給付になります。自立支援給付によるサービスを利用したときは、**応能負担**❸の考え方によって決められた利用料を支払うことになります。

❸応能負担
p.86参照

なお、自立支援給付の財源は、市町村だけでなく、国と都道府県も決

められた割合にもとづき負担します。これによって自立支援給付を利用する障害者等は、日本のどこに住んでいても、決められた同じサービスを利用できることになります。

しかし、自立支援給付は原則として保険優先・他法優先になっています。よって、その障害の状態に応じて、介護保険法の介護給付で自立支援給付に相当する介護サービスを利用できるときは、自立支援給付による介護給付よりも、介護保険法による介護サービスを優先して利用することになります。

### （1）介護給付

介護給付は、入浴や排泄、整容や更衣、食事摂取といった毎日の生活に欠かすことのできない行為や、外出時の援護等の障害福祉サービスの利用に関する給付です。また、施設に入所している障害者が施設内で生活していくうえで欠かせないサービスの利用に関する給付も含まれます。

これらのサービスについて給付を受けるには、居住地の市町村に申請して、**障害支援区分**❹の認定のための調査等を受けたあと、支給決定を受けなければなりません。また、**サービス等利用計画**❺にもとづいた利用が求められます。図5-6は介護給付の一覧です。サービスの内容については後述します。

❹障害支援区分
　p.245参照

❺サービス等利用計画
　p.243参照

### （2）訓練等給付

訓練等給付は、障害者が自立した日常生活や社会生活を実現していくことができるように、生活能力の向上や就労に向けた訓練等に関する給付です。

これらのサービスについて給付を受けるには、居住地の市町村に申請して支給決定を受けなければなりませんが、サービス内容とサービスの利用を希望する障害者が適合しないと客観的に評価されると利用できないサービスもあります。また、サービス等利用計画にもとづいた利用が求められます。図5-6は訓練等給付の一覧です。サービスの内容については後述します。

### （3）相談支援

相談支援は、障害者等とその家族などからの相談に応じる、あるいは

### 図5-6 介護給付と訓練等給付の一覧

**介護給付**

- 訪問系サービス
  - 居宅介護（ホームヘルプ）
  - 重度訪問介護
  - 同行援護
  - 行動援護
  - 重度障害者等包括支援

- 日中活動系サービス
  - 短期入所（ショートステイ）
  - 療養介護（医療にかかるものを除く）
  - 生活介護

- 施設系サービス
  - 施設入所支援

**訓練等給付**

- 居住支援系サービス
  - 自立生活援助
  - 共同生活援助（グループホーム）

- 訓練系・就労系サービス
  - 自立訓練（機能訓練）
  - 自立訓練（生活訓練）
  - 就労移行支援
  - 就労継続支援（A型）
  - 就労継続支援（B型）
  - 就労定着支援

出典：厚生労働省「障害福祉サービス等の体系（介護給付・訓練等給付）」を一部改変

---

必要な情報の提供や助言などを行います。相談の内容はいろいろありますので、次のように相談の内容によって大きく3つに分けられています。なお、相談支援の内容については後述します。

- 基本相談支援
- 地域相談支援（地域移行支援・地域定着支援）
- 計画相談支援（サービス利用支援・継続サービス利用支援）

## （4）自立支援医療

　**自立支援医療**は、障害者等の心身の障害の状態の軽減をはかり、自立した日常生活や社会生活を実現していくために必要な医療であって、次の3つの医療のことです。

- 更生医療
- 育成医療
- 精神通院医療

　この自立支援医療の給付を受けようとする障害者や障害児の保護者は、市町村または都道府県の自立支援医療費を支給する旨の認定を受けなければなりません。

### 1 更生医療
　身体障害を除去もしくは軽減することで、国が定めた一定の障害のある人の自立と社会経済活動への参加の促進を目的としています。身体障害者手帳をもっている18歳以上の人で、確実な治療効果が期待できる人が利用できます。

### 2 育成医療
　障害児のうち、国が定めた一定の障害がある場合であって、障害に対して医療を行わないと将来において一定の障害を残すと判断される児童で、確実な治療効果が期待できる場合に利用できます。

### 3 精神通院医療
　精神疾患（てんかんを含む）を有する人で、通院による治療を継続的に必要とする程度の状態にある精神障害者が利用できます。なお、利用できる疾病は国によって定められています。

## （5）補装具
　補装具は、障害者等の身体機能を長期間にわたり継続しておぎなうための用具です。補装具の購入、借り受けまたは修理を必要とする障害の状態であると認められる場合には、市町村は補装具費を支給します。補装具は障害者等が日常生活や就労、就学のために長期間にわたり使用することを目的としています。補装具費の支給を受けるためには、障害者や障害児の保護者は市町村に申請しなければなりません。また、医師等による意見書または診断書の提出が必要になります。
　おもな補装具は、個人にあわせて製作された車いすや義肢、装具、座位保持装置、義眼をはじめ、視覚障害者安全つえや重度障害者用意思伝達装置などがあります。補装具の種目や耐用年数は、国によって定められています。

また、補装具の借り受けについては、身体の成長にともない、短期間で補装具等の交換が必要と認められる場合などであって、適当と認められる場合に限られます。補装具の借り受けについては、障害者等の利便性を高めるために、2018（平成30）年4月から導入されています。

## 2 地域生活支援事業

障害の有無にかかわらず、人は基本的人権をもつ大切な存在です。障害があるために日常生活や社会生活を営むなかで大変なことがあるのならば、それら大変なことを減らしていくように社会全体で支えることが重要になります。

たとえば、屋外での移動が困難な障害者等に、自立した生活や社会参加をうながすために、外出のための支援を行うことは大切です。また、さまざまな障害に対する知識や、障害があるからこその生きづらさに対する理解を広めていくことは、障害者等やその家族にとって大きな支援につながります。

地域生活支援事業は、地域の特性やそこに住む障害者等の要望等を把握できる身近な市町村や都道府県が、障害者等が基本的人権を生まれながらにもつ個人としての尊厳にふさわしい日常生活や社会生活を営むことができるように、柔軟な事業形態のもと実施する事業です。

地域生活支援事業には、市町村が行う事業と都道府県が行う事業があります。また、それぞれに必須事業と任意事業があり、地域の実情に応じて行われます。

### (1) 市町村地域生活支援事業

市町村が行う事業として、障害者等の自立した日常生活や社会生活を支援していくうえで必要な10の**必須事業**が定められています（**表5-7**）。なお、複数の市町村が連携して広域的に実施することもできます。

市町村は、必須事業のほかに、市町村の判断により、障害者等の自立した日常生活や社会生活を実現していくうえで必要になる事業を行うことができます。これを**任意事業**といいます。おもな任意事業には福祉ホームの運営、訪問入浴サービス、生活訓練等、日中一時支援、地域移行のための安心生活支援などがあります。どのような任意事業が提供されているのかについては、各市町村へ問い合わせることでわかります。

表5-7　市町村地域生活支援事業の必須事業

- 障害者等の自立した日常生活や社会生活に関する理解を深めるための研修や啓発を行う「理解促進研修・啓発事業」
- 障害者等やその家族、地域住民等が自発的に行う活動を支援する「自発的活動支援事業」
- 障害者等や障害児の保護者または障害者等の介護を行う者などからの相談に応じ、必要な情報の提供等を行い、障害者等の権利擁護に必要な援助を行う「相談支援事業」
- 成年後見制度の利用が有用と認められる知的障害者または精神障害者に対して支援を行う「成年後見制度利用支援事業」
- 後見等の業務を適正に行うことができる法人を確保できる体制を整備するなどの「成年後見制度法人後見支援事業」
- 聴覚や視覚などの障害や難病のため、意思疎通をはかることに支障がある障害者等に、手話通訳者や要約筆記者等の派遣などを行うことで、意思疎通が順調になるようにする「意思疎通支援事業」
- 日常生活用具を給付または貸与することによって、障害者等の福祉の増進を助ける「日常生活用具給付等事業」
- 聴覚障害者等の自立した日常生活や社会生活を支援するために、手話表現技術を習得した手話奉仕員を養成する「手話奉仕員養成研修事業」
- 屋外での移動が困難な障害者等の外出を支援する「移動支援事業」
- 地域活動支援センター※の機能を充実強化し、障害者等の地域生活支援の促進をはかる「地域活動支援センター機能強化事業」

※：「地域活動支援センター」とは、障害者等を通わせ、創作的活動または生産活動の機会の提供、社会との交流の促進などの便宜を供与する施設である。

## （2）都道府県地域生活支援事業

　都道府県が行う事業として、障害者等の生活を支援していくうえで必要な5つの**必須事業**が定められています（**表5-8**）。

　都道府県は、必須事業のほかに、都道府県の判断により、障害者等が自立した日常生活や社会生活を実現していくうえで必要になる事業を行うことができます。これを**任意事業**といいます。おもな任意事業には福祉ホームの運営、オストメイト（人工肛門、人工膀胱造設者）社会適応訓練、音声機能障害者発声訓練、手話通訳者設置、点字・声の広報等発行などがあります。また、障害福祉サービスや相談支援の質の向上のために、相談支援者や支援者に対して指導を行う人を養成することも任意事業に含まれます。どのような任意事業が提供されているのかについては、各都道府県へ問い合わせることでわかります。

表5-8 都道府県地域生活支援事業の必須事業

- 専門性の高い相談支援事業
- 専門性の高い意思疎通支援を行う者の養成研修事業
- 専門性の高い意思疎通支援を行う者の派遣事業
- 意思疎通支援を行う者の派遣にかかる市町村相互間の連絡調整事業
- 広域的な支援事業

## 4 財源と利用者負担

### 1 障害者総合支援制度の財源

　障害者総合支援法によって提供されるサービスの財源は、自立支援給付と地域生活支援事業によって異なります。

#### （1）自立支援給付の財源

　**自立支援給付の財源**は、原則としてサービスを提供する市町村が25％、都道府県が25％、国が50％と、その負担割合が決められています（図5-7）。これによって、財政規模が小さな市町村が年度はじめに確保していた予算額以上のサービスを障害者に提供したとしても、提供したサービス費用の25％のみを負担し、残りは決められた割合に応じて、都道府県と国が負担することになります。しかし、限りある財源を公平に配分し、また市町村間のサービスのばらつきを失くすために、障害福祉サービス費等のなかで訪問系サービスについては、市町村に対する国庫負担基準額が毎年度決められています。

　精神通院医療にかかる費用に関しては、市町村の負担はなく、都道府県が50％、国が50％を負担することになります。

#### （2）地域生活支援事業の財源

　**地域生活支援事業の財源**は、市町村、都道府県、国の3者によって負担されますが、自立支援給付とは異なり、国および都道府県の補助が義

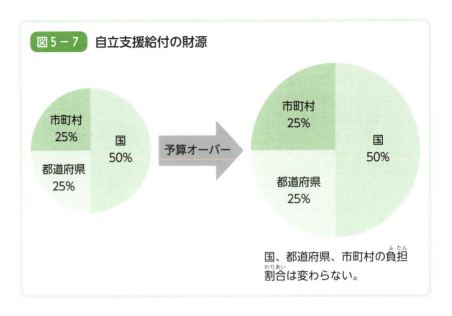

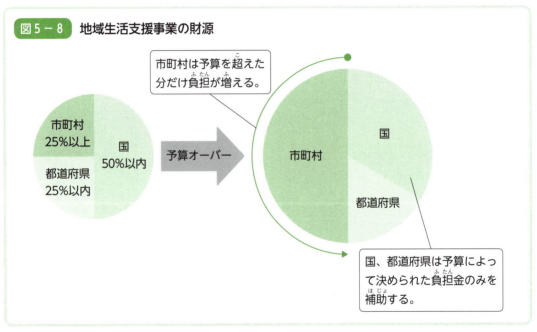

務とはされていません。そのため、年度はじめに決められた予算の範囲内で、都道府県が25％以内、国が50％以内を負担することになります（図5－8）。これによって、市町村は年度はじめに決めた予算の範囲内でサービスを提供することが多くなります。それは、財政規模が小さな市町村では、予算以上の支出を負担することがむずかしくなるからです。

　地域生活支援事業を市町村が提供していくときに、年度内で決められ

た予算額を超えると見通される場合は、障害者からサービス利用の申し込み等があったとしても断ることも起こります。

このように、障害者総合支援法という同じ法律に定められた自立支援給付と地域生活支援事業ですが、サービスを提供する市町村の立場からは、障害者からの要望に対して、財源に関してさほど無理なく応えることができる自立支援給付と、予算額を意識したなかでサービスを提供することになる地域生活支援事業は、大きな違いがあります。

### （3）障害者総合支援制度における利用者負担

障害福祉サービスを利用したときには、利用者負担金を支払います。これはサービスの量と所得をふまえて計算された利用者負担金を、1か月単位で支払うものです（**応能負担**）。

利用者負担の額は、所得に応じて支払いの上限額（利用者負担上限月額）が決められています（**表5－9**）。また、この額がサービスにかかった費用の1割を超える場合は、利用者負担は1割となります。これは障害者等がいる家庭の家計への負担を小さくすることで、所得の低い人であっても障害福祉サービスを利用しやすいようにするためです。

利用者負担については、表5－9の利用者負担上限月額の設定のほかにも**高額障害福祉サービス等給付費❻**や**特定障害者特別給付費❼**の支給など、さまざまな軽減策が講じられています。

❻**高額障害福祉サービス等給付費**
障害福祉サービス・障害児通所支援・障害児入所支援・補装具・介護保険などのサービスを併用し、1か月の自己負担額（法定の利用者負担額）の合計が著しく高額である場合に、基準額を超えた金額が支給される。

❼**特定障害者特別給付費**
所得の低い障害者が、施設入所支援、共同生活援助などの障害福祉サービスを利用した場合に、食費や居住費などが支給される。

## 5 障害福祉サービスの種類と内容、利用手続き

### 1 障害福祉サービスの種類と内容

障害福祉サービスは、障害者等1人ひとりの障害や生活環境等にもとづいて個別に支給決定されます。それは、障害の種類と程度が1人ひとり違うからです。また、生活をしていくうえで介護をする人が必要なのか、介護者はだれなのかといったこと、あるいは利用できる公共交通手段が身近にあるのかなどの環境についても1人ひとり違うからです。さらに、その人が望む生活、その人が利用したいサービスも1人ひとり違うからです。これらの情報は支給決定をしていくときの重要な判断材料

表5-9 所得区分と利用者負担上限月額

**障害者**

| | 世帯の収入状況 | 負担上限月額 |
|---|---|---|
| 生活保護 | 生活保護受給世帯 | 0円 |
| 低所得 | 市町村民税非課税世帯[1] | 0円 |
| 一般1 | 市町村民税課税世帯（所得割16万円[2]未満）<br>＊入所施設利用者（20歳以上）、グループホーム利用者を除く[3] | 9,300円 |
| 一般2 | 上記以外 | 37,200円 |

注1）3人世帯で障害基礎年金1級受給の場合、収入がおおむね300万円以下の世帯が対象
　2）収入がおおむね600万円以下の世帯が対象
　3）入所施設利用者（20歳以上）、グループホーム利用者は、市町村民税課税世帯の場合、一般2となる。

**障害児**

| | 世帯の収入状況 | | 負担上限月額 |
|---|---|---|---|
| 生活保護 | 生活保護受給世帯 | | 0円 |
| 低所得 | 市町村民税非課税世帯 | | 0円 |
| 一般1 | 市町村民税課税世帯（所得割28万円[1]未満） | 通所施設、ホームヘルプ利用の場合 | 4,600円 |
| | | 入所施設利用の場合 | 9,300円 |
| 一般2 | 上記以外 | | 37,200円 |

注1）収入がおおむね890万円以下の世帯が対象
資料　厚生労働省
出典：厚生労働統計協会編『国民の福祉と介護の動向 2021／2022』p.122、2021年

になります。
　ここでは障害福祉サービスの種類と内容について、介護給付と訓練等給付に分けて説明します。

### （1）介護給付

　介護給付の種類と内容は表5-10のとおりです。

## 第4節 障害者総合支援制度

表5-10 介護給付の種類と内容

| 種類 | 内容 |
|---|---|
| 居宅介護 | 障害者等の居宅において、入浴や排泄、食事等の介護、調理や洗濯、掃除等の家事、そして生活等に関する相談や助言など、生活全般にわたる援助を提供する。 |
| 重度訪問介護 | 重度の肢体不自由、重度の知的障害もしくは精神障害のために行動上いちじるしい困難のある障害者であって、常時介護が必要な人に対して、居宅において入浴や排泄、食事等の介護、調理や洗濯、掃除等の家事、生活等に関する相談や助言など、生活全般にわたる援助と、外出時の移動中の介護を総合的に行う。また、病院、診療所、介護老人保健施設や介護医療院などに入院・入所している障害者に対して、意思疎通の支援その他の必要な支援を行う。 |
| 同行援護 | 視覚障害のために移動にいちじるしい困難のある障害者等に対して、外出時に同行し、移動に必要な情報を提供するとともに、移動の援護、排泄や食事等の介護などの外出時に必要な援助を提供する。 |
| 行動援護 | 知的障害や精神障害のために行動上いちじるしい困難のある障害者等であって、常時介護が必要な人に対して、行動する際に起こりうる危険を回避するために必要な援護、外出時における移動中の介護、排泄や食事等の介護などの行動する際に必要な援助を提供する。 |
| 療養介護 | 医療が必要な障害者であって、常時介護を必要とする人に対して、おもに昼間に病院において行われる機能訓練、療養上の管理、看護、医学的管理下における介護や日常生活上の世話を提供する。 |
| 生活介護 | 常時介護を必要とする障害者に対して、おもに昼間に障害者支援施設などで入浴や排泄、食事等の介護、調理や洗濯、掃除等の家事、生活等に関する相談や助言など必要な日常生活上の支援、創作的活動や生産活動の機会の提供など、身体機能や生活能力の向上のために必要な支援を行う。 |
| 短期入所 | 居宅において介護を行う者の病気などの理由により、障害者支援施設や児童福祉施設などへ障害者等を短期間入所させ、入浴や排泄、食事の介護などの必要な支援を行う。 |
| 重度障害者等包括支援 | 常時介護を必要とする障害者等であって、意思疎通をはかることがいちじるしくむずかしい人のうち、四肢麻痺や寝たきりの状態にある人、知的障害や精神障害のために行動上いちじるしい困難がある人に対して、居宅介護、重度訪問介護、同行援護、行動援護、生活介護、短期入所、自立訓練、就労移行支援、就労継続支援、就労定着支援、自立生活援助、共同生活援助の障害福祉サービスを包括的に提供する。 |
| 施設入所支援 | 障害者支援施設に入所する障害者に対して、おもに夜間に、入浴や排泄、食事等の介護、生活等に関する相談や助言などの必要な日常生活上の支援を行う。生活介護などの昼間に実施されるサービスといっしょに利用する。 |

## （2）訓練等給付

訓練等給付の種類と内容は表5-11のとおりです。

**表5-11 訓練等給付の種類と内容**

| 種類 | 内容 |
|---|---|
| 自立訓練（機能訓練） | 障害者支援施設もしくは障害福祉サービス事業所または居宅において、理学療法や作業療法などの必要なリハビリテーションを行う。また、生活等に関する相談や助言など必要な支援を行う。通所による訓練を原則としつつ、個別支援計画の進捗状況に応じて、訪問して訓練を行うこともある。標準利用期間は18か月となっている。 |
| 自立訓練（生活訓練） | 障害者支援施設もしくは障害福祉サービス事業所または居宅において、入浴や排泄、食事等に関する自立した日常生活をしていくために必要な訓練と、生活等に関する相談や助言など必要な支援を行う。通所による訓練を原則としつつ、個別支援計画の進捗状況に応じて、訪問して訓練を行うこともある。標準利用期間は24か月となっている。 |
| 就労移行支援 | 就労を希望する65歳未満の障害者と一定の要件を満たした65歳以上の障害者に対して、一定の期間、生産活動や職場体験などの活動の機会を提供することで、就労に必要な知識や能力の向上をめざす訓練等を行う。なお、利用期間は原則2年間だが、あん摩マッサージ指圧師、はり師やきゅう師の資格の取得を目的とする場合は、3年または5年となる。 |
| 就労継続支援A型 | 通常の事業所に雇用されることが困難な障害者のなかで、雇用契約に基づき就労することが可能な人に対して、雇用契約の締結等による生産活動の機会の提供や、一般就労に必要な知識や能力の向上のために必要な支援を通所によって行う。 |
| 就労継続支援B型 | 通常の事業所に雇用されることが困難な障害者のなかで、年齢や心身の状態その他の事情によって事業所に雇用されることが困難になった人や、就労移行支援によっても通常の事業所に雇用されるには至らなかった人など、雇用契約にもとづく就労が困難な人に対して、生産活動の機会の提供や、就労に必要な知識や能力の向上のために必要な訓練その他の必要な支援を通所によって行う。 |
| 就労定着支援 | 就労に向けた支援を受けて通常の事業所に新たに雇用された障害者の就労の継続をはかるために、企業、障害福祉サービス事業者、医療機関等との連絡調整を行う。また、雇用にともない起こってくる日常生活や社会生活を営むうえでの問題について相談、指導や助言等の必要な支援を行う。利用期間は原則3年が上限となっている。 |
| 共同生活援助 | 障害者に対して、おもに夜間に、共同生活を営む住居において、相談、あるいは入浴や排泄、食事の介護などの日常生活に必要な援助を提供する。 |
| 自立生活援助 | 施設入所支援や共同生活援助を受けていた障害者などが、居宅において実質1人暮らしの生活を始めるにあたり、一定の期間、定期的な訪問巡回や随時通報を受けることにより、相談に応じ、状況を把握し、必要な情報の提供や助言などの障害者が自立した日常生活を営むために必要な援助を行う。 |

障害者本人が望む地域生活をていねいに支えていくための改正が2016（平成28）年に行われ、2018（平成30）年4月から始まっています。この改正で、障害者の望む地域生活を支援するために、新たなサービスとして自立生活援助と就労定着支援が始まりました。

この改正によって「生活」と「就労」に対する支援をいっそう充実させ、障害者の望む地域生活の安定と継続に向けた、きめ細やかな支援が障害者総合支援制度によって実施されています。

## 2 障害福祉サービスの利用手続き

障害者等が介護給付や訓練等給付といった障害福祉サービスを利用するには、相談支援事業者や市町村に相談のうえ、居住する市町村に支給申請をします（図5-9）。申請を受けた市町村は、申請者に「サービス等利用計画案」の提出を求めます。また、市町村は申請した障害者等の心身の状況、おかれている環境、介護を行う者の状況、保健医療サービスや福祉サービス等の利用の状況、障害者等や障害児の保護者の障害福祉サービスの利用に関する意向の具体的内容について聞き取りを行う必要があります。そのために、家等に訪問をして、障害者等や障害児の保護者に面接をします。そして、心身の状況や生活をしている環境等を勘案してから、支給決定を行います（図5-9）。

### （1）介護給付の利用を希望する場合

障害者等が介護給付の利用を希望する場合は、障害支援区分の認定が必要になります。まず、訪問調査による「認定調査の結果」と「医師意見書」の一部の項目によって、コンピューターで障害支援区分の一次判定が行われます。続いて、「一次判定の結果」と「医師意見書」の一次判定で評価した項目以外の項目によって、市町村審査会❽で障害支援区分の二次判定が行われます。この結果にもとづき、市町村は障害支援区分の認定を行います（図5-9）。障害支援区分については後述します。

❽市町村審査会
市町村審査会は、市町村長（特別区の区長を含む）が任命する委員（障害者等の保健や福祉の学識経験者）によって構成される。

### （2）訓練等給付の利用を希望する場合

支給申請を行った障害者が訓練等給付のみを希望する場合は、共同生活援助の一定のサービス利用の申請をする場合を除き、障害支援区分の認定は必要ありません。なお、市町村によっては訓練等給付の内容が障

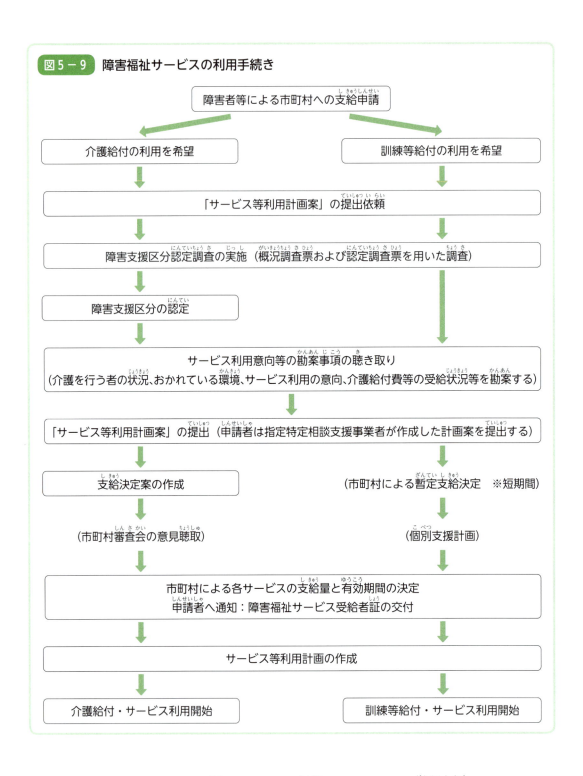

害者本人に適しているかの判断をするために、暫定支給決定を行い、利用状況や専門機関等からの意見を参考にしたうえで、最終的に市町村が支給決定を行う場合もあります（図5－9）。

## （3）サービス等利用計画案の提出

　市町村は介護給付や訓練等給付を利用したい障害者等に対して障害福祉サービスの支給決定を行うために、申請した障害者等に対して**サービス等利用計画案**の提出を求めます（図5－9）。このサービス等利用計画案は、**指定特定相談支援事業者❾**が作成します。

## （4）市町村による支給決定案の作成

　市町村は、障害支援区分、サービス利用の意向などの聞き取りの結果、「サービス等利用計画案」などをふまえて、支給決定案を作成します。支給決定案が市町村が定めている支給決定基準等とかけ離れているときは、市町村審査会に意見を求めることができます。

## （5）市町村による支給要否決定

　市町村は障害支援区分、申請した障害者等の介護を行う者の状況やおかれている環境、介護給付費等の受給の状況や本人のサービス利用に関する意向の具体的内容、市町村審査会の意見、さらにはサービス等利用計画案等を考え合わせて支給要否の決定をします。

## （6）サービスの支給量と有効期間の決定・障害福祉サービス受給者証の交付

　市町村が支給決定を行うときは、障害者等が利用できる障害福祉サービスの種類ごとに1か月単位で使用できる支給量、そのサービスの有効期間、負担上限月額の決定も行います（図5－9、図5－10）。それらを記載した**障害福祉サービス受給者証**を申請した障害者等へ交付します（図5－9、図5－10）。

## （7）サービス担当者会議の開催・サービス等利用計画の作成

　障害福祉サービス受給者証に書かれている障害福祉サービスの種類や支給量にもとづいて**サービス等利用計画**を作成するために、指定特定相談支援事業者による**サービス担当者会議**が開催されます。障害福祉サービス事業者とサービスを利用するための具体的な調整などを行い、指定特定相談支援事業者がサービス等利用計画を作成します（図5－9）。この計画にもとづいて障害者等はサービスを提供する事業者（障害福祉

---

❾**指定特定相談支援事業者**
①地域の障害者等や障害児の保護者などからの相談に応じ、必要な情報の提供や助言などを行うとともに、②サービス等利用計画案の作成、支給決定が行われたあとのサービス等利用計画の作成や見直しなどをになう事業者。

**図5-10 障害福祉サービス受給者証（見本）**

| （一）障害福祉サービス受給者証 | |
|---|---|
| 受給者証番号 | |
| 支給決定障害者等　居住地 | |
| 　　　　　　　　フリガナ | |
| 　　　　　　　　氏名 | |
| 　　　　　　　　生年月日 | 　　　　年　　月　　日 |
| 児童　　　　　　フリガナ | |
| 　　　　　　　　氏名 | |
| 　　　　　　　　生年月日 | |
| 障害種別 | 1　2　3　4　5※ |
| 交付年月日 | 令和　　年　　月　　日 |
| 支給市町村名及び印 | ※番号（4又は5）、難病等対象者又は政令で定めている疾病名等を記入（市町村の判断による。）<br>※番号を記入している市町村で国保連支払システムと連動している場合は「5」になることに留意 |

| （二）介護給付費の支給決定内容 | |
|---|---|
| 障害支援区分 | |
| 認定有効期間 | 令和　年　月　日から令和　年　月　日まで |
| サービス種別 | |
| 支給量等 | |
| 支給決定期間 | 令和　年　月　日から令和　年　月　日まで |
| サービス種別 | |
| 支給量等 | |
| 支給決定期間 | 令和　年　月　日から令和　年　月　日まで |
| サービス種別 | |
| 支給量等 | |
| 支給決定期間 | 令和　年　月　日から令和　年　月　日まで |
| 予備欄 | |

（支給決定となった場合、決定した障害支援区分や支給量等が記載される）

（利用するサービスの種類）

注：市町村により様式は異なる

サービス事業者・障害者支援施設）と契約を交わします。それから事業者は、利用者の意向、適性、障害の特性などの事情をふまえて**個別支援計画**を立案します。この個別支援計画にもとづいたサービスを障害者等は利用することになります。

ただし、訓練等給付のサービスを利用する障害者等に対して市町村が暫定支給決定を行ったのちに支給決定を行ったときには、事業者は暫定支給決定期間中のアセスメントの結果等をふまえて作成した個別支援計画を利用者に交付することになります。障害者等はこの個別支援計画にもとづいたサービスを利用することになります。

なお、指定特定相談支援事業者とは、サービス等利用計画についての相談および作成などの支援を行う相談支援事業者で、市町村が指定します。指定特定相談支援事業者は、障害者等の自立した生活を支え、障害者等のかかえる課題の解決や適切なサービス利用に向けて、ていねいな支援をめざします。

## 6 障害支援区分の認定

### （1）障害支援区分とは

　障害者等が障害福祉サービスのなかで介護給付費や共同生活援助の訓練等給付費の支給決定を受けるには、支給申請のあった障害者等の心身の状況を総合的に示すものとして、**障害支援区分**の認定を受けなければなりません。障害支援区分の認定によって、障害者等1人ひとりの障害の多様な特性や心身の状況に応じた介護給付の必要性を客観的にとらえることができます。

　市町村は、介護給付費等の支給申請をした障害者等の標準的な支援の度合いについて、障害支援区分によって把握することが可能になります。そして、支給申請をした障害者等は、1人ひとりの必要度に応じて透明で公平な介護給付費等を利用することができます。

### （2）障害支援区分の認定

　障害支援区分が決まるまでの流れは、図5－11のとおりです。

　障害者本人や障害児の保護者が市町村に介護給付費等の支給申請をすると、市町村は職員を訪問させて面接をします。そして、概況調査と80

---

**図5－11　障害支援区分が決まるまで**

支給申請
↓
認定調査
↓
一次判定（コンピューター）
↓
二次判定（市町村審査会）
↓
市町村が障害支援区分を認定
↓
支給要否決定

　認定調査では、「概況調査」と以下の80項目の「基本調査」が行われる。
・移動や動作等に関連する項目：12項目
・身の回りの世話や日常生活等に関連する項目：16項目
・意思疎通等に関連する項目：6項目
・行動障害に関連する項目：34項目
・特別な医療に関連する項目：12項目

　80項目の「基本調査」と「医師意見書」（一部の項目）にもとづき、一次判定が行われる。

　二次判定は、一次判定の結果と医師意見書（一次判定で用いられた項目以外の項目）、認定調査の特記事項をもとに行われる。

　二次判定の結果をもとに、市町村が障害支援区分を認定する。

　障害支援区分や提出された「サービス等利用計画案」などをもとに、支給要否の決定が行われる。

項目からなる基本調査による認定調査を行います。

　認定調査の結果と医師意見書（一部の項目）から、コンピューターによる一次判定を行います。次に、市町村審査会で一次判定の結果と医師意見書（一次判定で用いられた項目以外の項目）、認定調査の特記事項をもとに二次判定を行います。このとき、市町村審査会は必要に応じて、審査と判定を受ける障害者等やその家族、医師、その他の関係者の意見を聞くことができます。市町村審査会は、厚生労働省によって定められた「障害支援区分の審査判定基準」にのっとり、障害支援区分の審査と判定を行います。

　この審査と判定の結果をもとに、市町村は障害支援区分を認定します。障害支援区分は1～6の段階があり、区分6のほうが必要とされる支援の度合いが高くなります。市町村は、障害支援区分、概況調査の結果、サービス等利用計画案などをもとに、支給要否の決定をします。

## 7 協議会と基幹相談支援センター

### 1 協議会

　都道府県や市町村は、障害者等への支援体制を整備することをめざして、関係機関等で構成される協議会を設置するように努めなければなりません。そして関係機関等が相互に連絡を取り合い、地域における障害者等への支援体制に関する課題について情報を共有し、さらには緊密な連携をめざします。これによって、その地域の実情に応じた障害福祉サービスの提供体制の整備や、地域住民の協力などの社会支援の体制づくりをめざします。

　また、同時に障害者への虐待防止のための体制の整備を行うことになります。

　なお、協議会の名称は地域によっては自立支援協議会と呼ばれています。

## 2 基幹相談支援センター

地域における相談業務を総合的に行うことで、相談支援の中核的な役割をになう基幹相談支援センターを市町村は設置することができます。基幹相談支援センターは、地域の実情に応じた相談、情報提供、助言を総合的に行い、また相談支援事業者間の連絡調整なども必要に応じて求められます（図5-12）。主任相談支援専門員、相談支援専門員、社会福祉士、精神保健福祉士、保健師等が配置されます。

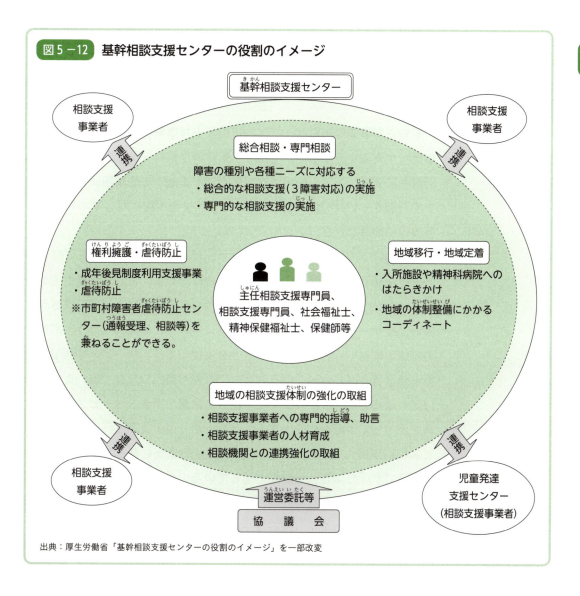

図5-12 基幹相談支援センターの役割のイメージ

出典：厚生労働省「基幹相談支援センターの役割のイメージ」を一部改変

# 8 障害者総合支援制度における相談支援事業と相談支援専門員

## 1 相談支援事業

　障害者等や障害児の保護者、障害者等の介護を行う者が、障害者総合支援制度についてわからないことがある、あるいは地域で生活するうえで利用できるサービスがわからない、施設もしくは病院から地域に移って生活したいのだが不安がある、等で困っているときに相談にのる窓口は重要になります。この窓口の役割をになうのが相談支援事業になります。

　相談支援事業は市町村、指定特定相談支援事業者、指定一般相談支援事業者が実施する基本相談支援と、指定特定相談支援事業者が実施する計画相談支援、指定一般相談支援事業者が実施する地域相談支援があります（図5－13）。基本相談支援はさまざまな問題に対しての相談、情報提供や助言などを行います。

　計画相談支援は、新たに障害福祉サービスを利用したい障害者等や障害児の保護者、障害者等の介護を行う者に対して、どのような生活をしていきたいのか聞き取りをする、障害者総合支援法によって提供される障害福祉サービスの種類や利用の仕方について情報提供を行う、必要であれば市町村への利用申請の手続きを支援したり、サービス等利用計画案を障害者と話し合いながら立案し市町村へ提出したりする、支給要否決定の通知を受けてからサービス担当者会議を開き、サービス等利用計画を確定して市町村へ提出する、といった一連の支援を行います（サービス利用支援）。さらに、サービス利用が始まったあとでは、障害者等にとってサービス等利用計画が適しているのか、修正する必要があるのかというサービス等利用計画の実施状況の把握（モニタリング）も計画相談支援に含まれます（継続サービス利用支援）。

　障害福祉サービス受給者証に記載された1か月単位で利用できる時間数の範囲のなかで、障害福祉サービスを組み合わせながら1か月の計画を立てるという作業は、障害者の生活を無駄なく支えていくうえで重要です。

### 図5-13 相談支援事業の分類

| 基本相談支援 | ・障害者等や障害児の保護者、障害者等の介護を行う者からの福祉に関する相談支援<br>・市町村と指定障害福祉サービス事業者等との連絡調整 |
|---|---|
| 計画相談支援<br><br>サービス利用支援<br>＋<br>継続サービス利用支援 | ・障害者等が障害福祉サービスの利用を希望するときに必要になるサービス等利用計画案を作成し、支給決定のあとにサービス等利用計画を作成するなどの支援<br>・障害福祉サービスを支給決定の有効期間内で適切に利用している障害者等が、継続してサービスを適切に利用できるようサービス等利用計画の見直しを行うなどの支援 |
| 地域相談支援<br><br>地域移行支援<br>＋<br>地域定着支援 | ・障害者支援施設や精神科病院などから地域生活へ移行するための重点的な支援を必要とする者に対する住居の確保などに関する相談など<br>・地域において単身で生活する障害者に対して、常時の連絡体制を確保し、障害の特性などから生じた緊急事態などの場合の相談など |

　また、**地域相談支援**は地域移行支援と地域定着支援を実施します。障害者支援施設等に入所している障害者や、精神科病院に入院している障害者が、地域生活へ移るために支援を必要としている場合に、必要な支援を行うのが**地域移行支援**です。利用期間は原則6か月以内です。**地域定着支援**は、障害者が単身で地域生活を継続していくために、常に連絡がとれる体制のもと、緊急な支援が必要なときに緊急訪問などの必要な支援を利用者の立場に立って行います。利用期間は原則1年以内です。

　障害者の地域生活を支えていくために、いろいろな相談支援事業が用意されています。そして、地域に点在する相談支援事業者を支え、困難な事例を扱い、また相談支援に必要な連携のためのネットワークをつくることを主眼においた**基幹相談支援センター**を設置している市町村が増えています。さらに市町村は、関係機関等で構成される**協議会**を設置して基幹相談支援センターを中心とした相談支援事業全般を支えています。

## 2 相談支援専門員

障害者等の地域生活を支える指定**特定相談支援事業者**と指定**一般相談支援事業者**には、**相談支援専門員**を必ず配置しなければなりません。

障害者の生活を総合的に支えていく相談支援専門員は、障害分野の経験と知識を有した専門職です。基本相談支援、地域相談支援、計画相談支援を通して、障害者等と障害児の保護者、障害者等の介護を行う者の日常生活や社会生活を支えていきます。

# 9 障害児を支える障害者総合支援制度

ここでは障害者総合支援法による障害児の支援制度にしぼって説明します。障害児に対する支援制度全般については、本章第3節を参照してください。

## 1 障害者総合支援法によるサービス

障害児の生活を支え、また家族の負担軽減のために、**障害者総合支援法**のもとで提供される障害福祉サービスのなかで、障害児は次のサービスを利用できます。

> 訪問系サービス
> ・居宅介護（ホームヘルプ）
> ・同行援護
> ・行動援護
> ・重度障害者等包括支援
> 日中活動系サービス
> ・短期入所（ショートステイ）

## 2 障害者総合支援法による相談支援

　障害児が障害者総合支援法の訪問系サービスなどを利用する場合には、保護者は市町村に支給申請をして支給要否の決定を受けなければなりません。このときには、障害者と同じようにサービス等利用計画案の提出が求められます。サービス等利用計画案の作成は、指定特定相談支援事業者による**計画相談支援**を利用します。

　また、障害児1人ひとりに応じた療育や医療の継続、あるいは生活や教育に対する支援には、専門的知識をもとにした相談支援サービスが重要になります。

## 演習5-1 介護保険制度と障害者総合支援制度の比較

介護保険制度と障害者総合支援制度を比較してみよう。

❶ 比較を一覧表にしてまとめてみよう。
❷ 共通点、相違点を整理してみよう。

## 演習5-2 障害児・者を支援する施設・事業所における介護福祉士の職務（仕事）

障害児・者を支援する施設・事業所において、介護福祉士にはどのような職務（仕事）があるのか調べてみよう。

❶ 障害児・者を支援する施設・事業所にはどのようなものがあるのかについて調べてみよう。
❷ その施設・事業所のなかに介護福祉士の職務（仕事）はあるのかについて調べてみよう。
❸ ❶と❷をふまえて、グループや全体で発表し、意見交換をしてみよう。

# 第6章 介護実践に関連する諸制度

- 第1節 個人の権利を守る制度
- 第2節 保健医療に関する制度
- 第3節 貧困と生活困窮に関する制度
- 第4節 地域生活を支援する制度

# 第1節 個人の権利を守る制度

**学習のポイント**
- 4つの虐待防止法について比較を通して理解する
- 成年後見制度と日常生活自立支援事業について比較を通して理解する
- 個人情報保護、第三者評価、苦情解決・不服申し立ての各制度について理解する

**関連項目**
- ④『介護の基本Ⅱ』 ▶ 第3章第2節「リスクマネジメントとは何か」
- ⑥『生活支援技術Ⅰ』 ▶ 第5章第3節「家事の介護における多職種との連携」
- ⑭『障害の理解』 ▶ 第1章第3節「障害者福祉に関連する制度」

## 1 虐待防止に関する制度

### 1 各虐待防止法の比較

　虐待防止法は対象者別に、**高齢者虐待の防止、高齢者の養護者に対する支援等に関する法律（高齢者虐待防止法）、障害者虐待の防止、障害者の養護者に対する支援等に関する法律（障害者虐待防止法）、児童虐待の防止等に関する法律（児童虐待防止法）、配偶者からの暴力の防止及び被害者の保護等に関する法律（配偶者暴力防止法（DV防止法））**、の4つがあります。それぞれの相違点を比較しながら学ぶと、理解が深まります。表6-1は各虐待防止法のおもな点を比較したものです。

### 2 高齢者虐待防止法

❶養護者
高齢者を現に養護する者であって養介護施設従事者等以外のもの。

　2005（平成17）年に成立し、2006（平成18）年から施行された**高齢者虐待防止法**では、高齢者虐待は**養護者**❶によるものと**養介護施設従事者**

表6-1 4つの虐待防止法の比較

| | 高齢者虐待防止法 | 障害者虐待防止法 | 児童虐待防止法 | 配偶者暴力防止法（DV防止法） |
|---|---|---|---|---|
| 施行年 | 2006（平成18）年 | 2012（平成24）年 | 2000（平成12）年 | 2001（平成13）年 |
| 対象 | 高齢者（65歳以上の者） | 身体障害者、知的障害者、精神障害者（発達障害を含む）、その他の心身の機能の障害がある者 | 児童（18歳未満の者） | 配偶者（内縁関係、同棲関係を含む）からの暴力を受けた者 |
| 身体的虐待 | ○ | ○ | ○ | 配偶者からの身体に対する暴力またはこれに準ずる心身に有害な影響を及ぼす言動 |
| 心理的虐待 | ○ | ○ | ○ | |
| 性的虐待 | ○ | ○ | ○ | |
| ネグレクト | ○ | ○ | ○ | |
| 経済的虐待 | ○ | ○ | | |
| 通報 - 発見した者 | 養護者による虐待を受けたと思われる高齢者を発見した場合は、**通報努力義務**　生命または身体に重大な危険が生じている場合は、**通報義務** | 養護者による虐待を受けたと思われる障害者を発見した者は、**通報義務**（市町村に） | 虐待を受けたと思われる児童を発見した者は、**通告義務** | 配偶者からの暴力（身体的暴力のみ）を受けている者を発見した者は、**通報努力義務** |
| 通報 - 発見した専門職等 | 関係団体、専門職は、早期発見の努力義務　養介護施設従事者等は、養介護施設従事者等による虐待を受けたと思われる者を発見した場合は、**通報義務** | 関係団体、専門職は、早期発見の努力義務　障害者福祉施設従事者等による虐待を受けたと思われる障害者を発見した場合は、**通報義務**（市町村に）　使用者による虐待を受けたと思われる障害者を発見した場合は、**通報義務**（市町村または都道府県に） | 関係団体、専門職は、早期発見の努力義務 | ・医療関係者は、暴力によって負傷などした者を発見したときは、通報することができる。・通報は、本人の意思を尊重するよう努めなければならない。 |
| 通報 - 免責 | ・通報しても守秘義務違反にならない。・養介護施設従事者等は、通報したことを理由として、解雇その他不利益な取扱いを受けない。 | ・通報しても守秘義務違反にならない。・障害者福祉施設従事者等または労働者は、通報したことを理由として、解雇その他不利益な取扱いを受けない。 | ・通告しても守秘義務違反にならない。 | |
| 通報 - 通報先 | 市町村（地域包括支援センターなどへ委託可） | 市町村（障害者虐待防止センター）　都道府県（障害者権利擁護センター） | 児童相談所、市町村など（直接または児童委員を介して） | 配偶者暴力相談支援センター、警察官 |

|  |  |  |  |  |  |
|---|---|---|---|---|---|
| 対応 | 一時保護 | 市町村による老人短期入所施設等への入所などの措置 | 市町村による障害者支援施設等への入所などの措置 | 児童相談所による一時保護 | 婦人相談所等による一時保護 |
|  | 警察署長等 | 立入調査などへの援助 | 立入調査などへの援助 | 立入調査などへの援助 | 被害の発生を防止するために必要な援助 |
|  | 措置など | ・虐待を行った養護者への面会の制限<br>・市町村長による成年後見開始の審判　など | ・虐待を行った養護者への面会の制限<br>・市町村長による成年後見開始の審判　など | ・施設入所等の措置<br>・虐待を行った保護者への面接・通信の制限<br>・虐待を行った保護者の接近禁止<br>・親権の喪失の審判　など | ・地方裁判所の保護命令<br>・配偶者の接近禁止<br>・住居からの退去　など |

出典：いとう総研資格取得支援センター編『見て覚える！介護福祉士国試ナビ2022』中央法規出版、p.57、2021年を一部改変

❷養介護施設従事者等
老人福祉法に規定する老人福祉施設もしくは有料老人ホームまたは介護保険法に規定する介護保険施設などに従事する者。

等❷によるものの2つに分類されています。
① 養護者による高齢者虐待
② 養介護施設従事者等による高齢者虐待

　この2つの虐待の詳細な内容については表6-2にまとめています。身体的虐待、介護等放棄（ネグレクト）、心理的虐待、性的虐待、経済的虐待の5種類の虐待があります。
　高齢者虐待防止法では、国・地方公共団体、国民、高齢者の福祉に関係のある団体や専門職に対して、高齢者虐待の防止、養護者に対する支

### 表6-2　養護者による高齢者虐待と養介護施設従事者等による高齢者虐待

|  | 養護者による高齢者虐待 | 養介護施設従事者等による高齢者虐待 |
|---|---|---|
| ①身体的虐待 | 高齢者の身体に外傷が生じ、または生じるおそれのある暴行を加えること | |
| ②介護等放棄（ネグレクト） | 高齢者を衰弱させるようないちじるしい減食または長時間の放置、養護者以外の同居人による①、③または④にかかげる行為と同様の行為の放置等養護をいちじるしくおこたること | 高齢者を衰弱させるようないちじるしい減食または長時間の放置その他の高齢者を養護すべき職務上の義務をいちじるしくおこたること |
| ③心理的虐待 | 高齢者に対するいちじるしい暴言またはいちじるしく拒絶的な対応その他の高齢者にいちじるしい心理的外傷を与える言動を行うこと | |
| ④性的虐待 | 高齢者にわいせつな行為をすることまたは高齢者をしてわいせつな行為をさせること | |
| ⑤経済的虐待 | 養護者または高齢者の親族が当該高齢者の財産を不当に処分することその他当該高齢者から不当に財産上の利益をえること | 高齢者の財産を不当に処分することその他当該高齢者から不当に財産上の利益をえること |

援等に関する施策を促進するための責務等が定められています。

高齢者虐待への対応は、次の3つに分けることができます。

❶ 高齢者虐待の防止
❷ 虐待を受けた高齢者の迅速で適切な保護
❸ 養護者に対する適切な支援

まずは早期発見が重視されています。そのうえで、発見者には市町村への通報義務または通報努力義務が課せられています。

通報を受けた市町村には、高齢者の安全の確認や一時的な保護などの措置を行うことが求められます。その方法として、地域包括支援センター❸などの職員による高齢者の住居への立ち入りや必要な調査、質問が認められています。その際、トラブルが生じるおそれのある場合には、市町村長は警察署長に対して援助を求めることができます。

財産上の不当な取り引きによる被害の防止についても定められており、その方法として成年後見制度の活用があげられています。

2019（令和元）年度において高齢者虐待と判断された件数は、養介護施設従事者等によるものが644件、養護者によるものが1万6928件となっています1）。虐待の種別では、養護者と養介護施設従事者等ともに、①身体的虐待、②心理的虐待、③介護等放棄の順に多くなっています2）。

養護者による高齢者虐待では、被虐待高齢者は女性のほうが多く、年齢階級別では80～84歳がもっとも高い割合を占めています3）。虐待者の続柄は息子がもっとも多く、夫、娘と続きます4）。

養介護施設従事者等による高齢者虐待でも、被虐待高齢者は女性のほうが多く、年齢階級別では85～89歳がもっとも高い割合を占めています5）。施設・事業所の種別では、特別養護老人ホーム（介護老人福祉施設）がもっとも多く、次いで有料老人ホームとなっています6）。

## 3 障害者虐待防止法

2011（平成23）年に成立し、2012（平成24）年から施行された障害者虐待防止法では、障害者虐待は養護者❹によるものと障害者福祉施設従事者等❺によるもの、使用者❻によるものの3つに分けることができます。

① 養護者による障害者虐待

❸地域包括支援センター
p.173参照

❹養護者
障害者を現に養護する者であって障害者福祉施設従事者等以外のもの。

❺障害者福祉施設従事者等
障害者の日常生活及び社会生活を総合的に支援するための法律（障害者総合支援法）に規定する障害者支援施設などに従事する者。

❻使用者
障害者を雇用する事業主または事業の経営担当者などの労働者に関する事項（労働条件の決定や労務管理、業務の命令、指揮監督など）について事業主のために行為をする者。

② 障害者福祉施設従事者等による障害者虐待
③ 使用者による障害者虐待

虐待の種類は、高齢者虐待と同じ5種類があります。

障害者虐待防止法では、国・地方公共団体、国民、障害者の福祉に関係のある団体や専門職に対して、障害者虐待の防止、養護者に対する支援等に関する施策を促進するための責務等が定められています。

障害者虐待への対応は、高齢者虐待への対応と同様です。養護者もしくは障害者福祉施設従事者等による障害者虐待を受けたと思われる障害者の発見者には市町村への通報が義務づけられています。ただし、使用者による障害者虐待の場合には、市町村または都道府県への通報となります。

市町村・都道府県の部局または施設が、障害者虐待の対応窓口等となる市町村障害者虐待防止センター・都道府県障害者権利擁護センターとしての機能を果たすこととされています。

2019（令和元）年度において障害者虐待と判断された件数は、養護者による障害者虐待が1655件[7]、障害者福祉施設従事者等による障害者虐待が547件[8]でした。ともに①身体的虐待、②心理的虐待の順に多くなっています[9]。

養護者による障害者虐待では、被虐待障害者は女性が高い割合を占めています[10]。障害種別では知的障害がもっとも多く、次いで精神障害、身体障害となっています[11]。虐待者の続柄は父がもっとも多く、母、兄弟と続きます[12]。

障害者福祉施設従事者等による障害者虐待では、被虐待障害者は男性が高い割合を占めています[13]。障害種別では知的障害がもっとも多く、次いで身体障害、精神障害となっています[14]。施設の種別は障害者支援施設がもっとも高い割合を占めています[15]。

## 4 児童虐待防止法

2000（平成12）年に成立し、同年から施行された児童虐待防止法により、児童虐待に関する理解や意識の向上がはかられつつあります。その一方で、子どもの生命が奪われるなど、重大な児童虐待事件があとを絶ちません。

全国の児童相談所に寄せられる児童虐待に関する相談対応件数は、法

制定直前の1999（平成11）年度の1万1631件[16]から、2019（令和元）年度には19万3780件[17]に増加しています。

児童虐待防止において重要なことは、①児童虐待の発生予防、②児童虐待発生時の迅速・的確な対応、③虐待を受けた児童の自立支援を切れ目なく行うことです。このうち、児童虐待防止法は②の部分をおもににになっているといえます。

②の対策として児童虐待防止法は、児童福祉に業務（職務）上関係のある団体（人）に対して早期発見の努力義務を課しています。また、虐待を受けたと思われる児童を発見した者に対して児童相談所や福祉事務所への通告義務を課しています。さらに、立入調査や一時保護などの対応についても定めています。

なお、関係機関の連携を図るため要保護児童対策地域協議会が設置されています（これは児童虐待防止法ではなく児童福祉法に規定されています）。

## 5 配偶者暴力防止法

2001（平成13）年に配偶者暴力防止法（DV防止法）が成立し、同年から施行されました。

婦人相談所はそれまで売春防止法にもとづき要保護女子[7]を保護する婦人保護事業の機関でしたが、配偶者暴力防止法により配偶者暴力相談支援センターとしての機能もになうこととなりました。

[7]要保護女子
性行や環境に照らして売春を行うおそれのある女子。

# 2 サービス利用に関する制度

### 事例1　息子による年金の使いこみ

Aさん（80歳、女性）は、約1年半前に軽度の認知症の診断を受けました。息子（50歳）と2人暮らしです。息子は2年前、勤めていた会社の経営不振のため退職しました。それ以来、定職につかず、Aさんの年金を生活費にあて、さらにギャンブルにもつぎこんでいます。

半年前、Aさんは自宅で転倒し、骨折しました。退院後は、自力で

歩行できず要介護4の認定を受けました。しかし、公共料金などを滞納し、医療や介護サービスの利用には消極的です。

みなさんは、この事例のAさんにはどのようなサービスが必要だと考えますか。息子との関係、とくに金銭面に関してどのように対応したらよいでしょうか。Aさんの年金をAさんの生活に使うためにはどうしたらよいでしょうか。

## 1 成年後見制度と日常生活自立支援事業の全体像

個人の権利を守る制度（権利擁護制度）の主要なものとして、成年後見制度と日常生活自立支援事業があります。その全体像は、図6−1のとおりです。サービス利用における権利擁護において、この2つの制度は重要な役割をになっています。

## 2 成年後見制度

### （1）成年後見制度の背景

1990年代後半以降、戦後の日本の社会福祉の供給方法の基本的なしくみであった**措置制度**[8]から**利用契約制度**[9]への転換がはかられてきました（**社会福祉基礎構造改革**[10]）。たとえば高齢者福祉の領域においては、2000（平成12）年から始まった介護保険制度によって、利用者が介護サービス事業者を選択し、サービス内容等に関して契約を結ぶしくみが導入されました。

しかし、選択し契約するためには、また、その契約がきちんと行われているかどうかをチェックするためには、ある一定の判断能力が必要です。社会福祉サービスの対象となる人たちのなかには、**成年**[11]となっていても、この契約上の判断能力が不十分な人たちがたくさんいます。

したがって、社会福祉サービスに利用契約制度を導入するにあたっては、判断能力の不十分な人たちを支援し、権利を守るしくみが同時に必要となりました。そこでつくられたのが**成年後見制度**です。

もともと明治時代から、財産管理をおもな目的として判断能力の不十分な人たちに対して後見人をつけるという制度が民法にありました（禁

---

[8] **措置制度**
p.77参照

[9] **利用契約制度**
p.77参照

[10] **社会福祉基礎構造改革**
p.77参照

[11] **成年**
民法改正により2022（令和4）年4月1日から成年年齢が20歳から18歳に引き下げられる予定である。

第1節 個人の権利を守る制度

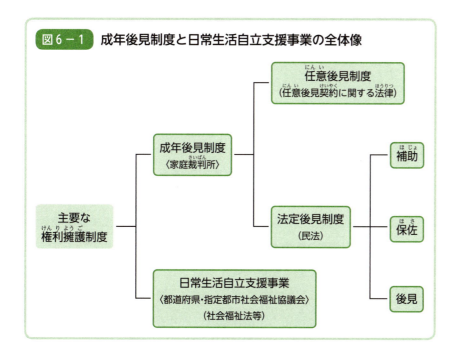

図6-1 成年後見制度と日常生活自立支援事業の全体像

治産・準禁治産制度)。この制度は人権的および福祉的に問題があるものでしたが、この点を改善し、これに代わるものとして、1999（平成11）年に民法が改正され、成年後見制度の1つである**法定後見制度**がつくられました。また、法定後見制度と同じ1999（平成11）年に**任意後見契約に関する法律**が成立し、もう1つの成年後見制度である**任意後見制度**がつくられました。成年後見制度が始まったのは、介護保険制度が始まった年と同じ2000（平成12）年です。

## (2) 成年後見制度の概要

**成年後見制度**は**法定後見制度**と**任意後見制度**の2つで構成されています（図6-1）。成年後見制度は**認知症、知的障害、精神障害**などにより判断能力が不十分な人を対象とし、対象者の判断能力の不足をおぎない、保護と権利擁護をはかるための制度です。

支援者として選任された者が、対象者の財産の管理に関する事務と、生活および療養に関する事務等を行います。前述した社会福祉サービスの契約のほか、生活上のさまざまな契約に幅広く対応できます。

また、最近は、詐欺や悪質商法（『介護の基本Ⅱ』（第4巻）第3章第2節参照）にあう高齢者が増加しています。成年後見制度には、これらの犯罪による被害を防ぐ効果もあります。

なお、支援者が対象者に代わってすべてを行うのではなく、あくまでも対象者の意思や自己決定を尊重しつつ、対象者の保護をはかることが重要です。

### （3）法定後見制度の申し立て・類型・対象者

　法定後見の開始の審判は、家庭裁判所に対する申し立てによって行われます。申し立てができるのは、本人、配偶者、四親等内の親族のほか、検察官、任意後見人、市町村長などです。身寄りのない人のための申し立て人としては、検察官と市町村長が想定されていますが、実際には検察官はほぼ皆無であり、市町村長の役割が重要視されています。

　法定後見制度には補助・保佐・後見という３つの類型があります（図6－1）。対象者は、３つの類型に合わせて、精神上の障害による判断能力の程度によって被補助人・被保佐人・成年被後見人（以下、成年被後見人等）に区分されています。補助の対象者（被補助人）がもっとも軽度であり、後見の対象者（成年被後見人）がもっとも重度です（表6－3）。

### （4）法定後見制度の支援者・支援内容・権限

　法定後見制度の支援者（保護者）として、家庭裁判所が、補助人・保佐人・成年後見人（以下、成年後見人等）を選任します。本人の近親者が選任されることが多いのですが、司法書士や弁護士などの法律の専門職、社会福祉士などの福祉の専門職などが選任されることもあります。また、複数人や法人の選任も可能となっています。

　成年後見人等は、与えられた権限の範囲内において、財産管理事務と身上監護事務を行います（図6－2）。この身上監護事務には、成年後見人等が直接介護や看護などを行うという**事実行為**[12]は含まれません。ただし、身上配慮義務はあります（図6－2）。たとえば、成年被後見人等が自宅で身のまわりのことをするのが困難になった場合は、成年被後見人等の財産を有効に使って配食サービスや訪問介護（ホームヘルプサービス）などを利用できるようにしなければなりません。また、自宅での生活に支障が生じるようになった場合には、成年被後見人等の意思を確かめつつ施設への入所を検討するなど、積極的に対応する必要があります。

　成年後見人等には、それぞれが有する権限の範囲で、**法律行為**[13]を本

[12] **事実行為**
法律的効果を生じない行為のこと。

[13] **法律行為**
契約など、法律的効果を生じる行為のこと。

## 第1節 個人の権利を守る制度

**表6-3 法定後見制度の類型と対象者**

| 類型 | 対象者 | | 具体例 |
|---|---|---|---|
| 補助 | 被補助人 | 判断能力が不十分な人 | 日常の買い物は1人でできるが、不動産の売買などの重要な財産行為については適切にできるか不安があるという程度の人 |
| 保佐 | 被保佐人 | 判断能力がいちじるしく不十分な人 | 日常の買い物は1人でできるが、不動産の売買などの重要な財産行為は1人ではできない程度の人 |
| 後見 | 成年被後見人 | 判断能力を常に欠く状態にある人 | 日常の買い物も1人ではできない程度の人 |

**図6-2 成年後見人等の事務と義務**

| 財産管理事務 | 財産の管理に関する事務<br>（例）①日常の身近な事柄<br>　　　　印鑑・預貯金通帳の保管、年金その他の収入の受領・管理、介護サービス契約の締結<br>　　　②不動産などの重要な財産の処分 |
|---|---|
| 身上監護事務 | 生活および療養看護に関する事務<br>（例）①介護・生活維持に関する事務<br>　　　②賃貸借等の住居の確保に関する事務<br>　　　③施設の入退所、処遇の監視・異議申し立て等に関する事務<br>　　　④医療に関する事務<br>　　　⑤教育・リハビリテーションに関する事務 |

＋

| 身上配慮義務 | ①心身の状態及び生活の状況に配慮すべき義務<br>②本人の意思を尊重すべき義務 |
|---|---|

人に代わって行う権限（**代理権**）、本人の法律行為に同意を与える権限（**同意権**）、本人の法律行為を取り消す権限（**取消権**）が与えられています。なお、日用品の購入など日常生活に関する行為は対象外となります（**表6-4**）。成年後見人、保佐人、補助人の順に強い権限が与えられます。

補助人と保佐人には与えられている同意権が、成年後見人には与えられていないのは、成年被後見人は判断能力が欠けているのが通常の状態にあり、たとえ同意を与えたとしてもそのとおりに行為する可能性がい

表6-4　補助人・保佐人・成年後見人の権限

| | | | |
|---|---|---|---|
| 補助人 | 同意権 | ・申し立ての範囲内で家庭裁判所が審判で定める「特定の法律行為」 | ※民法第13条第1項に定める行為※1の一部<br>※日用品の購入などの「日常生活に関する行為」は除く |
| | 取消権 | ・申し立ての範囲内で家庭裁判所が審判で定める「特定の法律行為」 | |
| | 代理権 | ・申し立ての範囲内で家庭裁判所が審判で定める「特定の法律行為」 | ※民法第13条第1項に定める行為※1の一部 |
| 保佐人 | 同意権 | ・民法第13条第1項に定める行為※1<br>・その他家庭裁判所が審判で定めた行為 | ※日用品の購入などの「日常生活に関する行為」は除く |
| | 取消権 | ・民法第13条第1項に定める行為※1<br>・その他家庭裁判所が審判で定めた行為 | |
| | 代理権 | ・申し立ての範囲内で家庭裁判所が審判で定める「特定の法律行為」 | ※民法第13条第1項に定める行為※1の一部 |
| 成年後見人 | 同意権 | | ※同意権は必要ないので与えられていない |
| | 取消権 | ・「日常生活に関する行為」以外の行為 | |
| | 代理権※2 | ・財産に関するすべての法律行為 | |

※1：借金、訴訟行為、相続の承認・放棄、新築・改築・増築など。
※2：包括的代理権・財産管理権。

ちじるしく低いため、必要がないからです。

### (5) 任意後見制度

　任意後見制度は、将来、判断能力が不十分な状態になった場合に備えて、本人に十分な判断能力があるうちに、前もって任意後見人に対して一定の範囲で代理権を付与する旨の任意後見契約を締結しておくというものです。なお、任意後見人の権限は代理権のみで、同意権や取消権がないことには注意する必要があります。

　実際に精神上の障害により判断能力が不十分な状態になった場合には、家庭裁判所によって選任された任意後見監督人の監督のもとで、任意後見人による保護および支援を受けることができます。

　任意後見人の行う事務は、成年後見人等の行う事務とほぼ同様で、財産管理事務と身上監護事務を行います。その具体的な内容は、任意後見契約によって定められます。事務は契約締結などの法律行為を基本と

> **コラム　成年後見制度における法律行為と事実行為**
>
> 　成年後見人等の事務は基本的には法律行為であり、事実行為は含まれません。ただし、「法律行為に付随する事実行為」は含まれます。たとえば、施設と入所契約を締結する行為は法律行為ですが、どの施設にするかパンフレットを取り寄せたり、施設に見学に行ったりする行為は「付随する事実行為」になります。どこまでが「付随する事実行為」であり、どこからが単なる「事実行為」なのかという線引きにむずかしさがあります。

し、介護や看護などの事実行為は含みません。ただし、**身上配慮義務**はあります。

　任意後見人の資格にはとくに法律上の制限はなく、本人の自由な選択によります。親族・知人、法律の専門職、福祉の専門職等が任意後見人になる場合が多いです。また、個人に限らず法人等もなることができます。

### (6) 成年後見制度の動向

　成年後見制度の申し立て件数は、制度導入以降着実に増加してきました。ここ5年間は2016（平成28）年が3万4249件に対して2020（令和2）年が3万7235件とわずかに増えています[18]。

　2020（令和2）年の状況をみると、後見の申し立てが約7割を占めています[19]。また、申し立て人は本人、本人の子、市町村長がそれぞれ約2割を占めています[20]。申し立ての動機は「預貯金等の管理・解約」が約4割でもっとも多く、次いで、「身上保護」が約2割となっています[21]。

　成年後見人等に選任されたのは、「配偶者、親、子、兄弟姉妹、その他親族」が約2割、親族以外の第三者（弁護士、司法書士、社会福祉士等）が約8割を占めています[22]。親族以外の第三者の割合が年々増加しています[23]。

　2020（令和2）年12月末日時点の成年後見制度の利用者総数は23万2287人です[24]。

　認知症の人を対象とする介護保険制度と、精神障害や知的障害のある人などを対象とする障害者総合支援制度には、成年後見制度の利用を支

> **コラム** 成年後見制度にかかる費用
>
> まず申し立てるのに1万円程度かかります（鑑定がいる場合はさらに5万円から10万円程度かかります）。申し立て書類の作成を専門職に依頼すればさらに10数万円程度かかります。
>
> 専門職が成年後見人等になる場合、毎月の費用として2万円程度かかります。財産額によっては5万円から6万円程度になります。さらに、付加的な報酬が発生する場合もあります。
>
> さらに、成年後見監督人が選任された場合、毎月の費用として1万円から3万円程度かかります（財産額によって変わります）。

援するための**成年後見制度利用支援事業**があります。

❶成年後見制度利用支援事業
成年後見制度の利用に要する費用のうち、申し立てと成年後見人等の報酬にかかるものを補助する事業。介護保険制度では地域支援事業に、障害者総合支援制度では地域生活支援事業に位置づけられている。

## 3 日常生活自立支援事業

### （1）日常生活自立支援事業の概要

**日常生活自立支援事業**は、1999（平成11）年に地域福祉権利擁護事業として創設され、2007（平成19）年に現在の名称に変更されました。社会福祉法上は福祉サービス利用援助事業と規定されています。

前述の**成年後見制度**は、そもそも財産管理に関する権利擁護をおもな目的としたものでした。そのため、もともと管理すべき財産のない人は、身上監護が必要であっても、適切な成年後見人等をえることが困難になります。このような成年後見制度の制度的限界をおぎない、本人の資力の有無にかかわらず福祉サービスの適切な利用につなげるためのしくみが日常生活自立支援事業です。

### （2）日常生活自立支援事業のしくみ

日常生活自立支援事業は、**認知症高齢者、知的障害者、精神障害者等のうち判断能力が不十分な者**に対して、福祉サービスの利用に関する援助等を行うことにより、地域において自立した生活が送れるよう支援することを目的としています。事業の対象者は表6－5の①②のいずれの要件にも該当する者とされています。

このように少なくとも契約時においては、「事業の契約の内容につい

## 第1節 個人の権利を守る制度

> **表6−5 日常生活自立支援事業の対象者の要件**
>
> ①判断能力が不十分な者であって、日常生活を営むのに必要なサービスを利用するための情報の入手、理解、判断、意思表示を本人のみでは適切に行うことが困難な者
> ②事業の契約の内容について判断しうる能力を有していると認められる者

て判断しうる能力を有している」ことが求められていることには注意が必要です。事業の契約の内容について判断しうる能力がない場合は、成年後見制度のほうが適しているということになります。対象者の判定は、ガイドラインにもとづいて実施されます。

事業の実施主体は、**都道府県社会福祉協議会**または**指定都市社会福祉協議会**です。事業の一部を**市区町村社会福祉協議会**に委託することができます。

市区町村社会福祉協議会には**専門員**と**生活支援員**がおかれています。

**専門員**は支援計画の作成を担当しています。専任の常勤職員であり、原則として高齢者や障害者等への援助経験のある社会福祉士や精神保健福祉士等であることとされています。

**生活支援員**は実際の援助を行います。援助内容は**表6−6**のとおりです。生活支援員の多くは非常勤職員です。

日常生活自立支援事業の利用料は、成年後見制度に比べると安価で、

**表6−6 日常生活自立支援事業の援助内容**

| | | |
|---|---|---|
| 基本的援助内容 | ① | 福祉サービスの利用援助 |
| | ② | 苦情解決制度の利用援助 |
| | ③ | 住宅改造／居住家屋の賃借／日常生活上の消費契約／住民票の届出等の行政手続 に関する援助等 |
| 上記にともなう援助内容 | ① | 利用者の日常生活費の管理（日常的金銭管理）（預金の払い戻し、預金の解約、預金の預け入れの手続　等） |
| | ② | 定期的な訪問による生活変化の察知 |

第6章 介護実践に関連する諸制度

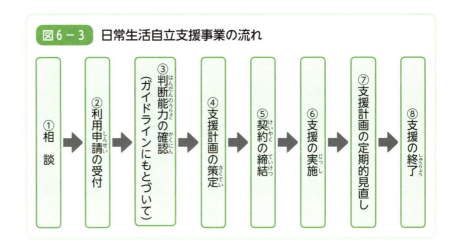

訪問1回あたり平均1200円程度です。利用料は実施主体ごとに定められています。生活保護受給世帯の利用料は無料です。

日常生活自立支援事業の援助は、図6－3のような流れで実施されます。

冒頭の事例1の場合、日常生活自立支援事業の利用が考えられます。通帳と印鑑を生活支援員が預かることで、息子による年金の搾取を防ぐことができる可能性があります。公共料金の支払いに関する支援や、医療や介護サービスにつなげる支援も必要でしょう。

### （3）日常生活自立支援事業の動向

2020（令和2）年度末現在の日常生活自立支援事業の実利用者数は5万6761人となっています[25]。利用者数は年々増加していますが、2016（平成28）年ごろより伸び率は下がってきています。

## 3 消費者保護に関する制度

近年、高齢者をターゲットにした詐欺や悪質商法が多発しています。高齢者の不安に言葉たくみにつけこみ、必要のない高額な商品を売りつけたり、先物や株の取り引きをすすめたり、必要のない住宅リフォームを行ったりするなどの商法が横行しています。住宅リフォームなどでは、一社が成功するとその関連業者が次々と訪れ、高齢者の財産を全部巻き上げるというきわめて悪質な事例も出てきています。

### 事例2　悪質な業者？

　Bさん（87歳、男性）は、70歳でみずから興した会社を譲って引退しました。子どもはなく、妻と2人きりで暮らしてきました。老後の経済生活には不自由はしていません。2年前に妻を亡くしてから、徐々にもの忘れなどの症状が出てきましたが、何とか1人暮らしを続けています。

　2週間前に、シロアリ駆除業者が訪問してきました。床下の無料点検をすすめられました。「無料ならば」ということで点検してもらいました。感じのよい親切な若者で、身の上話をして、久しぶりに楽しい時間を過ごすことができました。

　床下から出てきた業者の人に「基礎部分のほとんどがシロアリでやられています。このままでは家が倒壊してしまいますよ」と言われて驚いてしまいました。写真も見せてていねいに説明してくれ、安く工事してくれるという会社も紹介してくれました。駆除と基礎補強工事で計200万円かかりました。

　みなさんはこの事例を読み、どう思われますか。どこか怪しいなと思われるのではないでしょうか。しかし、当事者である高齢者は詐欺にあっているとは思わず、むしろ「早く見つかってよかった」「親切にしてもらった」と肯定的にとらえている場合もあります。

　介護福祉職としては、日ごろからこのような被害にあわないように利用者に注意を喚起するとともに、成年後見制度等の制度を説明できるようになっておく必要があります。

　もし高齢者が被害にあってしまった場合にも、さまざまな制度を活用することができます。たとえば、次のような方法があります。

- 特定商取引に関する法律（特定商取引法）のクーリング・オフ制度を活用する。
- 消費者契約法にもとづいて取り消しの通知（1年以内）をするか無効の主張をする。
- 民法の成年後見制度にもとづいて契約の取り消しや無効を主張する。

　ただし、消費者保護制度には複雑な面もあるので、介護福祉職としては相談機関につなぐことができるようになっておけばよいでしょう。相談機関の1つとして**消費生活センター**[15]があります。消費生活センター

[15]**消費生活センター**
高齢者に関する悪質商法だけでなく、さまざまな消費者問題を幅広く扱っている。たとえば、多重債務におちいった者などの相談に乗ることで、福祉ニーズをキャッチできる立場にあり、生活保護制度や公共職業安定所（ハローワーク）等につなげていく役割も期待されている。

**⑯消費者安全法**
2009（平成21）年の消費者庁の設置にともない、消費者の生活における安全を確保するために制定された法律。

は**消費者安全法**⑯にもとづいた行政機関で、都道府県および市町村に設置されています。消費者からの苦情相談等に専門の相談員が対応しています。相談料は無料です。地方自治体によって「消費者センター」「市民生活センター」「市民生活相談室」などと呼ばれています。

冒頭の事例2の場合も、まずは消費生活センターに相談するようBさんにすすめることがよいかもしれません。

また、全国の消費生活センター等から消費生活相談などの情報を収集し、国民生活の改善に関する情報提供、調査研究（商品テスト等）を行う機関として、1970（昭和45）年に設立された**国民生活センター**があります。所管官庁は消費者庁であり、独立行政法人国民生活センター法にもとづいて事業を行っています。

## 4 その他の個人の権利を守る制度

### 1 個人情報保護に関する制度

**事例3　実習施設の利用者の情報**

> 学生のCさんは、介護実習先の施設で、認知症の利用者Dさんにかかわるなかで、家族の状況や生活歴を知りたいと思い、E介護福祉職にたずねました。すると、「個人情報保護法のため個人情報は教えられない。情報は本人から直接聞くべきで、その情報をもとにかかわってください」と言われました。

みなさんはこの事例についてどう思われますか。E介護福祉職の個人情報の保護に関する法律（個人情報保護法）の理解は正しいでしょうか。

#### （1）秘密保持の原則

介護福祉士の職業倫理の1つとして秘密保持があります。秘密保持の原則は、長年、バイステックの7原則（『コミュニケーション技術』（第5巻）第1章第3節参照）の1つとして、対人援助の基本に位置づけら

れてきました。

　1987（昭和62）年に成立した社会福祉士及び介護福祉士法の第46条では、「社会福祉士又は介護福祉士は、正当な理由がなく、その業務に関して知り得た人の秘密を漏らしてはならない。社会福祉士又は介護福祉士でなくなった後においても、同様とする」と規定されています。さらに、1995（平成7）年に制定された日本介護福祉士会の日本介護福祉士会倫理綱領には、「介護福祉士は、プライバシーを保護するため、職務上知り得た個人の情報を守ります」とうたわれています。

　このように、福祉分野ではもともと秘密保持という形で、個人情報保護に対する意識は高く保持されてきたといえます。

## （2）個人情報保護法の概要

　しかし、単に援助者の個人レベルの職業倫理で個人情報を保護しておけばよいという時代ではなくなってきました。その背景には情報化の進展があります。コンピューター上にデータ化した個人情報が、ネットワークを通じて、瞬時に、大量に流出する危険性が出現したのです。

　このような高度情報通信社会の到来において、その有用性の担保と個人の権利利益の保護を目的として制定されたのが、個人情報の保護に関する法律（個人情報保護法）です。2003（平成15）年に成立し、2005（平成17）年に全面施行されました。

　個人情報保護法でいう「個人情報」とは、①生存する個人の情報であって、氏名、生年月日その他の記述等により、特定の個人を識別することができるもの、あるいは②個人識別符号が含まれるもの、をさします。

　①の「その他の記述等」には、文書だけでなく、図面、電磁的記録、音声、動作なども該当します。

　②の「個人識別符号」には、「身体の一部の特徴を電子計算機のために変換した符号」（DNA、指紋など）と「サービス利用や書類において対象者ごとに割り振られる符号」（免許証番号、マイナンバーなど）の2種類があります。

　また、取り扱いにとくに配慮を要するものとして、要配慮個人情報⑰があります。要配慮個人情報を取得する際には、本人の同意が必要となります。

　取り扱う個人情報の数にかかわらず、すべての事業者が個人情報保護

⑰要配慮個人情報
本人の人種、信条、社会的身分、病歴、犯罪の経歴、犯罪により害を被った事実、その他本人に対する不当な差別、偏見その他の不利益が生じないようにその取り扱いにとくに配慮を要するものとして政令で定める記述等が含まれる個人情報のこと。

法の対象となります。

### （3）ガイダンス

　個人情報保護法をふまえて「医療・介護関係事業者における個人情報の適切な取扱いのためのガイダンス」が作成されています。ガイダンスでは、医療・介護関係事業者の個人情報の適正な取り扱いの確保に関する活動を支援するための具体的な留意点・事例等が示されています。

### （4）利用目的の特定および制限の規定

　個人情報保護法では、個人情報を取り扱うにあたって、その利用目的をできる限り特定しなければならないと規定されています。また、あらかじめ本人の同意をえないで、特定された利用目的の達成に必要な範囲を超えて、個人情報を取り扱ってはならないことも規定されています。

　ただし、「法令に基づく場合」「人の生命、身体又は財産の保護のために必要がある場合であって、本人の同意を得ることが困難であるとき」などは、本人の同意をえなくてもよいという例外が設けられています。

　医療・介護関係事業者にとって、個人情報を医療・介護サービスの提供や医療・介護保険事務で利用することは「特定された利用目的」の範囲内です。それ以外で個人情報を利用する場合は、利用目的の公表等を行う必要があるとされています。

　ガイダンスでは、介護関係事業者の通常の業務で想定される利用目的を例示しています（表6－7）。介護関係事業者は、これを参考として、みずからの業務に照らして通常必要とされるものを特定して公表（施設内掲示等）しなければならないとされています。

　このなかには「学生の実習への協力」も含まれています。冒頭にあげた事例3では、実習施設がこの項目を事前に明示しておけば、介護福祉職から実習生への家族の状況や生活歴の情報提供は可能であると考えられます。

　個人情報保護法の目的のなかにある「有用性」と「保護」のバランスをとることにはむずかしさがともないます。過剰な保護によって有用性が損なわれているのではないかという事例もみられます。利用者に関する情報の共有、事例研究、研修および実習が不可欠な介護の現場においては、このバランスについて検討を重ねる必要があります。

表6-7 介護関係事業者の通常の業務で想定される利用目的

| 利用目的 | 例 |
|---|---|
| ①介護関係事業者の内部での利用にかかる事例 | 介護サービスの提供 |
| | 介護保険事務 |
| ②他の事業者等への情報提供をともなう事例 | サービス担当者会議 |
| | 審査支払機関へのレセプトの提出 |
| ③上記以外の利用目的 | 介護サービス改善のための基礎資料 |
| | 学生の実習への協力 |

資料：個人情報保護委員会・厚生労働省「医療・介護関係事業者における個人情報の適切な取扱いのためのガイダンス」p.67、2017年より筆者作成

### （5）第三者への提供の規定

個人情報保護法では、個人情報を第三者に提供する場合は、原則として本人の同意をえることを求めています。ただし、「法令に基づく場合」「人の生命、身体又は財産の保護のために必要がある場合であって、本人の同意を得ることが困難であるとき」などは、本人の同意をえなくてもよいという例外が設けられています。

### （6）保有個人データの開示

本人は、個人情報を取り扱う事業者に対して、**保有個人データ**[18]の開示を請求することができます。事業者は、この請求を受けたときは、本人に対し、すぐに保有個人データを開示しなければなりません。ただし、「本人又は第三者の生命、身体、財産その他の権利利益を害するおそれがある場合」「当該個人情報取扱事業者の業務の適正な実施に著しい支障を及ぼすおそれがある場合」「他の法令に違反することとなる場合」は、その全部または一部を開示しないことができます。

[18] **保有個人データ**
個人情報取扱事業者が、開示、内容の訂正、追加または削除、利用の停止、消去および第三者への提供の停止を行うことのできる権限を有する個人データのこと。

## 2 第三者評価に関する制度

**社会福祉法**の第78条に、社会福祉事業の経営者は、みずからその提供する**福祉サービスの質の評価**を行うことにより、利用者の立場に立って良質かつ適切な福祉サービスを提供するよう努めなければならないこと

が規定されています。このサービスの質の評価には方法が2つあります。1つは自己評価、もう1つは第三者による評価（**第三者評価**）です。

厚生労働省が推進している第三者評価の制度として、**福祉サービス第三者評価事業**があります。2001（平成13）年から始められ、2004（平成16）年に現在の形に整備されました。この事業は、個々の事業者が事業運営における問題点を把握し、サービスの質の向上に結びつけることを目的としています。また、評価結果は公表されるので、利用者がこの評価結果を参考にして、サービスを選択することも期待されています。

福祉サービス第三者評価事業のガイドラインは、全国社会福祉協議会が策定しています。ガイドラインは「福祉サービスの基本方針と組織」「組織の運営管理」「適切な福祉サービスの実施」で構成され、このガイドラインにもとづいて、全国的に統一した評価基準が策定されています。さらに、都道府県ごとに推進組織が1か所設置され、事業を推進および実施しています。この都道府県推進組織がまず、第三者評価機関を認証し、その評価機関がガイドラインにそって事業者を評価するしくみになっています。

評価結果は事業者へ伝えられるとともに、公表されます。「総評」として「特に評価の高い点」「改善を求められる点」「第三者評価結果に対する施設・事業者のコメント」、さらに各項目の評価およびコメントなどが公表されます。第三者評価機関から調査され、アドバイスをもらうということは、事業者にとっては大きな利益となります。

全国社会福祉協議会によると、2019（令和元）年度末現在、認証されている評価機関は415機関です[26]。2019（令和元）年度の第三者評価が実施された数（受審数）は5340件です。保育所がもっとも多く1645件、以下、特別養護老人ホーム504件、認知症対応型共同生活介護468件と続きます[27]。

## 3 苦情解決・審査請求に関する制度

> **事例4　施設への不満**
>
> Fさんの母親は短期入所生活介護（ショートステイ）を利用しています。ショートステイから帰ってくるたびに、タオルが1本なかった

> り、靴下が片方なかったり、ズボンが少し破れていたり、すべてが完全にそろっているということがない状況です。
> 　Fさんは「お世話になっているから。ささいなことなので、言えば角が立つので……」と施設側には伝えていません。しかし、モヤモヤとした気持ちは解消されていません。

　みなさんは、この事例についてどう思われますか。福祉サービスを利用した際の不満はなかなか簡単に訴えることができないものです。「お世話になっているのだから……」とつい泣き寝入りしてしまいがちです。また、せっかく訴えても、福祉サービスの提供事業者、あるいは行政がきちんと受け止めず、改善につながらない場合もあります。

　福祉行政および福祉サービスの提供事業者は、人権尊重、利用者主体の理念を実現するためにも、まず「苦情があればきちんと言ってもらえるシステム」、そして「その苦情をきちんと受け止め、サービスの向上へとつなげていけるシステム」を構築する必要があります。

　苦情解決のしくみについては次の3点にまとめることができます。

### 1 社会福祉事業経営者の苦情解決の責務の明確化

　福祉サービスに関する苦情は、まずは当事者である利用者と福祉サービスの提供事業者とのあいだで自主的に解決されることが望ましいです。その意味で事業経営者の責任の所在が明確化されている必要があります。社会福祉法第82条において、社会福祉事業の経営者は、常に、利用者などからの苦情の適切な解決に努めなければならないことが規定されています。

### 2 事業者内における苦情解決のしくみの整備

　厚生労働省は、苦情解決に取り組む際の参考として、「社会福祉事業の経営者による福祉サービスに関する苦情解決の仕組みの指針」を作成しています。

　指針では、①苦情解決の責任主体を明確にするため、施設長、理事等を**苦情解決責任者**とすること、②サービス利用者が苦情の申し出をしやすい環境を整えるため、職員のなかから**苦情受付担当者**を任命すること、③苦情解決に社会性や客観性を確保し、利用者の立場や特性に配慮した適切な対応を推進するため、**第三者委員**を設置することが規定されています。

さらに、②の苦情受付担当者は、❶利用者からの苦情の受付、❷苦情内容、利用者の意向等の確認と記録、❸受け付けた苦情およびその改善状況等の苦情解決責任者および第三者委員への報告、を行うことと規定されています。

### ❸ 運営適正化委員会の設置

前述の2つの方法での解決が困難な事例に備え、社会福祉法第83条において都道府県社会福祉協議会に運営適正化委員会を設置することが規定されています。

社会福祉、法律、医療の専門家からなる運営適正化委員会が、苦情解決に必要な助言、調査、あっせんを行うとともに、虐待等の不当な行為が行われていると認められる場合には、都道府県知事への通知を行います。なお、社会福祉施設には運営適正化委員会が行う調査に協力する努力義務が課せられています。

**表6-8 苦情の窓口・審査請求の申し立て先の一覧**

| | 窓口／申し立て先 | 内容 |
|---|---|---|
| サービスの苦情 | 事業所<br>・苦情受付担当者<br>・苦情解決責任者<br>・第三者委員 | まずは事業所が苦情を受け付ける。 |
| | 介護支援専門員 | ケアプラン（介護サービス計画）にもとづくサービスの苦情を受け付ける。 |
| | 市町村 | 保険者、実施主体として苦情を受け付ける。 |
| | 都道府県社会福祉協議会の運営適正化委員会 | 福祉サービスに関する苦情を受け付ける。 |
| | 国民健康保険団体連合会 | 介護サービス事業者に対する苦情を受け付ける。 |
| 審査請求 | 都道府県の介護保険審査会 | 介護保険の要介護認定、保険給付、保険料に関する処分など |
| | 都道府県の障害者介護給付費等不服審査会 | 障害者総合支援法の障害支援区分、支給決定、利用者負担に関する処分など |
| | 都道府県の国民健康保険審査会 | 国民健康保険の保険給付や保険料に関する処分など |
| | 都道府県 | 市町村が行った処分（生活保護）など |

出典：いとう総研資格取得支援センター編『見て覚える！介護福祉士国試ナビ2022』中央法規出版、p.51、2021年を一部改変

苦情の窓口としては、前述の「事業者」や「運営適正化委員会」のほかに、その事業者を指定・管轄している行政（「市町村」等）、さらに介護保険サービスの場合は「国民健康保険団体連合会」もあります。

また、事業者に対する苦情とは別に、行政の処分に対する不服申し立て（審査請求）というものもあるので、まとめて理解しておきましょう。苦情の窓口および審査請求の申し立て先は表6－8のとおりです。

---

◆引用文献

1）厚生労働省「令和元年度『高齢者虐待の防止、高齢者の養護者に対する支援等に関する法律』に基づく対応状況等に関する調査結果」p. 1
2）同上、p. 3、p. 9
3）同上、p. 9
4）同上、p.13
5）同上、p. 4
6）同上、p. 3
7）厚生労働省「令和元年度『障害者虐待の防止、障害者の養護者に対する支援等に関する法律』に基づく対応状況等に関する調査結果報告書」p. 5、2021年
8）同上、p.15
9）同上、p. 5、p.17
10）同上、p. 6
11）同上、p. 7
12）同上、p. 9
13）同上、p.17
14）同上、p.18
15）同上、p.16
16）厚生省「平成11年度 社会福祉行政業務報告」
17）厚生労働省「令和元年度 福祉行政報告例」
18）最高裁判所事務総局家庭局「成年後見関係事件の概況──令和2年1月～12月」
19）同上
20）同上
21）同上
22）同上
23）同上
24）同上
25）全国社会福祉協議会地域福祉部／全国ボランティア・市民活動振興センター「日常生活自立支援事業実施状況 令和2年度累計」
26）全国社会福祉協議会「第三者評価事業 全国の受審件数等の状況（資料）」
27）同上

◆参考文献

● 日本介護福祉士養成施設協会編『介護福祉士養成テキスト1 人間の尊厳と自立／社会の理解』法律文化社、2014年
● いとう総研資格取得支援センター編『見て覚える！介護福祉士国試ナビ2022』中央法規出版、2021年

# 第2節 保健医療に関する制度

## 学習のポイント
- 介護領域に隣接する保健医療の各制度について理解する
- 生活習慣病の予防・対策に関する制度について理解する
- 感染症の予防・対策に関する制度について理解する

関連項目 ④『介護の基本Ⅱ』▶ 第3章第3節「感染症対策」

## 1 保健医療に関する制度

**事例5　死亡診断書の交付**

　介護老人福祉施設で利用者のGさんが亡くなりました。ベッド上で亡くなっているのを巡視の際、H介護福祉職が発見しました。事前に家族から救急搬送はしないでほしいという意思表示がありました。
　夜勤のH介護福祉職は家族に連絡後、事務員のJさんに嘱託医師に連絡してほしいと伝えました。すると、Jさんは「嘱託医師の最後の診察から死亡時まで24時間以上経過しているので、死亡診断書の交付は無理です。警察の検死が必要になります。医師法にそう書いてあります」と言っています。

　このJさんの見解に対して、みなさんはどう考えますか。

### 1 医師法

　医師法は1948（昭和23）年に成立しました。医師法のおもな規定は**表6-9**のとおりです。冒頭の事例5におけるJさんの見解は、**表6-9**の「無診察治療等の禁止（第20条）」を参照すると、間違いであること

### 表6-9 医師法のおもな規定

| | | |
|---|---|---|
| 任務 | 第1条 | 医師は、医療および保健指導を掌ることによって、公衆衛生の向上および増進に寄与し、それによって国民の健康な生活を確保する。 |
| 業務独占 | 第17条 | 医師でなければ、医業をなしてはならない。 |
| 名称独占 | 第18条 | 医師でなければ、医師またはこれに紛らわしい名称を用いてはならない。 |
| 応召義務 | 第19条 | 診療に従事する医師は、診察治療の求めがあった場合には、正当な事由がなければ、これを拒んではならない。 |
| 無診察治療等の禁止 | 第20条 | 医師は、みずから診察しないで治療をしたり、診断書や処方箋を交付したりしてはならない。ただし、診療中の患者が受診後24時間以内に死亡した場合は、(異状がない限り、あらためて死後診察をしなくても)死亡診断書を交付することができる。 |

がわかります。最後の診察から24時間以上経過していても、あらためて死後診察することで死亡診断書を交付することは可能です。

## 2 保健師助産師看護師法

保健師助産師看護師法は1948(昭和23)年に成立しました。この法律では、各資格は表6-10のように規定されています。

## 3 その他の医療関係の専門職を規定する法律

医療分野には多くの専門職がいます。医療が高度化、複雑化するにともない、専門職が分化してきました。医師以外のこれらの専門職を総称してコ・メディカルと呼ぶこともあります。

これら専門職は、正しい知識と技術をもった者がその業務を行わなければ、人体に対し危険を及ぼすおそれがあることから、その資格の多くが法律により規定されています。医療関係の専門職を規定する法律には表6-11のものがあります。

**表6-10** 保健師助産師看護師法の資格の定義

| | | |
|---|---|---|
| 看護師 | 傷病者もしくは褥婦※1に対する**療養上の世話**または**診療の補助**を行う。<br>看護師国家試験に合格し、厚生労働大臣の免許を受けなければならない。 | 業務独占<br>名称独占 |
| 保健師 | 保健指導に従事する。<br>保健師国家試験および看護師国家試験に合格し、厚生労働大臣の免許を受けなければならない。 | 名称独占※2 |
| 助産師 | 助産または妊婦、褥婦もしくは新生児の保健指導を行う。<br>助産師国家試験および看護師国家試験に合格し、厚生労働大臣の免許を受けなければならない。 | 業務独占<br>名称独占 |
| 准看護師 | 医師、歯科医師または看護師の指示を受けて、傷病者もしくは褥婦に対する療養上の世話または診療の補助を行う。<br>准看護師試験に合格し、都道府県知事の免許を受けなければならない。 | 業務独占<br>名称独占 |

※1:「褥婦」とは、分娩が終わって母体が正常に戻るまでの期間(一般的に6週間から8週間)における女子。
※2:保健指導業務に関して名称独占とされている。

**表6-11** 医療関係の専門職を規定する法律

歯科医師法、理学療法士及び作業療法士法、視能訓練士法、臨床工学技士法、義肢装具士法、言語聴覚士法、歯科衛生士法、歯科技工士法、救急救命士法、診療放射線技師法、臨床検査技師等に関する法律、柔道整復師法、あん摩マッサージ指圧師、はり師、きゅう師等に関する法律、薬剤師法、栄養士法　など

## 4　医療法

　医療法は医療提供施設に関する基本法で、日本の医療の根幹をなす法律です。1948(昭和23)年に医師法とともに成立しました。病院、診療所および助産所の開設および管理に関する規制を行うとともに、医療を提供する体制の確保をはかり、国民の健康の保持に寄与することを目的としています。

| 表6-12 | 病院と診療所の区別 |
|---|---|
| 病院 | 20人以上の患者を入院させるための施設を有するもの |
| 診療所 | 患者を入院させるための施設を有しないものまたは19人以下の患者を入院させるための施設を有するもの |

医療法は病院と診療所を表6-12のように区別しています。医療提供施設としては、病院と診療所のほかに、**介護老人保健施設**❶や**介護医療院**❷、調剤を実施する薬局などが定められています。その他、医療に関する選択の支援（**インフォームドコンセント**）、医療の安全の確保、医療提供体制の確保などについて規定しています。

❶介護老人保健施設
p.162参照

❷介護医療院
p.162参照

## 5 医療に関する行政計画

都道府県が策定する医療に関する行政計画には表6-13のようなものがあります。それぞれの計画はお互いに調和が保たれるべきことが規定されています。

表6-13 医療に関する行政計画

| 計画名 | 内容 | 期間 | 根拠法 |
|---|---|---|---|
| 医療計画 | 医療提供体制の確保をはかるための計画 | 6年を1期 | 医療法 |
| 医療費適正化計画 | 病床の機能の分化や住民の健康保持の推進など医療費適正化を推進するための計画 | 6年を1期 | 高齢者の医療の確保に関する法律 |
| 健康増進計画 | 住民の健康の増進の推進に関する施策についての計画 |  | 健康増進法 |

## 6 医療介護総合確保促進法に規定する計画

　地域における医療及び介護の総合的な確保の促進に関する法律（医療介護総合確保促進法）は1989（平成元）年に成立しました。この法律にもとづき、2014（平成26）年に国は「地域における医療及び介護を総合的に確保するための基本的な方針」（総合確保方針）を策定しました。

　この総合確保方針のもと、消費税増収分等を活用して2014（平成26）年度から地域医療介護総合確保基金が創設され、都道府県計画および市町村計画にもとづいて「地域医療構想の達成に向けた医療機関の施設又は設備の整備に関する事業」「居宅等における医療の提供に関する事業」「公的介護施設等の整備に関する事業」「医療従事者の確保に関する事業」「介護従事者の確保に関する事業」などの各事業が実施されています。

## 7 その他

### （1）地域保健法

　地域保健法は、1947（昭和22）年に成立した保健所法が1994（平成6）年に大幅に改正されて成立したものです。地域保健対策の推進に関する基本指針、保健所や市町村保健センターの設置、その他地域保健対策の推進に関して基本となる事項を定めた法律です。

　地域保健法は、1965（昭和40）年に成立した母子保健法などの地域保健対策に関する法律によるさまざまな対策が地域において総合的に推進されることを確保し、地域住民の健康の保持および増進に寄与することを目的としています。保健所と市町村保健センターについては表6-14のとおりです。

### （2）がん対策基本法

　がん対策基本法は2006（平成18）年に成立しました。日本人の死因でもっとも多いがんの対策のための国、地方公共団体等の責任と義務を明確にし、がん対策推進基本計画、基本的施策等について定めています。

### 表6-14 保健所と市町村保健センター

|  | 保健所 | 市町村保健センター |
|---|---|---|
| 根拠法 | 地域保健法 ||
| 設置主体 | 都道府県、政令指定都市、中核市、その他指定された市または特別区 | 市町村 |
| 設置 | 義務 | 任意 |
| 性格 | 地域保健の広域的、専門的、技術的拠点として、企画、調整、指導等を行う施設 | 住民に身近で利用頻度の高い保健サービスを提供する施設 |
| 所長 | 原則、医師 | 医師でなくてもよい |
| スタッフ | 医師、歯科医師、薬剤師、獣医師、保健師、看護師、助産師、管理栄養士 など | 保健師、看護師、助産師、栄養士、管理栄養士 など |
| 業務 | ・地域保健に関する思想の普及および向上に関する事項<br>・人口動態統計その他地域保健にかかる統計に関する事項<br>・栄養の改善および食品衛生に関する事項<br>・住宅、水道、下水道、廃棄物の処理、清掃その他の環境の衛生に関する事項<br>・医事および薬事に関する事項<br>・保健師に関する事項<br>・公共医療事業の向上および増進に関する事項<br>・母性および乳幼児ならびに老人の保健に関する事項<br>・歯科保健に関する事項<br>・精神保健に関する事項<br>・治療法が確立していない疾病その他の特殊の疾病により長期に療養を必要とする者の保健に関する事項<br>・エイズ、結核、性病、伝染病その他の疾病の予防に関する事項<br>・衛生上の試験および検査に関する事項<br>・その他地域住民の健康の保持および増進に関する事項 | ・健康相談<br>・保健指導<br>・健康診査<br>・その他地域保健に関する必要な事業 |

## 2 生活習慣病の予防・対策に関する制度

### 1 健康日本21

　厚生労働省は、1978（昭和53）年から数次にわたって「国民健康づくり対策」を策定してきました。

　第1次国民健康づくり対策（1978（昭和53）〜1988（昭和63）年度）は、「健康診査・保健指導体制の充実」「市町村保健センター等の整備」「保健師、栄養士等のマンパワーの確保」などに重点がおかれました。

　第2次国民健康づくり対策（1988（昭和63）〜1999（平成11）年度）は「運動習慣の普及」に重点がおかれました。

　第3次国民健康づくり対策（2000（平成12）〜2012（平成24）年度）は、「21世紀における国民健康づくり運動（健康日本21）」と名づけられ、よりいっそう強力に推進されました。がん、心臓病、脳卒中、糖尿病等の生活習慣病やその原因となる生活習慣の改善等に関する課題を選定し、目標を定め、推進されてきました。

　第4次国民健康づくり対策（2013（平成25）〜2022（令和4）年度）は、「21世紀における第二次国民健康づくり運動（健康日本21（第二次））」として策定されました。「健康寿命の延伸」「健康格差の縮小」「がん検診の受診率の向上」「メタボリックシンドロームの該当者および予備群の減少」「ロコモティブシンドローム❸を認知している国民の割合の増加」「肥満（BMI25以上）、やせ（BMI18.5未満）の減少」「食塩摂取量の減少」「野菜と果物の摂取量の増加」「成人の喫煙率の減少」「80歳で20歯以上の自分の歯を有する者の割合の増加」など、それぞれ数値目標を定めて取り組んでいます。

❸ロコモティブシンドローム
運動器症候群。運動器の機能が低下し、要介護や寝たきりになる危険性が高い状態。

### 2 健康増進法および高齢者の医療の確保に関する法律の施策

　前述の「健康日本21」を具体化する法律として、国民の健康の増進を目的とした健康増進法が2002（平成14）年に成立し、2003（平成15）年から施行されました。受動喫煙の防止などについて定められています。

## 表6-15 保健関連各法のおもな施策

| | | |
|---|---|---|
| 健康増進法 | 健康手帳の交付、健康教育、健康相談、機能訓練、訪問指導 など | |
| | 健康診査（基本健康診査、がん検診、歯周疾患検診、骨粗鬆症検診、肝炎ウイルス検診など）<br>（対象者：健康診査の内容によって異なる）<br>（実施主体：市町村） | |
| | 受動喫煙の防止 | |
| | 食事による栄養摂取量の基準（食事摂取基準） | |
| 高齢者医療確保法 | 特定健康診査（義務）<br>（対象者：40歳以上75歳未満の医療保険加入者）<br>（実施主体：医療保険者） | 特定保健指導（義務）<br>（対象者：メタボリックシンドロームあるいはその予備群）<br>（実施主体：医療保険者） |
| | 健康診査（努力義務）<br>（対象者：75歳以上の後期高齢者医療の被保険者）<br>（実施主体：後期高齢者医療広域連合） | |
| 母子保健法 | 1歳6か月児健康診査、3歳児健康診査、保健指導、訪問指導、母子健康手帳の交付など | |

　かつて老人保健法で実施していた、健康手帳の交付、健康教育、健康相談、健康診査（基本健康診査、がん検診、歯周疾患検診、骨粗鬆症検診、肝炎ウイルス検診）、機能訓練、訪問指導などは、後述する特定健康診査と特定保健指導を除いて、現在は健康増進法に移行しています（表6-15）。

　また、2006（平成18）年の医療制度改革における「安心・信頼の医療の確保と予防の重視」の一環として、「生活習慣病対策の推進体制の構築」がかかげられました。これを施策として具体化したのが、2006（平成18）年に老人保健法が全面改正され、2008（平成20）年から施行された**高齢者の医療の確保に関する法律（高齢者医療確保法）**です。医療保険者は、40歳以上75歳未満の者に対して、生活習慣病の予防のために、**メタボリックシンドローム**に着目した健康診査（**特定健康診査**）を行い、メタボリックシンドロームあるいはその予備群とされた人に対して、保健指導（**特定保健指導**）を実施することが義務づけられました（表6-15）。

なお、健康診査や保健指導に関する法律としては、ほかに母子保健法があります（表6-15）。

# 3 結核・感染症の予防・対策に関する制度

## 1 感染症法

　感染症の予防および感染症の患者に対する医療に関する措置を定めた法律として、**感染症の予防及び感染症の患者に対する医療に関する法律（感染症法）**があります。伝染病予防法、性病予防法、後天性免疫不全症候群の予防に関する法律の3つの法律を統合し、1998（平成10）年に成立し、1999（平成11）年から施行されました。その後、2006（平成18）年の改正により2007（平成19）年度から結核予防法が廃止され、感染症法に組みこまれました。

　感染症法の要点は次のとおりです。
① 感染症の発生・拡大に備えた事前対応型行政の構築
② **感染症類型**（表6-16）と医療体制
③ 患者等の人権を尊重した入院手続の整備
④ まん延防止に資する必要十分な消毒等の措置の整備
⑤ 動物由来感染症対策の整備
⑥ 病原体等の所持等の規制の整備
⑦ 新型インフルエンザ等感染症対策の整備

　感染症法では、感染力や罹患した場合の重篤性などにもとづき、感染症を危険性が高い順に1類から5類に分類（表6-16）し、医師に都道府県知事への届出義務を課しています。

　多くの人が次々と亡くなっていく感染症は、有史以前から人類にとっての脅威でした。流行するとなすすべもなく、ただ恐れ、災禍が過ぎ去るのを祈るばかりでした。しかし、19世紀末以降、人類は医療を進歩させ、感染症を徐々に制圧してきました。

　かつてに比べれば被害は小さく抑えられているとはいえ、感染症はいまだ大きな問題です。1970（昭和45）年以降、世界で少なくとも30以上の新興感染症（エボラ出血熱、**後天性免疫不全症候群**[4]、C型肝炎、新

[4] **後天性免疫不全症候群**
エイズ（acquired immunodeficiency syndrome：AIDS）ともいう。

## 表6-16 感染症類型（一部抜粋）

| 1類 | エボラ出血熱、痘そう、ペスト　など |
|---|---|
| 2類 | 重症急性呼吸器症候群（SARS）、結核、鳥インフルエンザ　など |
| 3類 | 腸管出血性大腸菌感染症、コレラ、細菌性赤痢、腸チフス　など |
| 4類 | A型肝炎、E型肝炎、狂犬病、エキノコックス症、デング熱、日本脳炎、マラリア、レジオネラ症、ボツリヌス症　など |
| 5類 | インフルエンザ（鳥インフルエンザおよび新型インフルエンザ等感染症を除く）、ウイルス性肝炎（E型肝炎およびA型肝炎を除く）、後天性免疫不全症候群、麻しん、メチシリン耐性黄色ブドウ球菌感染症、感染性胃腸炎、マイコプラズマ肺炎、クロイツフェルト・ヤコブ病　など |
| 新型インフルエンザ等感染症（新型インフルエンザ、再興型インフルエンザ、新型コロナウイルス感染症、再興型コロナウイルス感染症） | |
| 指定感染症※1 | |
| 新感染症※2 | |

※1：「指定感染症」とは、すでに知られている感染症（1類～3類および新型インフルエンザ等感染症を除く）であり、感染症法上の規定の全部または一部を準用しなければ、国民の生命および健康に重大な影響を与えるおそれがある感染症のことをいう。
※2：「新感染症」とは、人から人に伝染すると認められる疾病であって、すでに知られている感染症と病状等が明らかに異なり、病状の程度が重篤であり、国民の生命および健康に重大な影響を与えるおそれがある感染症のことをいう。

型コロナウイルス感染症等）が出現し、またすでに克服されたと考えられていた感染症（結核、マラリア等）が再興しています。国際交流の活発化や航空機による高速大量輸送などにより感染拡大が高速化するなど、現代社会特有の新たな課題も出現しています。

## 2 結核対策

　結核菌によって空気感染する結核は、1950（昭和25）年までは日本人の死因の1位を占める年が多い状況でした[1]。しかし、1945（昭和20）年の終戦以降、抗生物質（ペニシリン）を用いた化学療法の普及などによって激減しました。1951（昭和26）年に制定された結核予防法がその後押しをしました。
　かつてに比べると大幅に減っているものの、日本における近年の結核の発症者数・死者数は減少から横ばい状態へと転じ、ほかの先進諸国に

比べて高い水準のままとどまっています。

　前述のとおり、2007（平成19）年度から結核予防法は廃止され、結核予防は感染症法に組みこまれることになりました。感染症法では、2類感染症に分類されています。なお、予防策として実施されているBCG接種は、結核予防法の廃止にともない、予防接種法（1948（昭和23）年成立）で定められることとなりました。

## 3　薬剤耐性対策

　人類の歴史とともにあった感染症の脅威は、1929年に初の抗生物質であるペニシリンが発明されて以来、抗菌薬（抗生物質および合成抗菌剤）の開発・普及によって、克服されるかに思われました。しかし実は、抗菌薬には薬剤耐性という大きな問題があったのです。

　薬剤耐性とは、抗菌薬に対して細菌が抵抗性を獲得することです。つまり、抗菌薬を反復して投与していくと、その抗菌薬に対して細菌が抵抗性を獲得し、効果が低下していく（薬が効かなくなっていく）のです。抗菌薬の不適切な使用（必要性が低いのに安易に抗菌薬を投与するなど）を背景として、薬剤耐性菌が世界的に増加する一方、新たな抗菌薬の開発は減少傾向にあり、国際社会でも大きな課題となっています。

　この問題に対してWHO（World Health Organization：世界保健機関）が2011年に世界的な取り組みを推進する必要性を国際社会に訴えました。日本でも、薬剤耐性対策に関する包括的な取り組みについて議論され、2016（平成28）年に「薬剤耐性（AMR）対策アクションプラン2016-2020」が策定されました。このプランにもとづき、「適切な薬剤」を「必要な場合に限り」「適切な量と期間」使用することを徹底するための国民運動を展開するなど、薬剤耐性対策の推進がはかられています。

# 4 HIV／エイズの予防・対策に関する制度

**事例6　HIV感染者の入所受け入れ**

　Kさんは、介護老人福祉施設の介護福祉職です。2つのユニットのフロアリーダーをまかされています。先日、施設長に呼ばれ、「HIVに感染している男性（67歳、要介護3）を、担当するユニットで受け入れてもらうことを検討しているのだが、どう思うか」と相談されました。男性は、ADL（Activities of Daily Living：日常生活動作）はほぼ自立していますが、軽度の認知症があります。多剤併用療法を受け、下痢、悪夢、結石などの副作用があります。この施設は今までHIV感染者を受け入れた経験はありません。

この事例のような立場におかれた場合、あなたはどう考え、どう対応しますか。

## 1　HIV／エイズとは

　エイズ（acquired immunodeficiency syndrome：AIDS）は、後天性免疫不全症候群ともいい、HIV（human immunodeficiency virus：ヒト免疫不全ウイルス）に感染し、免疫細胞が破壊され、免疫不全状態におちいる感染症です。HIVに感染したらすぐにエイズを発症するというわけではなく、感染後、自覚症状のない時期（無症候期）が数年から10年以上続きます。その後、免疫機能が低下すると、本来なら自分の力で抑えることのできる疾患を発症するようになります。

　この疾患はエイズ指標疾患と呼ばれており、23の疾患が定められています。これらの疾患の発症によってエイズと診断されます。エイズ指標疾患には、たとえば、ニューモシスティス肺炎、カポジ肉腫、カンジダ症、単純ヘルペスウイルス感染症などがあります。

## 2　HIV／エイズをめぐる状況

　エイズは、1981（昭和56）年に最初の症例が報告されて以来世界中に

ひろがり、現在、世界がかかえるもっとも大きなテーマの1つです。日本でもHIV感染者・エイズ患者数は増加してきています。ただし、新規感染者・患者数をみると、2007（平成19）年ごろより年間1500件前後で横ばいで推移していましたが、2013（平成25）年の1590件をピークとし減少傾向にあります[2]。

2020（令和2）年の新規感染者・患者数は、HIV感染者が750件、エイズ患者が345件でした[3]。2020（令和2）年までのHIV感染者およびエイズ患者の累積報告件数は、3万2480件に達しています[4]。感染者・患者は男性が多く、感染経路は同性間の性的接触が大半を占めています。

現在はさまざまな治療薬が出ており、きちんと服薬することでエイズの発症を予防することが可能になっています。したがって、HIV感染者への恒常的な生活支援が求められるようになってきています。

また、HIV感染者の高齢化にともなう介護に関する問題も出てきています。たとえば、介護保険施設や居宅サービス事業者に利用を申し込んでも、「感染対策が整っていない」などの理由で拒否されるという事例があります。しかし、HIVの感染リスクは、B型肝炎やC型肝炎よりもかなり低いとされています。HIVやエイズに対する偏見をなくし、正しい知識のもとに支援していくことが求められます。それには研修制度も必要となってくるでしょう。

## 3 HIV／エイズに関する施策

日本のエイズ対策は、感染症法にもとづき1999（平成11）年以降、後天性免疫不全症候群に関する特定感染症予防指針（エイズ予防指針）にそって実施されてきました。この指針は、エイズの発生動向の変化等をふまえ、3度の見直しが行われてきました。直近の見直しは2018（平成30）年に行われました。

指針において、近年の抗HIV療法の進歩は感染者等の生命予後を改善した一方で、エイズを発症した状態で感染が判明した者の割合が依然として約3割と高い水準となっているなど、早期発見に向けたさらなる施策等が必要であることが指摘されています。「効果的な普及啓発」「発生動向調査の強化」「保健所等・医療機関での検査拡大」「予後改善に伴う新たな課題へ対応するための医療の提供」が課題とされています。

◆ 引用文献
1）厚生労働省「人口動態統計」（主要死因、男女別死亡数（明治32年～平成16年））
2）厚生労働省エイズ動向委員会「令和2（2020）年エイズ発生動向年報」
3）同上
4）同上

◆ 参考文献
- 日本介護福祉士養成施設協会編『介護福祉士養成テキスト1 人間の尊厳と自立／社会の理解』法律文化社、2014年
- 厚生労働統計協会編『国民の福祉と介護の動向 2021／2022』2021年
- いとう総研資格取得支援センター編『見て覚える！介護福祉士国試ナビ2022』中央法規出版、2021年
- 国際的に脅威となる感染症対策関係閣僚会議「薬剤耐性（AMR）対策アクションプラン2016-2020」2016年

# 第3節 貧困と生活困窮に関する制度

> **学習のポイント**
> - 生活保護法の概要について理解する
> - 生活困窮者自立支援法の概要について理解する
> - その他の貧困対策・生活困窮者支援に関する制度について理解する

## 1 生活保護法

### 1 原理

生活保護法は、日本国憲法第25条に規定された「健康で文化的な最低限度の生活を営む権利」すなわち生存権を具体的に実現するために、生活保護制度について規定した法律です。生活保護には、**表6-17**に示すとおり4つの基本原理があります。

**表6-17 生活保護の4つの基本原理**

| 原理 | 規定条文 | 内容 |
|---|---|---|
| ①国家責任の原理 | 第1条 | 国がその責任において生活保護を行うという原理 |
| ②無差別平等の原理 | 第2条 | すべての国民は、法に定める要件を満たす限り、無差別平等に保護を受けることができるという原理 |
| ③最低生活保障の原理 | 第3条 | 最低限度の生活とは、健康で文化的な生活水準を維持することができるものでなければならないという原理 |
| ④補足性の原理 | 第4条 | 保護は利用しうる資産、能力その他あらゆるもの※を活用することが前提であり、あくまでその「補足」であるという原理 |

※:「資産」は不動産、自動車、預貯金など、「能力」は稼働能力など、「その他」は年金、各種手当等の社会保障給付、扶養義務者による扶養などがある。

なお、生活保護法第1条には国家責任による「保障」と同時に、「自立を助長することを目的とする」と書かれていることにも留意する必要があります。

## 2 原則

生活保護の実施上の原則としては、表6-18に示すとおり4つの原則があります。

**表6-18 生活保護の4つの原則**

| 原則 | 規定条文 | 内容 |
| --- | --- | --- |
| ①申請保護の原則 | 第7条 | 申請にもとづいて保護を開始する。 |
| ②基準および程度の原則 | 第8条 | 厚生労働大臣の定める保護基準により測定した要保護者の需要をもとに、その不足分をおぎなう程度に保護を行う。 |
| ③必要即応の原則 | 第9条 | 個人または世帯の実際の必要に応じて保護を行う。 |
| ④世帯単位の原則 | 第10条 | 世帯を単位として保護の要否および程度を定める。ただし、これによりがたいときは、個人を単位として定めることができる。 |

> **コラム　申請主義**
>
> 　日本の社会保障制度の多くは、受給するためにはまず申請を行う必要があります。このしくみ（考え方）のことを申請主義といいます。生活保護においても、生活保護法第7条において「申請保護の原則」が規定されているように、申請主義となっています。
> 　この申請主義は、権利を行使するためには、その意識を国民ももっておく必要があるという、ある意味厳しい考え方です。一方、権利を行使しない自由を保障しているともいえます。
> 　申請主義の前提として、まず情報を知っており、次にその情報を理解し、申請できることが必要です。社会福祉はそれらができない人を支援しなければなりません。

## 3 種類および内容

生活保護は、表6-19に示すとおり8つの種類があります。生活保護は一括して支給されるわけではなく、必要に応じて各扶助を組み合わせて支給されます。

生活保護の支給方法には、**現金給付（金銭給付）**❶と**現物給付**があります。医療扶助や介護扶助の場合、一部負担金（利用料）として現金が支給されるわけではなく、医療券や介護券を介して、診療サービスや介護サービスそのものが支給される形となるので、現物給付という扱いになります。

❶現金給付（金銭給付）
p.86参照

### 表6-19 生活保護の種類（8つの扶助）

| 種類 | おもな内容 | 原則的な給付方法 |
|---|---|---|
| 出産扶助 | ・出産に必要な費用 | 金銭給付 |
| 教育扶助 | ・義務教育にともなって必要な学用品などの費用 | 金銭給付 |
| 生業扶助 | ・就労に必要な技能の修得などにかかる費用 | 金銭給付 |
| 住宅扶助 | ・家賃などにあてる費用 | 金銭給付 |
| 生活扶助※1 | ・食費等の日常生活費（介護保険の保険料も含む）<br>・母子加算あり | 金銭給付 |
| 医療扶助※2 | ・医療サービスを給付 | 現物給付 |
| 介護扶助※3 | ・介護サービスを給付 | 現物給付 |
| 葬祭扶助 | ・葬式に必要な費用 | 金銭給付 |

※1：「介護保険の保険料」は、サービスを利用するか否かにかかわらず月々納めるものなので、「生活費」と考え、介護扶助ではなく生活扶助となる。
※2：医療扶助では、医療券は生活保護受給者が福祉事務所に申請し、福祉事務所から生活保護受給者に発行され、それを受診の際、医療機関に提出する。
※3：介護扶助では、介護券は生活保護受給者が福祉事務所に申請し、福祉事務所からサービス事業者に発行される。
注：8つの扶助は、覚えやすくするために、上からおおよそ人が人生で体験するライフイベントの順番に並べている。

| 表6-20 | 生活保護の実施機関 | |
|---|---|---|
| 実施機関 | 対象となる市町村 | 数※1 |
| 市の福祉事務所 | 市※2 | 999 |
| 町村の福祉事務所 | 福祉事務所を設置している町村※3 | 46 |
| 都道府県の福祉事務所 | 福祉事務所を設置していない町村 | 205 |

※1：2021（令和3）年4月1日現在。
※2：市の福祉事務所は義務設置。
※3：町村の福祉事務所は任意設置。
出典：「福祉事務所の数」については、厚生労働統計協会編『国民の福祉と介護の動向 2021／2022』p.241、2021年

## 4 実施機関

生活保護の実施機関は**表6-20**のとおりです。

生活保護の業務は**社会福祉主事**の資格を有する**現業員（ケースワーカー）**が担当します。現業員は、市町村の事務所については被保護世帯80世帯に対して1人、都道府県の事務所については同65世帯に対して1人を標準として配置されています。

保護費は**4分の3**を**国**が負担し、**4分の1**を**実施主体**（都道府県、市または福祉事務所を設置する町村）が負担します。

## 5 制度の動向

生活保護受給者数は、1995（平成7）年度を底に増加に転じ、2014（平成26）年度には約217万人と過去最高になりました。ただし、2019（令和元）年まではわずかながら減少傾向にあります（**図6-4**）。

**保護率**❷は2013（平成25）年度に最高値の1.7％となりました。保護率もわずかながら減少傾向にあり、2019（令和元）年度は1.64％です[1]。

受給世帯数の傾向も受給者数とほぼ同様です。2019（令和元）年度の受給世帯の内訳は、高齢者世帯は55.1％、母子世帯が5.0％、障害者・傷病者世帯計が25.0％、その他が14.9％です[2]。高齢者世帯のうち単身世帯の割合は91.5％とかなり高率です[3]。

生活保護の扶助費総額は2019（令和元）年度は3兆5882億円です[4]。

❷**保護率**
保護率とは人口100人あたりの被生活保護実人員の割合である。

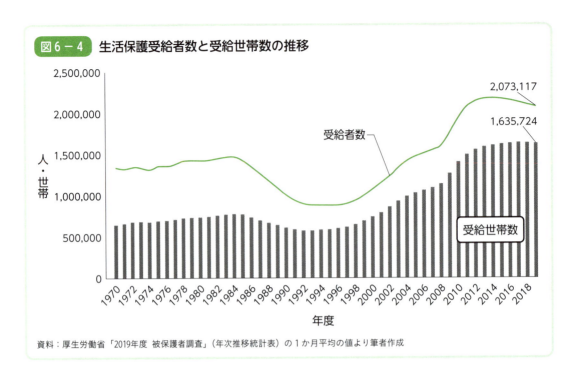

図6-4 生活保護受給者数と受給世帯数の推移

資料：厚生労働省「2019年度 被保護者調査」（年次推移統計表）の1か月平均の値より筆者作成

受給者数で割ると、1人1か月あたり平均約14万円強の額を受給していることがわかります。扶助費は医療扶助が50.2%、生活扶助が29.9%を占めています[5]。

# 2 生活困窮者自立支援法

### 事例7　長年ひきこもってきた男性の不安

Lさん（52歳、男性）は、就職先での失敗をきっかけに23歳のときから自宅にひきこもってきました。2年前に両親が相次いで亡くなり、現在は1人暮らしです。ほかに頼れる親戚などはいません。

自宅は持ち家で、現在は両親が残してくれた預金を取りくずして生活しています。必要な物品はインターネットで注文したり、夜間にコンビニに買い物に行ったりしてなんとか日々の生活を送っています。

この先暮らしていくのに預金は足りないのは明らかで、何か仕事を見つけなければと思っています。しかし、30年近くひきこもっていたこともあり、仕事ができるのか不安です。どこに相談したらよいのかわからず、また相談のため出かける気力もわきません。

この事例の場合、預金、持ち家、稼働能力の点から生活保護制度の適用は困難です。しかし、このままの状態が何年も続くと、結局生活保護制度を利用せざるをえなくなるかもしれません。少なくともLさんには「働きたい」という意思があります。この意思を社会制度とつなぎ、Lさんの社会生活の自立を実現するためには、みなさんはどのような制度や支援が必要だと考えますか。

## 1 概要

**生活困窮者自立支援法**は2013（平成25）年に成立し、2015（平成27）年度から施行されました。生活困窮者に対して自立相談支援事業の実施や住居確保給付金の支給などを通して、自立の促進をはかることを目的としています。

生活保護にいたる前の段階における自立支援策（いわゆる「**第2のセーフティネット**」[3]）の強化をめざしています。おもな対象者は「現に経済的に困窮し、最低限度の生活を維持することができなくなるおそれのある者（現在生活保護を受給していないが、生活保護にいたる可能性のある者で、自立が見こまれる者）」です。生活保護から脱却した人が再び生活保護に頼ることのないようにすることも意図されています。

実施主体は、福祉事務所設置自治体（都道府県、市、福祉事務所を設置する町村）です。

## 2 自立相談支援事業

**必須事業**です。福祉事務所設置自治体が直営または委託により実施します。おもな内容は次のとおりです。

### 1 対個人

① 訪問支援（**アウトリーチ**[4]）等も含め、生活保護にいたる前の段階から早期に支援
② 生活と就労に関する支援員（**主任相談支援員**・**相談支援員**・**就労支援員**）を配置し、**ワンストップ型**[5]の相談窓口により、情報とサービスの拠点として機能
③ 1人ひとりの状況に応じ自立に向けた支援計画（自立支援計画）を作成

---

[3]「第2のセーフティネット」
p.62参照

[4] アウトリーチ
英語で「手を伸ばすこと」という意味。予防的支援や介入的支援を行うため、相談に来るのを待つのではなく、支援者側から出向いて、相談、支援を行うこと。

[5] ワンストップ型
1つの窓口でさまざまなサービスを提供できる体制のこと。この体制があれば、利用する側が、求めるサービスをえるために何か所もの窓口をまわらなくてもよくなる。相談者が「たらいまわし」にされ、サービスを受ける意欲を失くすという問題が解消される。

### 2 対地域

① 地域ネットワークの強化や社会資源の開発など、地域づくりもになう

冒頭の事例7のLさんに対しては、この自立相談支援事業の相談につなげることがよいかもしれません。訪問支援の活用も考えられます。

## 3 住居確保給付金

**必須事業**です。福祉事務所設置自治体が直営または委託により実施します。離職等により経済的に困窮し、住居を失った者またはそのおそれのある者に対して、安定した住居の確保と就労の自立をはかるために支給されます。離職等から2年以内の者に原則3か月間支給されます。

## 4 その他の事業

その他に**任意事業**として、「就労準備支援事業」「家計改善支援事業」「一時生活支援事業」「子どもの学習・生活支援事業」などがあります。

# 3 その他

## 1 生活福祉資金貸付制度・母子父子寡婦福祉資金貸付制度

表6−21のように**生活福祉資金貸付制度**と**母子父子寡婦福祉資金貸付制度**があります。

## 2 高齢者や障害者の税制の優遇措置

生活を支える制度としては、これまで述べてきた福祉制度だけではなく、税制の優遇措置もあります

高齢者や障害者の税制の優遇措置には次のようなものがあります。

表6−21 生活福祉資金貸付制度と母子父子寡婦福祉資金貸付制度

|  | 実施主体 | 概要 | 要点 |
|---|---|---|---|
| 生活福祉資金貸付制度 | 都道府県社会福祉協議会 | 低所得世帯などに対して、低利または無利子での資金の貸し付けと必要な相談支援を行う制度 | ・1955（昭和30）年から実施。<br>・社会福祉法において第1種社会福祉事業の1つとして規定されている。<br>・対象は低所得世帯・高齢者世帯・障害者世帯・失業者世帯。<br>・民生委員または市区町村社会福祉協議会を窓口として、市町村社会福祉協議会を経由して申し込み。<br>・総合支援資金、福祉資金、教育支援資金、不動産担保型生活資金がある。<br>・貸し付けの一部は生活困窮者自立支援制度における自立相談支援事業の利用を要件にしている。 |
| 母子父子寡婦福祉資金貸付制度 | 都道府県・指定都市・中核市 | 1人親家庭の父母の経済的自立を支援するとともに生活意欲を促進し、その扶養している児童の福祉を増進することを目的として、資金を貸し付ける制度 | ・1953（昭和28）年から実施。<br>・母子及び父子並びに寡婦福祉法において規定されている。<br>・対象は1人親家庭の親、その児童（20歳未満）、寡婦（2014（平成26）年から父子家庭の父とその児童にも拡大されている）。<br>・窓口は各自治体の相談窓口または福祉事務所。<br>・修学資金、就学支度資金、生活資金、医療介護資金、技能習得資金、など12種類。 |

## 1 高齢者に対する税制の優遇措置

① 所得税における公的年金等の控除額の増額（65歳以上の高齢者に対して）

② 配偶者控除や扶養控除の対象となる高齢者が70歳以上になった場合の所得税・住民税の控除額の増額

## 2 障害者に対する税制の優遇措置

① 障害者控除（所得税・住民税・相続税）

② 特別障害者（重度の障害者）控除（所得税・住民税）

③ 同居する配偶者もしくは扶養親族が特別障害者の場合の控除額の加算（所得税・住民税）

④ 障害者のために使用される自動車の自動車税および自動車取得税の減免

## 3　ホームレスの自立の支援等に関する特別措置法

　2002（平成14）年にホームレスの自立の支援等に関する特別措置法が10年間の時限立法として成立し、施行されました。その後、改正が重ねられ、この法律の効力は2027（令和9）年8月6日まで延長されることになっています。

　2015（平成27）年の生活困窮者自立支援法の施行後、ホームレスの自立支援対策に、生活困窮者自立支援法における一時生活支援事業や自立相談支援事業等が活用されています。

　厚生労働省の調査によると、全国のホームレスの人数は、ホームレスの自立の支援等に関する特別措置法施行直後の2003（平成15）年の2万5296人[6]から減少しており、2021（令和3）年では3824人[7]となっています。

---

◆引用文献
1）厚生労働省「令和元年度　被保護者調査」
2）同上
3）同上
4）厚生労働統計協会編『国民の福祉と介護の動向 2021／2022』p.207、2021年
5）同上、pp.206-207
6）厚生労働省「ホームレスの実態に関する全国調査（概数調査）結果」（平成15年）、2003年
7）厚生労働省「ホームレスの実態に関する全国調査（概数調査）結果」（令和3年）、2021年

◆参考文献
- 日本介護福祉士養成施設協会編『介護福祉士養成テキスト1　人間の尊厳と自立／社会の理解』法律文化社、2014年
- 厚生労働統計協会編『国民の福祉と介護の動向 2021／2022』2021年
- いとう総研資格取得支援センター編『見て覚える！介護福祉士国試ナビ2022』中央法規出版、2021年

# 第4節 地域生活を支援する制度

> **学習のポイント**
> - 就労支援・雇用促進に関する制度について理解する
> - 住生活を支援する制度について理解する
> - 自殺を予防する制度について理解する

**関連項目** ⑭『障害の理解』▶第1章第3節「障害者福祉に関連する制度」

## 1 就労支援・雇用促進に関する制度

　ウェルフェア（welfare：福祉）に対して、**ワークフェア**（workfare）という考え方があります。welfareとwork（労働）を組み合わせた造語です。生活保護などの福祉的な給付を安易に行うのではなく、その前に「労働」「仕事」につくことができるように支援を行うべきであるという考え方です。そのことで本人の（広い意味での）福祉を実現させ、同時に、国家の財政上の負担を軽減させることをめざしています。
　現在の日本の就労支援・雇用促進に関する制度も、基本的にこのワークフェアという考え方にもとづいているということができます。

### 1 就労支援・雇用促進に関する制度の概要

　就労支援・雇用促進に関するおもな機関・事業等は**表6－22**のようにまとめることができます。

### 2 高年齢者雇用安定法

　少子高齢化が進むなか、年齢にかかわりなく意欲と能力に応じて働くことができる**生涯現役社会**の実現が期待されます。そのために、高年齢

表6-22 就労支援・雇用促進に関するおもな機関・事業等

| おもな分野 | 機関 | 根拠法 | 事業 | 備考 |
|---|---|---|---|---|
| 共通 | 公共職業安定所（ハローワーク）（全国544か所） | 職業安定法 労働施策の総合的な推進並びに労働者の雇用の安定及び職業生活の充実等に関する法律（労働施策総合推進法） | ・マザーズハローワーク | ・子育てをしながら就職を希望している者への職業相談、情報提供等の支援 |
| 共通 | 公共職業安定所（ハローワーク）（全国544か所） | 職業安定法 労働施策の総合的な推進並びに労働者の雇用の安定及び職業生活の充実等に関する法律（労働施策総合推進法） | ・求職者支援制度 | ・雇用保険を受給できない求職者への支援 |
| 共通 | 職業能力開発促進センター（ポリテクセンター）（全国64か所） | 職業能力開発促進法 | | ・独立行政法人高齢・障害・求職者雇用支援機構が運営 |
| 低所得・生活困窮 | 地方自治体（福祉事務所等）ハローワーク | 生活困窮者自立支援法 | ・生活保護受給者等就労自立促進事業 | ・地方自治体（福祉事務所等）にハローワークの常設窓口を設置して、チーム支援方式によりワンストップ型の支援を実施 |
| 低所得・生活困窮 | 福祉事務所 | 生活保護法 | ・被保護者就労支援事業 | ・就労支援員による就労に関する相談・助言 |
| 低所得・生活困窮 | ①福祉事務所設置自治体（社会福祉法人等へ委託可）②社会福祉法人、NPO法人、営利企業等の自主事業 | 生活困窮者自立支援法 | ①就労準備支援事業 ②就労訓練事業 | ①・生活自立のための訓練 ・社会自立のための訓練 ・就労自立のための訓練 ②・支援付きの就業の機会の提供 ・初期経費の助成、税制優遇 |
| 1人親家庭 | 母子家庭等就業・自立支援センター | 母子及び父子並びに寡婦福祉法 | ・母子家庭等就業・自立支援センター事業 | ・都道府県・指定都市・中核市が実施主体 |
| 1人親家庭 | 福祉事務所等 | 母子及び父子並びに寡婦福祉法 | ・母子・父子自立支援プログラム策定事業 | ・児童扶養手当受給者が対象 ・自立支援プログラム策定員の配置 |
| 高齢者 | シルバー人材センター | 高年齢者等の雇用の安定等に関する法律（高年齢者雇用安定法） | ・シルバー人材センター事業 | ・おおむね60歳以上の定年退職者が対象 |
| 障害者 | ※詳細は第5章第4節参照 | | ・就労移行支援 | |
| 障害者 | ※詳細は第5章第4節参照 | | ・就労継続支援A型（雇用型） | |
| 障害者 | ※詳細は第5章第4節参照 | | ・就労継続支援B型（非雇用型） | |
| 障害者 | 地域障害者職業センター（全国47か所） | 障害者の雇用の促進等に関する法律（障害者雇用促進法） | | ・厚生労働大臣が設置および運営を行い、業務の全部または一部を独立行政法人高齢・障害・求職者雇用支援機構に行わせるものとされている |
| 障害者 | 障害者就業・生活支援センター（全国336か所） | 障害者雇用促進法 | | ・一般社団法人、一般財団法人、社会福祉法人、特定非営利活動法人などが運営 |

者の雇用の安定および就職の促進をはかる必要があります。

1971（昭和46）年に成立した**高年齢者等の雇用の安定等に関する法律（高年齢者雇用安定法）**は、

① 定年の引き上げ
② 継続雇用制度
③ 再就職の促進
④ シルバー人材センター❶

等について定めています。①②においては、労働者を60歳まで雇用していた事業主に対して、65歳までの雇用確保が義務づけられ、さらに70歳までの就業機会を確保するための措置を講じるよう努めなければならないとされています。

## 3 障害者雇用促進法

1987（昭和62）年に、それまでの身体障害者雇用促進法（1960（昭和35）年成立）を改正して、**障害者の雇用の促進等に関する法律（障害者雇用促進法）**が制定されました。この法律は、(1)障害者雇用率制度、(2)障害者雇用納付金・障害者雇用調整金制度、(3)職業リハビリテーション、(4)障害者に対する差別の禁止、等の実施により、障害者の職業の安定をはかることを目的としています。

### （1）障害者雇用率制度

**障害者雇用率制度**とは、すべての事業主に障害者雇用促進法が定める雇用率（**法定雇用率**）以上の割合で、障害者（身体障害者、知的障害者または精神障害者（発達障害者を含む））を雇用する義務を課す制度です（**表6-23**）。法定雇用率の対象は、最初は身体障害者、次は知的障害者、さらに精神障害者と徐々に拡大されてきています。民間企業の事業主は従業員43.5人以上の企業が対象となります。大企業等において、障害者を多数雇用するなど一定の要件を満たす会社（特例子会社）を設立した場合、そこで雇用されている障害者を親会社等で雇用されているものとして算定することができます。

### （2）障害者雇用納付金・障害者雇用調整金制度

障害者の雇用にともなう事業主の経済的負担の調整をはかるため、納

---

❶シルバー人材センター
原則として市区町村ごとに設置される一般社団法人または一般財団法人。おおむね60歳以上の定年退職者などを対象とし、臨時的かつ短期的または軽易な仕事（清掃、除草、自転車置き場管理、公園管理、植木のせん定、福祉・家事補助サービスなど）を提供する。実績に応じて、一定の報酬（配分金）を支給する。

表6-23 法定雇用率

| 事業主区分 | 法定雇用率 | 実雇用率（2020（令和2）年） |
|---|---|---|
| 民間企業 | 2.3% | 2.15%（法定雇用率達成企業 48.6%） |
| 国、地方公共団体等 | 2.6% | 国　2.83%<br>都道府県　2.73%<br>市町村　2.41% |

出典：「実雇用率」については、厚生労働省「令和2年 障害者雇用状況の集計結果」

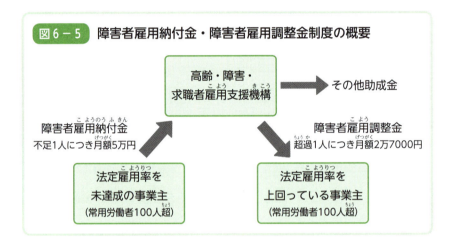

図6-5 障害者雇用納付金・障害者雇用調整金制度の概要

付金と調整金の制度があります。法定雇用率未達成の事業主は、**障害者雇用納付金**を支払わなければなりません。一方、法定雇用率を上回って障害者を雇用している事業主に対しては、**障害者雇用調整金**が支給されます（図6-5）。

## （3）職業リハビリテーション

### 1 地域障害者職業センター

専門的な職業リハビリテーションサービスを実施している機関です。厚生労働大臣が設置および運営を行い、業務の全部または一部を独立行政法人高齢・障害・求職者雇用支援機構に行わせるものとされています。全国47都道府県に設置されています。

### 2 障害者就業・生活支援センター

就業・生活両面にわたる一体的な相談・支援を行っている民間のセン

**表6-24　障害者差別禁止指針と合理的配慮指針の基本的な考え方**

| 指針 | 基本的な考え方 |
| --- | --- |
| 障害者差別禁止指針 | ・すべての事業主が対象<br>・障害者であることを理由とする差別（直接差別）を禁止<br>・事業主や同じ職場で働く者が、障害特性に関する正しい知識の取得や理解を深めることが重要 |
| 合理的配慮指針 | ・すべての事業主が対象<br>・合理的配慮は、個々の事情を有する障害者と事業主との相互理解のなかで提供されるべき性質のもの |

ターです。一般社団法人、一般財団法人、社会福祉法人、特定非営利活動法人などが運営しています。全国336か所に設置されています（2021（令和3）年4月現在）。

### （4）障害者に対する差別の禁止

障害者の権利に関する条約（障害者権利条約）❷の批准に向けた法整備の1つとして、2013（平成25）年に法改正されました。雇用の分野における差別の禁止と**合理的配慮**❸の提供義務が定められ、2016（平成28）年4月から施行されています。「障害者差別禁止指針」と「合理的配慮指針」が策定されています（表6-24）。

❷障害者の権利に関する条約（障害者権利条約）
p.202参照

❸合理的配慮
p.202参照

## 4　その他

### （1）育児・介護休業法

育児や介護を行う労働者を支援する目的で、1995（平成7）年に育児休業法（1991（平成3）年成立）が改正され、育児休業、介護休業等育児又は家族介護を行う労働者の福祉に関する法律（育児・介護休業法）が制定されました。「育児休業」「**介護休業**❹」「子の看護休暇」「**介護休暇**❺」「所定外労働の制限」「時間外労働の制限」「深夜業の制限」「始業時刻変更」等について定められています。

対象となる家族は「配偶者」「父母」「子」「配偶者の父母」「祖父母」「兄弟姉妹」「孫」とされています。

❹介護休業
p.126参照

❺介護休暇
p.126参照

> **コラム　ヤングケアラー問題**
>
> 　近年、ヤングケアラーの問題が注目され、実態把握および相談窓口の設置等の支援が徐々に始まっています。ヤングケアラーとは、本来大人がになうと考えられている家事や家族の世話などを日常的に行っている子どものことです。同年代の子どもが経験しないような重い責任や負担をかかえることで、みずからの生活や勉学に支障が生じてしまうという問題です。たとえば、学業に遅れが出たり、進学や就職をあきらめたりするケースがあります。
>
> 　介護、医療、貧困、社会的孤立などの社会的問題のしわ寄せが一部の子どもにいくことは避けなければなりません。早期発見し、子ども自身およびその家庭に適切な支援をしていく必要があります。

# 2　住生活を支援する制度

## 1　ケアを必要とする高齢者の生活の場

❻特別養護老人ホーム
　p.132参照

❼認知症対応型共同生活介護（グループホーム）
　p.163参照

　ケアを必要とする高齢者の生活の場としては、自宅以外に、**特別養護老人ホーム**❻、**認知症対応型共同生活介護（グループホーム）**❼、**養護老人ホーム**、**軽費老人ホーム（ケアハウス）**、**有料老人ホーム**、**サービス付き高齢者向け住宅**などがあります。

### （1）養護老人ホーム

　**養護老人ホーム**は、老人福祉法に規定されている施設で、65歳以上の者であって、環境上の理由および経済的理由により居宅において養護を受けることが困難な者が入所できる施設です。

　老人福祉法にもとづき、市町村による措置によって利用することになります。養護老人ホームでは、生活に必要な支援は基本的に施設から提供されますが、介護保険法の**特定施設入居者生活介護**の指定を受けた施設については、介護部分が介護保険サービスとして提供されます。

## （2）軽費老人ホーム（ケアハウス）

軽費老人ホーム（ケアハウス）は、老人福祉法に規定されている施設で、無料または低額な料金で、身体機能の低下等により自立した日常生活を営むことについて不安があり、家族による援助を受けることが困難な60歳以上の者（夫婦で入所する場合はどちらかが60歳以上）が入所できる施設です。

老人福祉法にもとづき、各施設と直接契約することによって利用することができます。介護が必要になった場合は、介護保険法の特定施設入居者生活介護の指定を受けた施設については、介護保険サービスが施設から提供されますが、指定を受けていない施設については、施設から介護サービスは提供されないため、入居者自身で訪問介護（ホームヘルプサービス）等の介護保険サービスを利用することになります。

## （3）有料老人ホーム

有料老人ホームは、老人福祉法に規定されている施設で、①入浴、排泄もしくは食事の介護、②食事の提供、③洗濯、掃除等の家事、④健康管理のいずれかのサービス（複数も可）を提供します。

提供しているサービスによって、表6－25のような3つの類型に分か

**表6－25　有料老人ホームの類型**

| | |
|---|---|
| 介護付有料老人ホーム | ・介護等のサービスが付いた高齢者向けの居住施設<br>・介護等が必要となっても、ホームが提供する介護サービスである「特定施設入居者生活介護」を利用しながら、ホームでの生活を継続することが可能 |
| 住宅型有料老人ホーム | ・生活支援等のサービスが付いた高齢者向けの居住施設<br>・介護が必要となった場合、入居者自身の選択により、地域の訪問介護等の介護サービスを利用しながら、ホームでの生活を継続することが可能 |
| 健康型有料老人ホーム | ・食事等のサービスが付いた高齢者向けの居住施設<br>・介護が必要となった場合には、契約を解除し退去しなければならない |

出典：厚生労働省「有料老人ホームの概要」

れます。「介護付」と表示できるのは、介護保険制度の**特定施設入居者生活介護**の指定を受けた有料老人ホームに限られます。

有料老人ホームについては、①未届け施設が多数存在すること、②法律で義務づけられている前払い金の保全措置が講じられていない施設が存在すること、などの問題があります。

### （4）サービス付き高齢者向け住宅

サービス付き高齢者向け住宅は、**高齢者の居住の安定確保に関する法律（高齢者住まい法）** に規定されている高齢者のための住居で、①**状況把握サービス**❽、②**生活相談サービス**❾ が義務づけられています。

サービス付き高齢者向け住宅は、義務づけられているサービスとは別に、任意で有料老人ホームの4つのサービスを提供することもできます。有料老人ホームの4つのサービスのいずれか（複数も可）を提供した場合には、有料老人ホームに該当することになります。

介護保険制度の**特定施設入居者生活介護**の指定を受けているものに限り、介護付有料老人ホームに該当することになります。

### （5）有料老人ホームとサービス付き高齢者向け住宅の比較

ケアを必要とする高齢者の生活の場としては、有料老人ホームとサービス付き高齢者向け住宅が急増しています。有料老人ホームとサービス付き高齢者向け住宅を比較すると**表6-26**のようになります。

## 2 バリアフリー新法

2006（平成18）年、それまでの関連法律を一本化し、**高齢者、障害者等の移動等の円滑化の促進に関する法律（バリアフリー新法）** が成立しました。高齢者や障害者等の移動上および施設の利用上の利便性、安全性の向上の促進をはかり、公共の福祉の増進の助けとなることを目的としています。

## 3 その他

### （1）公営住宅

**公営住宅**とは、住宅に困っている低所得者に低家賃の住宅を提供する

---

❽**状況把握サービス**
入居者の心身の状況を把握し、その状況に応じた一時的な便宜を供与するサービス。

❾**生活相談サービス**
入居者が日常生活を支障なく営むことができるようにするために入居者からの相談に応じ必要な助言を行うサービス。

## 表6-26 有料老人ホームとサービス付き高齢者向け住宅の比較

| | 有料老人ホーム | サービス付き高齢者向け住宅 |
|---|---|---|
| 根拠法 | 老人福祉法 | 高齢者の居住の安定確保に関する法律 |
| 所管 | 厚生労働省 | 国土交通省・厚生労働省 |
| 創設年 | 1963（昭和38）年 | 2011（平成23）年 |
| 定義 | 入浴、排泄もしくは食事の介護、食事の提供、洗濯・掃除等の家事、または健康管理を供与する事業を行う施設（利用権方式） | バリアフリー構造等を有し、（少なくとも）状況把握・生活相談サービスを提供する住宅（賃貸借契約） |
| 対象者 | 高齢者（とくに定義なし） | ①・②のいずれかに該当する単身・夫婦世帯など<br>①60歳以上の者<br>②要介護認定・要支援認定を受けている60歳未満の者 |
| 届出／登録　改善命令 | 都道府県知事に事前届出義務<br>老人福祉法の改善命令あり | 都道府県知事に登録<br>（サービス付き高齢者向け住宅の大半は有料老人ホームでもあるが、左記の事前届出は不要。ただし、改善命令の対象にはなる） |
| 1人あたり面積 | 13㎡以上 | 原則25㎡以上 |
| 介護サービス利用※1 | 【介護付有料老人ホーム】<br>特定施設入居者生活介護<br>【住宅型有料老人ホーム】<br>訪問介護等の外部サービス | ・大半が、訪問介護等の外部サービスを利用する形態<br>・一部、特定施設入居者生活介護の指定を受けているところもある（有料老人ホームとして） |
| 施設数／棟数 | 15,134施設※2<br>（2019（令和元）年10月現在） | 7,892棟<br>（2021（令和3）年5月末現在） |
| 定員数／戸数 | 573,541人※2<br>（2019（令和元）年10月現在） | 67,246戸<br>（2021（令和3）年5月末現在） |

※1：有料老人ホームの類型には、介護が必要になれば退去しなければならない「健康型有料老人ホーム」もあるが、ごく少数である。
※2：サービス付き高齢者向け住宅で登録された数を除いたもの。
出典：「施設数／棟数」と「定員数／戸数」については、厚生労働統計協会編『国民の福祉と介護の動向 2021／2022』pp.191-192、2021年

ため、公営住宅法（1951（昭和26）年成立）によって都道府県および市町村が国庫補助を受けて建設する賃貸住宅です。

公営住宅は、母子世帯、老人世帯、身体障害者世帯などを対象とした特定目的住宅を含めて整備が行われており、特定目的住宅については、入居者の生活に適するように配置や設計にあたって特別の配慮がなされるとともに、入居に際して優先的取り扱いが行われています。

### （2）シルバーハウジング

1987（昭和62）年度から厚生労働省と国土交通省が共同で進める公的な賃貸集合住宅です。高齢者（60歳以上）の単身世帯や夫婦世帯等が入居し、ライフサポートアドバイザー（生活援助員）が必要に応じ生活指導・相談、安否確認、一時的な家事援助・緊急時対応等を行います。自治体の判断により、障害者世帯が対象となる場合もあります。

> **コラム　新たな住宅セーフティネット制度**
>
> 2017（平成29）年4月に住宅確保要配慮者に対する賃貸住宅の供給の促進に関する法律が改正され、新たな住宅セーフティネット制度が創設されました。住宅の登録や家主への補助を通して、高齢者、低所得者、子育て世帯等の「住宅確保要配慮者」の入居を「断らない住宅」を増加させようとしています。

## 3　自殺を予防する制度

日本の自殺者数は1998（平成10）年から2011（平成23）年までの14年間は3万人を上回っていました[1]。このような状況のなか、2006（平成18）年に自殺対策基本法（表6-27）が施行され、同法にもとづき2007（平成19）年に自殺総合対策大綱が策定されました。自殺総合対策大綱は2012（平成24）年、2017（平成29）年と5年ごとに見直されています。また、自殺総合対策大綱および地域の実情を勘案して、都道府県・市町村は自殺対策計画を定めることとされています。

2010（平成22）年以降、自殺者数は減少しつづけており、2019（令和

| 表6-27 | 自殺対策基本法の目的および基本理念の概要 |
|---|---|
| 目的 | 自殺対策を総合的に推進して、自殺の防止をはかり、あわせて自殺者の親族等の支援の充実をはかり、もって国民が健康で生きがいをもって暮らすことのできる社会の実現に寄与する。 |
| 基本理念 | 自殺対策は……<br>・生きることの包括的な支援として実施されなければならない。<br>・個人的な問題としてのみとらえられるべきではなく、社会的な取り組みとして実施されなければならない。 |

元)年では2万169人まで下がっています[2]。しかし、自殺率は依然として世界的には上位を占めています[3]。

女性よりも男性のほうが、青少年よりも中高年のほうが自殺率は高くなっています[4]。

# 4 その他

## 1 ひきこもり対策

国は、従来から精神保健福祉、児童福祉、ニート対策等において、ひきこもりを含む相談等の取り組みを行ってきました。2009(平成21)年度からはこれらの取り組みに加えて、「ひきこもり対策推進事業」が創設されました。

さらに、2018(平成30)年度からは、生活困窮者自立支援制度との連携が強化され、訪問支援等の取り組みの充実や、**ひきこもり地域支援センター**❿のバックアップ機能等の強化がはかられています。

❿**ひきこもり地域支援センター**

ひきこもりに特化した専門的な第1次相談窓口として、都道府県、指定都市に設置されている。社会福祉士、精神保健福祉士、臨床心理士等ひきこもり支援コーディネーターを中心に、地域における関係機関とのネットワーク構築や、ひきこもり対策にとって必要な情報を広く提供するといった地域におけるひきこもり支援の拠点としての役割をになっている。

◆ 引用文献

1）厚生労働省編『自殺対策白書 令和2年版』p.2、2020年
2）同上、p.2
3）同上、p.34
4）同上、p.8

◆ 参考文献

- 日本介護福祉士養成施設協会編『介護福祉士養成テキスト1 人間の尊厳と自立／社会の理解』法律文化社、2014年
- 厚生労働統計協会編『国民の福祉と介護の動向 2021／2022』2021年
- いとう総研資格取得支援センター編『見て覚える！介護福祉士国試ナビ2022』中央法規出版、2021年

## 演習6-1 「介護サービス情報の公表制度」と「福祉サービス第三者評価事業」

　自分の身近な施設・事業所（近隣・実習先・就職先など）について、「介護サービス情報の公表制度」や「福祉サービス第三者評価事業」を閲覧して、調べてみよう。

　調べた情報をもとに、利用者やその家族の視点に立って、①どのような情報がえられたか、②情報の見やすさ、③情報量、④その意義や妥当性、改善点について、レポートにまとめてみよう。

## 演習6-2 厚生労働省のホームページを通した制度の理解

　厚生労働省のホームページを閲覧して、調べた内容を発表してみよう。

1 厚生労働省のホームページにはどのような情報が載っているのかまとめてみよう。
2 ホームページの情報のなかから介護実践に関連する諸制度に関するテーマを決め、厚生労働省等の定義や見解、歴史的事実、データ等を用いて、そのテーマについてレポートをまとめ、発表してみよう。

# 索引

## 欧文

- AIDS ……………………………… 289
- DV防止法 ……………… 254、259
- HIV ………………………………… 289
- NPO ………………………………… 26
- QOL …………………………… 8、210
- SCAPIN775 ……………………… 72

## あ

- 悪質商法 ………………… 261、268
- 朝日訴訟 …………………………… 72
- アセスメント …………………… 183
- アソシエーション ……………… 25
- 新しい介護予防・日常生活支援総合事業の創設 ……………… 190
- 「新たな高齢者介護システムの構築を目指して」 …………… 116
- 育児・介護休業法 ……… 126、305
- 育児休業 ………………………… 305
- 育児休業、介護休業等育児又は家族介護を行う労働者の福祉に関する法律 ……………… 126、305
- 育児休業給付 …………… 95、96
- 育成医療 ………………………… 232
- 医師法 …………………………… 278
- 遺族基礎年金 …………………… 90
- 遺族厚生年金 …………………… 92
- 遺族年金 ………………………… 87
- 一時生活支援事業 ……………… 298
- 一次判定（介護保険制度）… 156
- 一次判定（障害者総合支援制度）
  ………………………… 241、246
- 一部事務組合（介護保険制度）
  ……………………………… 141
- 一般会計歳出 …………………… 103
- 一般会計歳入 …………………… 103
- 一般介護予防事業 ……………… 169
- 一般相談支援事業者 … 248、250
- 糸賀一雄 ………………………… 209
- 医療及び介護の総合的な確保の促進に関する法律 ……………… 282
- 「医療・介護関係事業者における個人情報の適切な取扱いのためのガイダンス」 ……………… 272
- 医療介護総合確保促進法 …… 282
- 医療型児童発達支援 ………… 221
- 医療型障害児入所施設 ……… 221
- 医療計画 ………………………… 281
- 医療提供施設 ………………… 280
- 医療費適正化計画 …………… 281
- 医療扶助 ………………………… 294
- 医療法 …………………………… 280
- …の制定 ………………………… 73
- 医療保険 ………………… 88、92
- …の原型 ………………………… 71
- …の自己負担 …………………… 94
- …の保険給付 …………………… 94
- 医療保護入院 ………………… 213
- 医療保障 ………………………… 59
- インフォームドコンセント … 281
- 宇都宮病院事件 ……………… 213
- 運営適正化委員会 …………… 276
- エイズ …………………………… 289
- 栄養改善法の制定 ……………… 73
- エリクソン，E.H. ……………… 3
- エルダー，G.H., Jr. ……………… 4
- オイルショック …… 29、75、115
- 応益負担 ………………… 86、214
- 応急入院 ………………………… 213
- 応能負担 ………………… 86、237
- 近江学園 ………………………… 209
- 岡村重夫 ………………… 4、38
- オグバーン，W. ………………… 19
- 「オレンジプラン」 ………… 118

## か

- 介護医療院 …………… 162、281
- …の許可 ………………………… 177
- …の創設 ………………………… 191
- 介護が必要な高齢者の数 …… 137
- 介護休暇 ………………… 126、305
- 介護休業 ………………… 126、305
- 介護休業給付 …………………… 96
- 介護給付（介護保険制度）… 150
- 介護給付（障害者総合支援制度）
  ………………… 228、230、238
- 介護給付等費用適正化事業 … 171
- 介護給付費・地域支援事業支援納付金 ……………………… 144
- 外国人労働者 …………… 27、44
- 介護サービス計画 …………… 153
- …の原案の作成 ……………… 184
- …の作成 ………………………… 157
- …の種類 ………………………… 183
- 介護サービス事業者の役割 … 180
- 介護サービス情報の公表 …… 178
- 介護サービス情報の公表制度
  ……………………………… 165
- 介護支援専門員 ……………… 182
- …の研修 ………………………… 178
- …の試験 ………………………… 178
- …の登録 ………………………… 178
- …の役割 ………………………… 182
- 介護支援専門員実務研修 …… 183
- 介護支援専門員実務研修受講試験
  ……………………………… 182
- 介護支援専門員証の交付 …… 178
- 介護支援専門員証の有効期間
  ……………………………… 183
- 介護者の年齢 ………………… 139
- 介護する家族の年齢 ………… 139
- 介護付有料老人ホーム ……… 307
- 介護等放棄 …………………… 256
- 介護認定審査会 ……………… 156
- …の設置 ………………………… 178
- 介護の社会化 …………… 19、141
- 介護扶助 ………………………… 294
- 介護報酬 ………………………… 166
- …の基準の設定 ……………… 177
- …の審査・支払 ……………… 179

# 索引

介護保険 …………………… 88
介護保険サービス ………… 159
…に対する苦情処理 ……… 165
…の情報提供 ……………… 165
…の費用 …………………… 166
…の利用手続き …………… 153
介護保険事業にかかる保険給付の円滑な実施を確保するための基本的な指針 ……………… 177
介護保険施設 ………… 162、181
介護保険審査会 …………… 157
…の設置 …………………… 177
介護保険制度 ……………… 136
…創設の背景 ……………… 136
…の改正（2005（平成17）年） ………………………… 185
…の改正（2008（平成20）年） ………………………… 187
…の改正（2011（平成23）年） ………………………… 188
…の改正（2014（平成26）年） ………………………… 190
…の改正（2017（平成29）年） ………………………… 191
…の改正（2020（令和2）年） ………………………… 192
…の財源 …………………… 144
…の動向 …………………… 185
…の被保険者 ……………… 141
…の保険給付 ………… 150、178
…の保険者 ………………… 141
…の目的 …………………… 140
…の利用者負担 …………… 152
介護保険特別会計 ………… 179
介護保険法 ………………… 140
…第1条 …………………… 140
…第7条 …………………… 147
…の制定 …………………… 116
介護保険料 ………………… 142
…の徴収 ……………… 144、178
介護予防居宅療養管理指導 … 160
介護予防グループホーム …… 163
介護予防ケアマネジメント … 169
介護予防サービス
 ……………… 150、159、160

介護予防サービス計画
 ……………………… 159、183
介護予防サービス事業者 …… 180
…の指定 …………………… 177
介護予防支援 ……………… 161
介護予防支援事業者 ……… 181
…の指定 …………………… 179
介護予防住宅改修 ………… 161
介護予防小規模多機能型居宅介護 ………………………… 163
介護予防・生活支援サービス事業 ……………………… 168
介護予防短期入所生活介護 … 160
介護予防短期入所療養介護 … 160
介護予防通所リハビリテーション ……………………… 160
介護予防特定施設入居者生活介護 ………………………… 160
介護予防・日常生活支援総合事業 ……………………… 168
…の創設 …………………… 189
介護予防認知症対応型共同生活介護 ……………………… 163
介護予防認知症対応型通所介護 ………………………… 163
介護予防福祉用具貸与 …… 160
介護予防訪問看護 ………… 160
介護予防訪問入浴介護 …… 160
介護予防訪問リハビリテーション ……………………… 160
介護離職 …………………… 125
介護療養型医療施設 ……… 162
介護老人福祉施設 ………… 162
…の指定 …………………… 177
介護老人保健施設 …… 162、281
…の許可 …………………… 177
介護を必要とする期間 …… 137
核家族 ……………………… 19
核家族化 …………………… 137
…の進行 …………………… 138
拡大家族 …………………… 19
確定拠出年金 ……………… 87
家計改善支援事業 ………… 298
過疎化 ………………… 26、102
家族 ……………… 6、16、19

…の機能 …………………… 19
家族介護支援事業 ………… 171
家族観 ……………………… 20
家族機能の支援・代替機能 … 65
家庭 ……………………… 6、16
家庭裁判所 ………………… 262
家庭生活 …………………… 6
…の機能 …………………… 6
完結出生児数 ……………… 13
『看護覚え書』 ……………… 8
看護師 ……………………… 280
看護小規模多機能型居宅介護
 …………………………… 163
…の創設 …………………… 189
感染症の予防及び感染症の患者に対する医療に関する法律 … 286
感染症法 …………………… 286
感染症類型 ………………… 286
がん対策基本法 …………… 282
基幹相談支援センター
 ……………………… 247、249
基礎年金 …………………… 90
機能訓練 …………………… 240
基本指針（介護保険制度） …… 177
基本指針（障害者総合支援制度）
 …………………………… 227
基本相談支援 ……………… 248
基本チェックリスト該当者 … 159
基本的社会制度 …………… 5
基本的要求 ……………… 2、5
休業補償 …………………… 97
救護法 ……………………… 70
教育扶助 …………………… 294
協会けんぽ ………………… 93
協議会 ………………… 246、249
協議体 ……………………… 170
共済組合 …………………… 93
共助 ……………… 3、30、36、52
共生型サービス …………… 191
…の創設 …………………… 191
共生社会 …………………… 200
共同生活援助 ……………… 240
居住費（介護保険制度） …… 187
居宅介護 …………………… 239
居宅介護支援 ……………… 161

| 居宅介護支援事業者 | 181 |
| --- | --- |
| …の指定 | 179 |
| 居宅介護住宅改修 | 161 |
| 居宅給付費 | 145 |
| 居宅サービス | 150、159、160 |
| 居宅サービス計画 | 158、183 |
| 居宅サービス事業者 | 180 |
| …の指定 | 177 |
| 居宅訪問型児童発達支援 | 221 |
| 居宅療養管理指導 | 160 |
| 緊急措置入院 | 213 |
| 金銭給付 | 294 |
| クーリー, C.H. | 24 |
| クーリング・オフ制度 | 269 |
| 苦情解決 | 274 |
| 苦情処理（介護保険制度） | 165、180 |
| 国の役割（介護保険制度） | 176 |
| 国の役割（障害児の支援制度） | 223 |
| 国の役割（障害者総合支援制度） | 227 |
| 区分支給限度基準額 | 152 |
| …の設定 | 177 |
| 組合管掌健康保険 | 93 |
| 組合健康保険 | 93 |
| グループ支援 | 22 |
| グループホーム（介護保険制度） | 163 |
| グループワーク | 22 |
| 訓練等給付 | 228、230、240 |
| ケアハウス | 307 |
| ケアプラン | 153 |
| …の原案の作成 | 184 |
| …の作成 | 157 |
| …の種類 | 183 |
| ケアマネジメント | 182 |
| …のプロセス | 183 |
| ケアマネジャー | 182 |
| …の研修 | 178 |
| …の試験 | 178 |
| …の登録 | 178 |
| …の役割 | 182 |
| 計画相談支援 | 222、248 |
| 経済安定機能 | 65 |

| 経済的虐待 | 256 |
| --- | --- |
| 継続サービス利用支援 | 248 |
| 継続障害児支援利用援助 | 222 |
| 継続利用要介護者 | 168 |
| ケイパビリティ | 8 |
| 軽費老人ホーム | 131、132、307 |
| ゲゼルシャフト | 24 |
| 結核 | 287 |
| 結核予防法 | 286 |
| …の制定 | 73 |
| ゲマインシャフト | 24 |
| ケラー, H. | 208 |
| 限界集落 | 26 |
| 現金給付 | 86、294 |
| 健康型有料老人ホーム | 307 |
| 健康寿命 | 122 |
| …の延伸 | 14、284 |
| 健康診断 | 66 |
| 健康増進計画 | 281 |
| 健康増進法 | 284 |
| 「健康日本21」 | 14、284 |
| 「健康日本21（第二次）」 | 14、123、284 |
| 健康の概念 | 123 |
| 健康保険 | 93 |
| 健康保険組合 | 93 |
| 健康保険法の制定 | 71 |
| 現物給付 | 86、294 |
| 憲法 | 71 |
| …第13条 | 29、72 |
| …第25条 | 29、63、71、97、292 |
| 権利擁護業務 | 169 |
| 権利擁護制度 | 260 |
| 広域連合（介護保険制度） | 141 |
| 広域連合（後期高齢者医療制度） | 135 |
| 公営住宅 | 308 |
| 高額医療合算介護サービス費 | 153 |
| 高額介護サービス費 | 152 |
| 高額障害福祉サービス等給付費 | 237 |
| 高額療養費 | 95 |
| 後期高齢者 | 134 |
| 後期高齢者医療広域連合 | 135 |

| 後期高齢者医療制度 | 94、134、135 |
| --- | --- |
| 工業化 | 9 |
| 公共職業安定所 | 68 |
| 合計特殊出生率 | 13 |
| 後見 | 262 |
| 公衆衛生 | 59 |
| 公助 | 3、30、36、52 |
| 更生医療 | 232 |
| 厚生年金 | 87、91 |
| 厚生年金基金 | 87 |
| 公的扶助 | 59、88、97 |
| 後天性免疫不全症候群 | 289 |
| 後天性免疫不全症候群の予防に関する法律 | 286 |
| 行動援護 | 239 |
| 高年齢者雇用安定法 | 301 |
| 高年齢者等の雇用の安定等に関する法律 | 301 |
| 公費負担医療制度 | 59 |
| 幸福追求権 | 72 |
| 合理的配慮 | 202 |
| 合理的配慮指針 | 305 |
| 高齢化 | 13、119、128 |
| 高齢化社会 | 119 |
| 高齢化率 | 119 |
| 高齢者医療 | 66 |
| 高齢者医療確保法 | 133、285 |
| …第1条 | 134 |
| …の制定 | 76 |
| 高齢社会 | 76、119 |
| 高齢者介護研究会 | 117 |
| 高齢者介護研究会報告書 | 51 |
| 高齢社会対策基本法 | 129 |
| 高齢社会対策大綱 | 130 |
| 高齢者関係給付費 | 106 |
| 高齢者虐待の防止、高齢者の養護者に対する支援等に関する法律 | 254 |
| 高齢者虐待防止法 | 254 |
| 高齢者、障害者等の移動等の円滑化の促進に関する法律 | 218、308 |
| 高齢者住まい法 | 308 |
| 高齢者の医療の確保に関する法律 | |

……………………… 133、285
…第1条 ……………………… 134
…の制定 ……………………… 76
高齢者の居住の安定確保に関する
　法律 ……………………… 308
「高齢者の健康に関する調査」
　……………………………… 123
高齢者の社会参加 …………… 123
高齢者の就業状況 …………… 124
「高齢者の地域社会への参加に関
　する意識調査」…………… 123
「高齢者の日常生活に関する意識
　調査」……………………… 123
高齢者福祉 ……………… 66、88
高齢者保健福祉推進十か年戦略
　…………………………… 76、116
ゴールドプラン ………… 76、116
ゴールドプラン21 … 77、116
国保連 ………………………… 165
　…の役割 …………………… 179
国民皆年金 ……………… 74、115
国民皆保険 ……………… 74、115
「国民健康づくり対策」……… 284
国民健康保険 …………………… 93
国民健康保険団体連合会 …… 165
　…の役割 …………………… 179
国民生活センター …………… 270
国民年金 ………………… 87、90
国民の共同連帯 ……………… 141
国民負担率 …………………… 107
　…の国際比較 ……………… 107
互助 ………………… 3、30、36、52
個人識別符号 ………………… 271
個人情報 ……………………… 271
個人情報の保護に関する法律
　……………………………… 271
個人情報保護法 ……………… 271
個人の尊厳の保持 ……… 63、140
子どもの学習・生活支援事業
　……………………………… 298
子の看護休暇 ………………… 305
個別支援計画 ………………… 244
コミュニティ …………… 24、25
コミュニティ・オーガニゼーショ
　ン ……………………………… 38

コミュニティ・ソーシャルワーク
　………………………… 36、38
コミュニティ・ディベロップメン
　ト ……………………………… 38
コムスン事件 ………………… 187
雇用安定事業 …………………… 96
雇用形態の変化 ………………… 9
雇用促進 ……………………… 301
雇用保険 …………… 68、88、96
雇用保険二事業 ………………… 96
コロニー政策 ………………… 209
今後5か年間の高齢者保健福祉施
　策の方向 ……………… 77、116

## さ

サービス給付 …………………… 86
サービス担当者会議（介護保険制
　度）………………………… 184
サービス担当者会議（障害者総合
　支援制度）………………… 243
サービス付き高齢者向け住宅
　……………………………… 308
　…の創設 …………………… 189
サービス等利用計画 … 230、243
サービス等利用計画案 ……… 243
サービス利用支援 …………… 248
災害 ……………………………… 41
財産管理事務 ………… 262、264
財政安定化基金 ……………… 146
在宅医療・介護連携推進事業
　……………………………… 170
最低限度の生活 ………………… 63
相模原障害者殺傷事件 ……… 216
詐欺 …………………… 261、268
産業化 …………………… 9、26
支援費制度 …………………… 214
支給限度額 …………… 150、152
　…の設定 …………………… 177
支給要否決定（障害者総合支援制
　度）………………………… 243
事業対象者 …………………… 159
自己決定 ……………………… 210
自己実現 ……………………… 210
「仕事と介護の両立に関する労働
　者アンケート調査」……… 125

自己負担（医療保険）………… 94
自殺総合対策大綱 …………… 310
自殺対策基本法 ……………… 310
自殺対策計画 ………………… 310
事実行為 ……………………… 262
自助 ………………… 3、30、36、52
施設コンフリクト …………… 199
施設サービス ………… 150、162
施設サービス計画 …… 158、183
施設等給付費 ………………… 145
施設入所支援 ………………… 239
慈善組織協会 …………………… 37
持続可能な社会保障制度 …… 107
持続可能な社会保障制度の確立を
　図るための改革の推進に関する
　法律 ………………………… 78
私宅監置 ……………………… 212
市町村介護保険事業計画 …… 179
市町村障害者虐待防止センター
　……………………………… 258
市町村障害福祉計画 ………… 228
市町村審査会 ………… 241、246
市町村地域生活支援事業 …… 233
市町村地域福祉計画 ………… 39
市町村特別給付 ……………… 150
市町村の役割（介護保険制度）
　……………………………… 178
市町村の役割（障害児の支援制
　度）………………………… 222
市町村の役割（障害者総合支援制
　度）………………………… 226
市町村保健センター ………… 282
市町村老人福祉計画 ………… 133
失業等給付 ……………………… 96
指定サービス事業者の役割（介護
　保険制度）………………… 180
私的扶養 ………………………… 20
『死と愛』………………………… 8
児童委員 ………………………… 84
児童・家族関係給付費 ……… 106
児童虐待の防止等に関する法律
　………………………… 254、258
児童虐待防止法 ……… 254、258
児童相談所 …………………… 222
児童手当 ………………… 66、98

児童発達支援 …………… 220、221
児童福祉 ………………… 66、88
児童福祉法 ………………… 218
　…のサービス ……………… 220
　…の制定 ………………… 73、114
児童扶養手当 ……………… 98
市民参加 …………………… 36
社会 ………………………… 21
社会関係 ………………… 2、5
　…の客体的側面 …………… 5
社会参加 …………………… 123
社会生活 …………………… 4
「社会生活基本調査」……… 124
社会手当 ……………… 59、88、97
社会的孤立 ………………… 44
社会的障壁 …………… 204、211
社会的入院 …………… 117、212
社会的排除 ………………… 44
社会的包摂 ………………… 45
社会福祉 ………… 36、59、66、98
社会福祉基礎構造改革
　……………… 77、117、214、260
社会福祉協議会 …………… 38
社会福祉協議会連合会 …… 39
社会福祉士及び介護福祉士法第46
　条 ………………………… 271
「社会福祉事業の経営者による福
　祉サービスに関する苦情解決の
　仕組みの指針」…………… 275
社会福祉事業法の改正（2000（平
　成12）年）………………… 39、77
社会福祉事業法の制定 …… 73
社会福祉法 ………………… 98
　…第4条 …………………… 35
　…の改正（2000（平成12）年）
　……………………………… 39、77
　…の制定 ………………… 73
社会福祉法人 ……………… 98
社会扶助 ……………… 85、97
　…の種類 ………………… 85、88
社会扶助方式 ……………… 84、85
社会防衛思想 ……………… 212
社会保険 ……………… 59、84
　…の種類 ………………… 85、88
社会保険診療報酬支払基金 … 144

社会保険方式 ……………… 84
社会保障 ……………… 36、56
　…の機能 ………………… 64
　…の実施体制 …………… 81
　…の定義 ………………… 61
　…の範囲 ………………… 59
　…の目的 ………………… 62
　…の役割 ………………… 60
　…（ライフサイクル）…… 66、106
社会保障改革プログラム法 … 78
社会保障関係費 …………… 103
社会保障給付費 …………… 104
社会保障構造改革 ………… 78
　…の課題 ………………… 109
社会保障国民会議 ………… 78
社会保障制度 ……………… 58
　…の給付の方法 ………… 86
　…のしくみ ……………… 84
　…の体系 ………………… 87
　…の負担の方法 ………… 86
　…の分類 ………………… 59
　…の歴史 ………………… 69
社会保障制度改革国民会議 … 78
社会保障制度改革推進法 … 78
社会保障制度審議会 ……… 73
「社会保障制度に関する勧告」
　……………………………… 73
社会保障と税の一体改革
　……………………………… 78、190
社会保障の安定財源の確保等を図
　る税制の抜本的な改革を行うた
　めの消費税法の一部を改正する
　等の法律 ………………… 78
社会連帯 …………………… 81
「就業構造基本調査」……… 125
住居確保給付金 …………… 298
住所地特例 ………………… 142
住所地特例対象施設 ……… 142
重層的支援体制整備事業 … 168
住宅改修 …………………… 161
　…の種類 ………………… 162
住宅型有料老人ホーム …… 307
住宅扶助 …………………… 294
集団 ………………………… 25
重度障害者等包括支援 …… 239

重度訪問介護 ……………… 239
住民参加 …………………… 36
就労移行支援 ……………… 240
就労継続支援A型 ………… 240
就労継続支援B型 ………… 240
就労支援 …………………… 301
就労準備支援事業 ………… 298
就労定着支援 ……………… 240
主治医意見書 ……………… 154
恤救規則 …………………… 70
出産育児一時金 …………… 95
出産手当金 ………………… 95
出産扶助 …………………… 294
出生数 ……………………… 13
准看護師 …………………… 280
生涯学習社会 ……………… 10
障害基礎年金 ……………… 90
生涯現役社会 ……………… 301
障害厚生年金 ……………… 92
障害支援区分 ……………… 230、245
　…の認定 ………………… 241、245
障害児支援利用援助 ……… 222
障害児支援利用計画 ……… 222
障害児相談支援 …………… 222
障害児相談支援事業者 …… 222
障害児通所支援 ………… 220、221
障害児入所支援 …………… 221
障害児の支援制度 ………… 219
障害児の福祉サービス …… 219
障害者 ……………………… 204
　…の定義 ………………… 204
障害者基本計画 …………… 211
障害者基本法 ……………… 199、217
　…第1条 …………………… 199
　…第2条 …………………… 204
　…の改正（1993（平成5）年）
　……………………………… 211
　…の目的 ………………… 199
障害者虐待の防止、障害者の養護
　者に対する支援等に関する法律
　……………………………… 218、254、257
障害者虐待防止法
　……………………………… 218、254、257
障害者権利条約 …………… 202
障害者雇用促進法 ……… 218、303

障害者雇用調整金 303
障害者雇用納付金 303
障害者雇用率制度 303
障害者差別解消法 202、218
障害者差別禁止指針 305
障害者就業・生活支援センター 304
障害者自立支援法違憲訴訟 214
障害者自立支援法の制定 214
障害者数 201
障害者総合支援制度 225
…の財源 235
…の目的 225
…の利用者負担 237
障害者総合支援法 215、217
…第4条 205
「障害者対策に関する新長期計画」 211
障害者の権利に関する条約 202
障害者の雇用の促進等に関する法律 218、303
障害者の日常生活及び社会生活を総合的に支援するための法律 215、217
…第4条 205
障害者福祉 66、88
…の動向 201
…の理念 209
…の歴史 207
障害者福祉施設従事者等 257
…による障害者虐待 258
「障害者プラン」 211
障害年金 87
障害福祉計画 227
障害福祉サービス 228、237
…の利用手続き 241
障害福祉サービス受給者証 243
生涯未婚率 13
障害を理由とする差別の解消の推進に関する法律 202、218
償還払い 143
小規模多機能型居宅介護 163
小規模多機能型居宅介護事業 131、132
少子化 13

少子高齢化 12、101
使用者 257
…による障害者虐待 258
消費者安全法 270
消費者契約法 269
消費生活センター 269
傷病手当金 95
情報提供（介護保険制度） 165
ショートステイ（介護保険制度） 160
職業リハビリテーション 304
食費（介護保険制度） 187
助産師 280
所得再分配機能 64
所得保障 59、68
自立 64、140、210
自立訓練 240
自立支援 63
自立支援医療 228、231
自立支援給付 229
自立生活運動 210
自立生活援助 240
自立相談支援事業 297
シルバー人材センター 303
シルバーハウジング 310
「新オレンジプラン」 118
「新経済社会7カ年計画」 20
人口減少 13
人口減少社会 101
人口推移 12
人口ピラミッド 102
新・高齢者保健福祉推進十か年戦略 76、116
新ゴールドプラン 76、116
審査請求 157、274
身上監護事務 262、264
身上配慮義務 262、265
心神喪失者等医療観察法 218
心神喪失等の状態で重大な他害行為を行った者の医療及び観察等に関する法律 218
申請（介護保険制度） 153
申請（障害者総合支援制度） 241
新総合事業の創設 190
親族 17

身体障害者 205、206
身体障害者手帳 205
身体障害者福祉法 205、206、217
…の制定 73、114、207
身体障害者補助犬法 218
身体的虐待 256
心理的虐待 256
診療所 281
スティグマ 63、201
生活 2
…の安定 62
…の保障 62
生活安定・向上機能 64
生活介護 239
生活訓練 240
生活困窮者自立支援 36
生活困窮者自立支援制度 311
生活困窮者自立支援法 97、296
生活困難 5
生活支援 28
生活支援コーディネーター 170
生活支援体制整備事業 170
生活の質 8、210
生活のしづらさ 3
「生活のしづらさなどに関する調査」 201
生活福祉資金貸付制度 298
生活扶助 294
生活保護 292
…の基本原理 292
…の原則 293
…の実施機関 295
…の種類 294
生活保護制度 68、97
生活保護法 292
…の原型 71
…の制定 73、114
正規雇用労働者 10
正規雇用労働者比率 9
生業扶助 294
生産年齢人口 9
生殖家族 19
精神障害者 205、206
…の入院のしくみ 212

319

精神障害者福祉 …………… 212
…の法整備 ………………… 213
精神障害者保健福祉手帳 …… 206
精神通院医療 ……………… 232
精神薄弱者福祉法の制定
　……………………… 75、114
精神病者監護法 …………… 212
精神保健及び精神障害者福祉に関する法律 ……… 206、217
…の制定 …………………… 212
精神保健福祉法 ……… 206、217
…の制定 …………………… 212
税制の優遇措置 …………… 298
税制抜本改革法 …………… 78
生存権 ………… 63、71、97、292
性的虐待 …………………… 256
成年後見制度 ………… 257、260
成年後見制度利用支援事業 … 266
成年後見人 ………………… 262
成年被後見人 ……………… 262
性病予防法 ………………… 286
セーフティネット ……… 61、297
石油危機 ………… 29、75、115
世帯 ………………………… 17
…の変容 …………………… 17
世帯数 ……………………… 17
セツルメント運動 ………… 37
セルフヘルプグループ ……… 23
船員保険 …………………… 93
セン, A. …………………… 8
前期高齢者 ………………… 134
前期高齢者医療制度 ……… 134
全国医療費適正化計画 …… 134
全国健康保険協会 ………… 93
全国健康保険協会管掌健康保険
　…………………………… 93
「全国在宅障害児・者等実態調査」 ……………………… 201
潜在能力 …………………… 8
全世代型の社会保障 …… 78、103
総合事業 …………………… 168
…の創設 …………………… 189
総合相談支援業務 ………… 169
相互扶助 ……………… 20、81
葬祭扶助 …………………… 294

相談支援 ………… 222、228、230
相談支援事業 ……………… 248
相談支援専門員 …………… 250
総報酬割 …………………… 192
ソーシャルインクルージョン
　…………………………… 45
ソーシャルエクスクルージョン
　…………………………… 44
ソーシャルキャピタル …… 22
ソーシャル・サポート・ネットワーク ……………………… 30
組織 …………………… 21、25
組織化 ……………………… 23
措置制度
　…………… 77、116、165、214、260
措置入院 …………………… 213
その他生活支援サービス …… 168
尊厳の保持 …………… 63、140

## た

第1号介護予防支援事業 …… 169
第1号事業 ………………… 168
第1号生活支援事業 ……… 168
第1号通所事業 …………… 168
第1号被保険者（介護保険制度）
　…………………………… 142
…の保険料率 ……………… 143
第1号被保険者（国民年金）… 90
第2号被保険者（介護保険制度）
　…………………………… 142
第2号被保険者（国民年金）… 90
第3号被保険者（国民年金）… 90
第1号訪問事業 …………… 168
第一次集団 ………………… 25
待機児童 …………………… 66
第三者行為求償事務 ……… 180
第三者評価 ………………… 273
第二次集団 ………………… 25
ダブルケア ………………… 14
多文化共生 ………………… 44
団塊の世代 ………………… 101
短期入所 …………………… 239
短期入所生活介護 ………… 160
短期入所療養介護 ………… 160
地域 ………………………… 24

地域移行支援 ……………… 249
地域共生社会 ……………… 43
…の理念 …………………… 45
「『地域共生社会』の実現に向けて（当面の改革工程）」 …… 46
地域ケア会議 ………… 170、173
地域ケア会議推進事業 …… 170
地域支援事業 ………… 166、179
…の充実 …………………… 190
…の創設 …………………… 187
地域社会 …………………… 24
…の集団 …………………… 25
…の組織 …………………… 25
地域社会開発 ……………… 38
地域障害者職業センター …… 304
地域生活課題 ……………… 35
地域生活支援事業 …… 228、233
地域相談支援 ……………… 249
地域組織化活動 …………… 38
地域定着支援 ……………… 249
「地域における医療及び介護を総合的に確保するための基本的な方針」 ……………………… 282
地域福祉 …………………… 35
…の考え方 ………………… 34
…の構成要素 ……………… 36
…の推進 …………………… 35
…の発展段階 ……………… 38
地域福祉計画 ……………… 39
地域包括ケア ……………… 51
地域包括ケアシステム
　………………… 36、51、52、171
…の構築 …………………… 190
…の深化・推進 …………… 191
地域包括支援センター
　………………… 51、173、257
…の設置 …………………… 179
…の創設 …………………… 187
地域包括支援センター運営協議会
　…………………………… 173
「地域包括支援センター業務マニュアル」 ………………… 51
地域保健法 ………………… 282
…の制定 …………………… 73
地域密着型介護予防サービス

# 索引

……………………… 151、162、163
地域密着型介護予防サービス事業者 ……………………… 181
…の指定 ……………………… 179
地域密着型介護老人福祉施設入所者生活介護 ……………………… 163
地域密着型サービス
……………………… 151、162、163
…の創設 ……………………… 187
地域密着型サービス事業者 …… 181
…の指定 ……………………… 179
地域密着型通所介護 ………… 163
地域密着型特定施設入居者生活介護 ……………………… 163
地域力強化検討会 …………… 46
知的障害児（者）基礎調査 … 206
知的障害者 …………… 205、206
知的障害者福祉法 …… 206、217
…の制定 …………… 75、114、209
地方分権 ……………………… 109
超高齢社会 …………………… 119
調整交付金 …………………… 145
直系家族 ……………………… 19
通所介護 ……………………… 160
通所型サービス ……………… 168
通所リハビリテーション …… 160
積立方式 ……………………… 89
定位家族 ……………………… 19
定期巡回・随時対応型訪問介護看護 ……………………… 163
…の創設 ……………………… 189
デイサービス（介護保険制度）
……………………… 160
低所得者対策 ………………… 88
伝染病予防法 ………………… 286
テンニース，F. ……………… 24
同行援護 ……………………… 239
特定介護予防福祉用具販売 … 160
特定健康診査 …… 66、134、285
特定施設入居者生活介護 …… 160
特定疾病 ……………………… 148
特定障害者特別給付費 ……… 237
特定商取引に関する法律 …… 269
特定商取引法 ………………… 269
特定相談支援事業者

……………………… 222、243、248、250
特定福祉用具販売 …………… 160
…の種類 ……………………… 161
特定保健指導 ………… 134、285
特別児童扶養手当 …………… 98
特別徴収 ……………………… 144
特別養護老人ホーム … 131、132
都市化 ………………………… 26
特記事項 ……………………… 154
都道府県医療費適正化計画 … 134
都道府県介護保険事業支援計画
……………………… 178
都道府県障害者権利擁護センター
……………………… 258
都道府県障害福祉計画 ……… 228
都道府県地域生活支援事業 … 234
都道府県地域福祉支援計画 … 39
都道府県の役割（介護保険制度）
……………………… 177
都道府県の役割（障害児の支援制度） ……………………… 223
都道府県の役割（障害者総合支援制度） ……………………… 226
都道府県老人福祉計画 ……… 133

## な

ナイチンゲール，F. ………… 8
難病医療法 …………… 206、218
難病患者 ……………… 205、206
難病の患者に対する医療等に関する法律 …………… 206、218
ニーズ ………………………… 5
…の需要化 …………………… 36
二次判定（介護保険制度）… 156
二次判定（障害者総合支援制度）
……………………… 241、246
「21世紀における国民健康づくり運動」 …………… 14、284
「21世紀における第二次国民健康づくり運動」 …… 14、123、284
「2015年の高齢者介護」
……………………… 117、171
2025年問題 …………………… 102
日常生活圏域 ………………… 52
日常生活自立支援事業

……………………… 260、266
「ニッポン一億総活躍プラン」
……………………… 44
日本介護福祉士会倫理綱領 … 271
日本型福祉社会 ……… 29、115
日本型福祉社会論 …………… 20
日本国憲法 …………………… 71
…第13条 ……………… 29、72
…第25条 … 29、63、71、97、292
日本の高齢化 ………………… 128
乳幼児健診 …………………… 219
任意後見監督人 ……………… 264
任意後見制度 ………… 261、264
任意後見人 …………………… 264
任意事業 ……………………… 170
任意入院 ……………………… 213
『人間開発報告書』 ………… 8
認知症初期集中支援チーム … 170
認知症施策 …………………… 118
「認知症施策推進5か年計画」
……………………… 118
「認知症施策推進総合戦略」… 118
「認知症施策推進大綱」 …… 118
認知症総合支援事業 ………… 170
認知症対応型共同生活介護 … 163
認知症対応型通所介護 ……… 163
認知症対応型老人共同生活援助事業 …………………… 131、132
認知症地域支援推進員 ……… 170
認定調査（介護保険制度）… 153
…の基本調査項目 …………… 155
…の実施 ……………………… 178
ネグレクト …………………… 256
年金制度 ……………………… 68
年金保険 ……………… 87、88
…の原型 ……………………… 71
能力開発事業 ………………… 96
ノーマライゼーション ……… 209
「ノーマライゼーション7か年戦略」 ……………………… 211

## は

パーソンズ，T. ……………… 19
配偶者からの暴力の防止及び被害者の保護等に関する法律

|  |  |
|---|---|
| …………………………… 254、259 | |
| 配偶者暴力相談支援センター | |
| …………………………………… 259 | |
| 配偶者暴力防止法 ……… 254、259 | |
| 売春防止法 …………………… 259 | |
| 働き方改革 …………………………… 9 | |
| 働き方の変化 ………………………… 9 | |
| 働く女性の年齢別割合の変化 | |
| …………………………………………… 9 | |
| 発達障害者 ………………… 205、206 | |
| 発達障害者支援法 ……… 206、217 | |
| バリアフリー新法 ……… 218、308 | |
| ハローワーク ………………………… 68 | |
| バンク-ミケルセン, N.E. …… 209 | |
| 非営利組織 …………………………… 26 | |
| ひきこもり対策 …………………… 311 | |
| ひきこもり地域支援センター | |
| …………………………………… 311 | |
| 非正規雇用労働者 ………………… 10 | |
| 非正規雇用労働者比率 ……………… 9 | |
| 被保険者（介護保険制度）…… 141 | |
| …の資格管理 ……………………… 178 | |
| 被保佐人 …………………………… 262 | |
| 被補助人 …………………………… 262 | |
| 秘密保持 …………………………… 270 | |
| 病院 ………………………………… 281 | |
| 被用者年金 ………………………… 91 | |
| 被用者保険 ………………………… 93 | |
| びわこ学園 ………………………… 209 | |
| 賦課方式 …………………………… 89 | |
| 複合家族 …………………………… 19 | |
| 複合型サービス ………………… 163 | |
| …の創設 …………………………… 189 | |
| 複合型サービス福祉事業 | |
| ……………………………… 131、132 | |
| 福祉 ………………………………… 28 | |
| …の多元化 ………………………… 29 | |
| 福祉型障害児入所施設 ……… 221 | |
| 福祉関係八法の改正 | |
| ……………………… 39、77、116 | |
| 福祉元年 ……………… 75、115 | |
| 福祉国家 …………………………… 29 | |
| 福祉サービス第三者評価事業 | |
| …………………………………… 274 | |
| 福祉サービス利用援助事業 | |

|  |  |
|---|---|
| …………………………… 117、266 | |
| 福祉三法 …………………… 73、114 | |
| 福祉事務所 ………………………… 83 | |
| 福祉生産の4類型 ………………… 58 | |
| 福祉避難所 ………………………… 41 | |
| 「福祉避難所の確保・運営ガイドライン」 …………………………… 42 | |
| 福祉ミックス ……………… 29、52 | |
| 福祉問題 …………………………… 36 | |
| 福祉用具貸与 …………………… 160 | |
| …の種目 …………………………… 161 | |
| 福祉六法 …………………… 75、114 | |
| 婦人相談所 ……………………… 259 | |
| 普通徴収 ……………………… 144 | |
| ブラッド, R. …………………… 20 | |
| フランクル, V. …………………… 8 | |
| プランニング …………………… 184 | |
| 平均寿命 …………………………… 122 | |
| 平均世帯人員 ………………………… 17 | |
| 「平成28年生活のしづらさなどに関する調査」 ………………………… 201 | |
| 「平成29年就業構造基本調査」 ………………………………… 125 | |
| ヘレン・ケラー ………………… 208 | |
| 保育所 ………………………… 66 | |
| 保育所等訪問支援 ………… 221 | |
| 放課後等デイサービス ……… 221 | |
| 包括的・継続的ケアマネジメント支援業務 ……………………… 169 | |
| 包括的支援事業 ………………… 169 | |
| 法定後見制度 …………………… 261 | |
| 法定雇用率 ……………………… 303 | |
| 方面委員 …………………………… 37 | |
| 訪問介護 ………………………… 160 | |
| 訪問型サービス ………………… 168 | |
| 訪問看護 ………………………… 160 | |
| 訪問入浴介護 …………………… 160 | |
| 訪問リハビリテーション …… 160 | |
| 法律行為 ………………………… 262 | |
| ホームヘルプサービス（介護保険制度）………………………… 160 | |
| ホームレスの自立の支援等に関する特別措置法 ………………… 300 | |
| 保健医療 ………………… 59、66 | |
| 保険給付（介護保険制度）…… 178 | |

|  |  |
|---|---|
| 保健師 …………………………… 280 | |
| 保健師助産師看護師法 ……… 279 | |
| …の制定 …………………………… 73 | |
| 保険者（介護保険制度）…… 141 | |
| …の役割 …………………………… 178 | |
| 保健所 …………………………… 282 | |
| 保健所法の制定 …………………… 73 | |
| 保健婦助産婦看護婦法の制定 | |
| …………………………………… 73 | |
| 保護者制度 ……………………… 212 | |
| 保佐 ………………………………… 262 | |
| 保佐人 …………………………… 262 | |
| 母子及び父子並びに寡婦福祉法の制定 …………………… 75、114 | |
| 母子健診 …………………………… 66 | |
| 母子福祉法の制定 ……… 75、114 | |
| 母子父子寡婦福祉 ……………… 88 | |
| 母子父子寡婦福祉資金貸付制度 | |
| …………………………………… 298 | |
| 母子保健制度 ……………………… 66 | |
| 母子保健法 ……………… 219、286 | |
| 補助 ………………………………… 262 | |
| 補助人 …………………………… 262 | |
| 補装具 …………………… 228、232 | |
| 保有個人データ ………………… 273 | |
| ボランティア ……………………… 40 | |
| 堀木訴訟 …………………………… 72 | |

## ま

|  |  |
|---|---|
| マッキーヴァー, R.M. ……… 25 | |
| 民間保険 …………………………… 84 | |
| 民生委員 …………………………… 84 | |
| 民法 ………………………………… 269 | |
| メタボリックシンドローム | |
| ……………………………… 284、285 | |
| モニタリング …………………… 184 | |

## や

|  |  |
|---|---|
| 夜間対応型訪問介護 …………… 163 | |
| 薬剤耐性 ………………………… 288 | |
| 薬局 ………………………………… 281 | |
| 大和川病院事件 ………………… 213 | |
| ヤングケアラー ………………… 306 | |
| 優生思想 ………………………… 208 | |
| 優生保護法 ……………… 209、212 | |

有料老人ホーム… 131、132、307
養介護施設従事者等………… 254
…による高齢者虐待………… 256
要介護者等のいる世帯の世帯構造
……………………………… 120
要介護状態…………………… 147
要介護状態区分……………… 150
要介護認定…………… 149、156
…の審査・判定……………… 178
…の申請……………………… 153
…の有効期間………………… 157
要介護認定基準の設定……… 177
要介護認定等基準時間……… 156
要介護・要支援認定者数…… 137
養護者………………… 254、257
…による高齢者虐待………… 256
…による障害者虐待………… 257
養護老人ホーム… 131、132、306
要支援状態…………………… 147
要支援状態区分……………… 150
要支援認定…………… 149、156
…の審査・判定……………… 178
…の申請……………………… 153
…の有効期間………………… 157
要支援認定基準の設定……… 177
要配慮個人情報……………… 271
要保護児童対策地域協議会… 259
要保護女子…………………… 259
余暇社会……………………… 10
予防給付……………………… 150
…の創設……………………… 187
…の見直し…………………… 190
予防接種……………………… 66
『夜と霧』…………………… 8

## ら

ライフイベント……………… 3
ライフコース………………… 4
ライフサイクル……………… 3
…からみた社会保障… 66、106
ライフスタイル……………… 4
ライフステージ……………… 3
療育手帳……………………… 206
利用契約制度
………… 77、165、214、260

利用者負担（介護保険制度）… 152
…の引き上げ………… 190、191
利用者負担（障害者総合支援制度）……………………………… 237
療養介護……………………… 239
療養の給付…………………… 94
療養補償……………………… 97
隣保館………………………… 37
倫理綱領……………………… 271
老人医療費無料化…… 75、115
…の廃止……………… 76、115
老人介護支援センター
……………………… 131、132
老人居宅介護等事業… 131、132
老人居宅生活支援事業
……………………… 131、132
老人短期入所事業…… 131、132
老人短期入所施設…… 131、132
老人デイサービス事業
……………………… 131、132
老人デイサービスセンター
……………………… 131、132
老人福祉計画………………… 133
老人福祉施設………… 131、132
老人福祉センター…… 131、132
老人福祉法…………………… 131
…の改正（1972（昭和47）年）
……………………………… 115
…の改正（1982（昭和57）年）
……………………………… 115
…の制定……………… 75、114
老人保健法の制定…… 76、115
労働者災害補償保険
………………… 68、88、96
労働者年金保険法の制定…… 71
老齢基礎年金………………… 90
老齢厚生年金………………… 92
老齢年金……………………… 87
老老介護……………………… 120
65歳以上の者のいる世帯の世帯構造……………………… 17、120
65歳以上の者の就業者数…… 124
ロコモティブシンドローム… 284
ロス, M.……………………… 23

## わ

ワークフェア………………… 301
ワーク・ライフ・バランス
………………………… 6、10
我が事………………… 40、44、48

## 『最新 介護福祉士養成講座』編集代表（五十音順）

**秋山 昌江**（あきやま まさえ）
聖カタリナ大学人間健康福祉学部教授

**上原 千寿子**（うえはら ちずこ）
元・広島国際大学教授

**川井 太加子**（かわい たかこ）
桃山学院大学社会学部教授

**白井 孝子**（しらい たかこ）
東京福祉専門学校副学校長

# 「2 社会の理解（第2版）」編集委員・執筆者一覧

## 編集委員（五十音順）

**坂本 毅啓**（さかもと たけはる）
北九州市立大学地域創生学群准教授

**野村 脩**（のむら おさむ）
南海福祉看護専門学校介護社会福祉科長

## 執筆者（五十音順）

**家髙 将明**（いえたか まさあき） ……………………………… 第4章第1節・第2節
関西福祉科学大学社会福祉学部准教授

**鎌谷 勇宏**（かまたに いさひろ） ……………………………… 第3章
大谷大学社会学部専任講師

**小林 哲也**（こばやし てつや） ………………………………… 第4章第3節
静岡福祉大学社会福祉学部講師

**坂本 毅啓**（さかもと たけはる） ……………… 第1章第2節・第5節・第6節、第2章
北九州市立大学地域創生学群准教授

**志水 幸**（しみず こう） ……………………………………… 第1章第1節
北海道医療大学看護福祉学部教授

**野村 脩**（のむら おさむ） …………………………………… 第6章
南海福祉看護専門学校介護社会福祉科長

**橋本 眞奈美**（はしもと まなみ） ……………………………… 第5章第4節
九州看護福祉大学看護福祉学部准教授

**林 宏二**（はやし こうじ）……………………………………………………… 第1章第3節・第4節
佐久大学人間福祉学部講師

**藤井 渉**（ふじい わたる）……………………………………………………… 第5章第1節〜第3節
日本福祉大学社会福祉学部准教授

最新 介護福祉士養成講座 2
# 社会の理解 第2版

| 2019年3月31日 | 初　版　発　行 |
| 2022年2月1日 | 第 2 版　発　行 |
| 2023年2月1日 | 第 2 版第 2 刷発行 |

| 編　　集 | 介護福祉士養成講座編集委員会 |
| 発 行 者 | 荘村　明彦 |
| 発 行 所 | 中央法規出版株式会社 |
| | 〒110-0016　東京都台東区台東3-29-1　中央法規ビル |
| | TEL 03-6387-3196 |
| | https://www.chuohoki.co.jp/ |
| 印刷・製本 | サンメッセ株式会社 |

| 装幀・本文デザイン | 澤田かおり（トシキ・ファーブル） |
| カバーイラスト | のだよしこ |
| 本文イラスト | イオジン |
| 口絵デザイン | 株式会社ジャパンマテリアル |

定価はカバーに表示してあります。
ISBN978-4-8058-8391-4

本書のコピー、スキャン、デジタル化等の無断複製は、著作権法上での例外を除き禁じられています。また、本書を代行業者等の第三者に依頼してコピー、スキャン、デジタル化することは、たとえ個人や家庭内での利用であっても著作権法違反です。
落丁本・乱丁本はお取り替えいたします。

本書の内容に関するご質問については、下記URLから「お問い合わせフォーム」にご入力いただきますようお願いいたします。
https://www.chuohoki.co.jp/contact/